令和6年版教科書対応

板書で見る 全単元の授業のすべて 国語 小学校5年 下

中村和弘 監修
井上陽童・小木和美 編著

東洋館出版社

まえがき

令和２年に全面実施となった小学校の学習指導要領では、これからの時代に求められる資質・能力や教育内容が示されました。

この改訂を受け、これからの国語科では、

・言語活動を通して「言葉による見方・考え方」を働かせながら学習に取り組むことができるようにする。
・単元の目標／評価を、〔知識及び技能〕と〔思考力、判断力、表現力等〕のそれぞれの指導事項を結び付けて設定し、それらの資質・能力が確実に身に付くよう学習過程を工夫する。
・「主体的・対話的で深い学び」の視点から、単元の構成や教材の扱い、言語活動の設定などを工夫する授業改善を行う。

などのことが求められています。

一方で、こうした授業が全国の教室で実現するには、いくつかの難しさを抱えているように思います。例えば、言語活動が重視されるあまり、「国語科の授業で肝心なのは、言葉や言葉の使い方などを学ぶことである」という共通認識が薄れているように感じています。

あるいは、活動には取り組めているけれども、「今日の学習で、どのような言葉の力が付いたのか」が、子供たちだけでなく教師においても、ややもすると自覚的でない授業を見ることもあります。

国語科の授業を通して「どんな力が付けばよいのか」「何を教えればよいのか」という肝心な部分で、困っている先生方が多いのではないかと思います。

*　　*

さて、『板書で見る全単元の授業のすべて 小学校国語』（本シリーズ）は、平成29年の学習指導要領の改訂を受け、令和２年の全面実施に合わせて初版が刊行されました。このたび、令和６年版の教科書改訂に合わせて、本シリーズも改訂することになりました。

GIGA スクール構想に加え、新型コロナウイルス感染症の猛威などにより、教室での ICT 活用が急速に進み、この４年間で授業の在り方、学び方も大きく変わりました。改訂に当たっては、単元配列や教材の入れ替えなど新教科書に対応するだけでなく、ICT の効果的な活用方法や、個別最適な学びと協働的な学びを充実させるための手立てなど、今求められる授業づくりを発問と子供の反応例、板書案などを通して具体的に提案しています。

*　　*

日々教室で子供たちと向き合う先生に、「この単元はこんなふうに授業を進めていけばよいのか」「国語の授業はこんなところがポイントなのか」と、国語科の授業づくりの楽しさを感じながらご活用いただければ幸いです。

令和６年４月

中村　和弘

本書活用のポイント―単元構想ページ―

本書は、各学年の全単元について、単元全体の構想と各時間の板書のイメージを中心とした本時案を紹介しています。各単元の冒頭にある単元構想ページの活用のポイントは次のとおりです。

教材名と指導事項、関連する言語活動例

本書の編集に当たっては、令和6年発行の光村図書出版の国語教科書を参考にしています。まずは、各単元で扱う教材とその時数、さらにその下段に示した学習指導要領に即した指導事項や関連する言語活動例を確かめましょう。

単元の目標

単元の目標を示しています。各単元で身に付けさせたい資質・能力の全体像を押さえておきましょう。

評価規準

ここでは、指導要録などの記録に残すための評価を取り上げています。本書では、記録に残すための評価は❶❷のように色付きの丸数字で統一して示しています。本時案の評価で色付きの丸数字が登場したときには、本ページの評価規準と併せて確認することで、より単元全体を意識した授業づくりができるようになります。

同じ読み方の漢字 （2時間扱い）

単元の目標

知識及び技能	・第5学年までに配当されている漢字を読むことができる。第4学年までに配当されている漢字を書き、文や文章の中で使うとともに、第5学年に配当されている漢字を漸次書き、文や文章の中で使うことができる。((1)エ)
学びに向かう力、人間性等	・言葉がもつよさを認識するとともに、進んで読書をし、国語の大切さを自覚して思いや考えを伝え合おうとする。

評価規準

知識・技能	❶第5学年までに配当されている漢字を読んでいる。第4学年までに配当されている漢字を書き、文や文章の中で使うとともに、第5学年に配当されている漢字を漸次書き、文や文章の中で使っている。((知識及び技能)(1)エ)
主体的に学習に取り組む態度	❷同じ読み方の漢字の使い分けに関心をもち、同訓異字や同音異義語について進んで調べたり使ったりして、学習課題に沿って、それらを理解しようとしている。

単元の流れ

時	主な学習活動	評価
1	学習の見通しをもつ 同訓異字を扱ったメールのやり取りを見て、気付いたことを発表する。 同訓異字と同音異義語について調べるという見通しをもち、学習課題を設定する。 同じ読み方の漢字について調べ、使い分けられるようになろう。 教科書の問題を解き、同訓異字や同音異義語を集める。 〈課外〉・同訓異字や同音異義語を集める。 ・集めた言葉を教室に掲示し、共有する。	❶
2	集めた同訓異字や同音異義語から調べる言葉を選び、意味や使い方を調べ、ワークシートにまとめる。 調べたことを生かして、例文やクイズを作って紹介し合い、同訓異字や同音異義語の意味や使い方について理解する。 学習を振り返る 学んだことを振り返り、今後に生かしていきたいことを発表する。	❷

授業づくりのポイント

〈単元で育てたい資質・能力〉

本単元のねらいは、同じ読み方の漢字の理解を深め、正しく使うことができるようにすることである。

同じ読み方の漢字
156

単元の流れ

単元の目標や評価規準を押さえた上で、授業をどのように展開していくのかの大枠をここで押さえます。各展開例は学習活動ごとに構成し、それぞれに対応する評価をその右側の欄に示しています。

ここでは、「評価規準」で挙げた記録に残すための評価のみを取り上げていますが、本時案では必ずしも記録には残さない、指導に生かす評価も示しています。本時案での詳細かつ具体的な評価の記述と併せて確認することで、指導と評価の一体化を意識することが大切です。

また、学習の見通しをもつ 学習を振り返るという見出しが含まれる単元があります。見通しをもたせる場面と振り返りを行う場面を示すことで、教師が子供の学びに向かう姿を見取ったり、子供自身が自己評価を行う機会を保障したりすることに活用できるようにしています。

そのためには、どのような同訓異字や同音異義語があるか、国語辞典や漢字辞典などを使って進んで集めたり意味を調べたりすることに加えて、実際に使われている場面を想像する力が必要となる。
選んだ言葉の意味や使い方を調べ、例文やクイズを作ることで、漢字の意味を捉えたり、場面に応じて使い分けたりする力を育む。

［具体例］
○教科書に取り上げられている「熱い」「暑い」「厚い」を国語辞典で調べると、その言葉の意味とともに、熟語や対義語、例文が掲載されている。それらを使って、どう説明したら意味が似通っているときでも正しく使い分けることができるかを考え、理解を深めることができる。

〈教材・題材の特徴〉
教科書で扱われている同訓異字や同音異義語は、子どもに身に付けさせたい漢字や言葉ばかりであるが、ともすれば練習問題的な扱いになりがちである。子ども一人一人に応じた配慮をしながら、主体的に学んで取り組める活動にすることが大切である。
本教材での学習を通して、同訓異字や同音異義語が多いという日本語の特色とともに、一文字で意味をもち、使い分けることができる漢字の豊かさに気付かせたい。そのことが、漢字に対する興味・関心や学習への意欲を高めることになる。

［具体例］
○導入では、同訓異字によってすれ違いが起こる事例を提示する。生活の中で起こりそうな場面を設定することで、これから学習することへの興味・関心を高めるとともに、その事例の内容から課題を見つけ、学習の見通しをもたせることができる。

〈言語活動の工夫〉
数多くある同訓異字や同音異義語を区別して正しく使えるようになることを目標に、集めた言葉を付箋紙またはホワイトボードアプリにまとめる。言葉を集める際は、「自分たちが使い分けられるようになりたい漢字」という視点で集めることで、主体的に学習に取り組めるようにする。
さらに、例文やクイズを作成する過程では、使い分けができるような内容になっているかどうか、友達と互いにアドバイスし合いながら対話的に学習を進められるようにする。自分が理解するだけでなく、友達に自分が調べたことを分かりやすく伝えたいという相手意識を大切にしたい。

〈ICT の効果的な活用〉
調査：言葉集めの際は、国語辞典や漢字辞典を用いたい。しかし、辞典の扱いが厳しい児童にはインターネットでの検索を用いてもよいこととし、意味や例文の確認のために辞典を活用するよう声を掛ける。
記録：集めた言葉をホワイトボードアプリに記録していくことで、どんな言葉が集まったのかをクラスで共有することができる。
共有：端末のプレゼンテーションソフトなどを用いて例文を作り、同訓異字や同音異義語の部分を空欄にしたり、選択問題にしたりすることで、もっとクイズを作りたい、友達と解き合いたいという意欲につなげたい。

157

授業づくりのポイント

ここでは、各単元の授業づくりのポイントを取り上げています。
全ての単元において〈単元で育てたい資質・能力〉を解説しています。単元で育てたい資質・能力を確実に身に付けさせるために、気を付けたいポイントや留意点に触れています。授業づくりに欠かせないポイントを押さえておきましょう。
他にも、単元や教材文の特性に合わせて〈教材・題材の特徴〉〈言語活動の工夫〉〈他教材や他教科との関連〉〈子供の作品やノート例〉〈並行読書リスト〉などの内容を適宜解説しています。これらの解説を参考にして、学級の実態に応じた工夫を図ることが大切です。各項目では解説に加え、具体例も挙げていますので、併せてご確認ください。

ICT の効果的な活用

1人1台端末の導入・活用状況を踏まえ、本単元における ICT 端末の効果的な活用について、「調査」「共有」「記録」「分類」「整理」「表現」などの機能ごとに解説しています。活用に当たっては、学年の発達段階や、学級の子供の実態に応じて取捨選択し、アレンジすることが大切です。
本ページ、また本時案ページを通して、具体的なソフト名は使用せず、原則、下記のとおり用語を統一しています。ただし、アプリ固有の機能などについて説明したい場合はアプリ名を記載することとしています。
〈ICT ソフト：統一用語〉
Safari、Chrome、Edge →ウェブブラウザ ／ Pages、ドキュメント、Word →文書作成ソフト
Numbers、スプレッドシート、Excel →表計算ソフト ／ Keynote、スライド、PowerPoint →プレゼンテーションソフト ／ クラスルーム、Google Classroom、Teams →学習支援ソフト

本書活用のポイント―本時案ページ―

単元の各時間の授業案は、板書のイメージを中心に、目標や評価、学習の進め方などを合わせて見開きで構成しています。各単元の本時案ページの活用のポイントは次のとおりです。

本時の目標

本時の目標を示しています。単元構想ページとは異なり、各時間の内容により即した目標を示していますので、「授業の流れ」などと併せてご確認ください。

本時の主な評価

ここでは、各時間における評価について2種類に分類して示しています。それぞれの意味は次のとおりです。

○❶❷などの色付き丸数字が付いている評価

指導要録などの記録に残すための評価を表しています。単元構想ページにある「単元の流れ」の表に示された評価と対応しています。各時間の内容に即した形で示していますので、具体的な評価のポイントを確認することができます。

○「・」の付いている評価

必ずしも記録に残さない、指導に生かす評価を表しています。以降の指導に反映するための教師の見取りとして大切な視点です。指導との関連性を高めるためにご活用ください。

本時案

同じ読み方の漢字

本時の目標

・同訓異字と同音異義語について知り、言葉や漢字への興味を高めることができる。

本時の主な評価

❶同訓異字や同音異義語を集めて、それぞれの意味を調べている。【知・技】

・漢字や言葉の読みと意味の関係に興味をもち、進んで調べたり考えたりしている。

資料等の準備

・メールのやりとりを表す掲示物
・国語辞典
・漢字辞典
・関連図書（『ことばの使い分け辞典』学研プラス、『同音異義語・同訓異字①②』童心社、『のびーる国語 使い分け漢字』KADOKAWA）

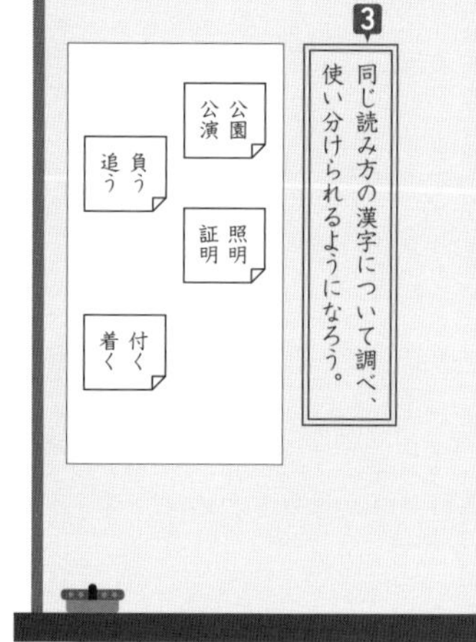

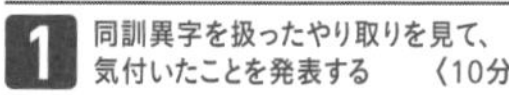

授業の流れ ▷▷▷

1 同訓異字を扱ったやり取りを見て、気付いたことを発表する 〈10分〉

T 今から、あるやり取りを見せます。どんな学習をするのか、考えながら見てください。

○「移す」と「写す」を使ったやり取りを見せることで、同訓異字の存在に気付いてその特徴を知り、興味・関心を高められるようにする。

・「移す」と「写す」で意味の行き違いが生まれてしまいました。

・同じ読み方でも、意味が違う漢字の学習をするのだと思います。

・自分も、どの漢字を使えばよいのか迷った経験があります。

ICT端末の活用ポイント

メールのやり取りは、掲示物ではなく、プレゼンテーションソフトで作成し、アニメーションで示すと、より生活経験に近づく。

2 学習のめあてを確認し、同訓異字と同音異義語について知る 〈10分〉

T 教科書 p.84の「あつい」について、合う言葉を線で結びましょう。

・「熱い」と「暑い」は意味が似ているから、間違えやすいな。

T このように、同じ訓の漢字や同じ音の熟語が日本語にはたくさんあります。それらの言葉を集めて、どんな使い方をするのか調べてみましょう。

○「同じ訓の漢字（同訓異字）」と「同じ音の熟語（同音異義語）」を押さえ、訓読みと音読みの違いを理解できるようにする。

同じ読み方の漢字
158

資料等の準備

ここでは、板書をつくる際に準備するとよいと思われる絵やカード等について、箇条書きで示しています。なお、⤓の付いている付録資料については、巻末にダウンロード方法を示しています。

ICT端末の活用ポイント／ICT等活用アイデア

必要に応じて、活動の流れの中でのICT端末の活用の具体例や、本時におけるICT活用の効果などを解説しています。

学級の子供の実態に応じて取り入れ、それぞれの考えや意見を瞬時に共有したり、分類することで思考を整理したり、記録に残して見返すことで振り返りに活用したりなど、学びを深めるための手立てとして活用しましょう。

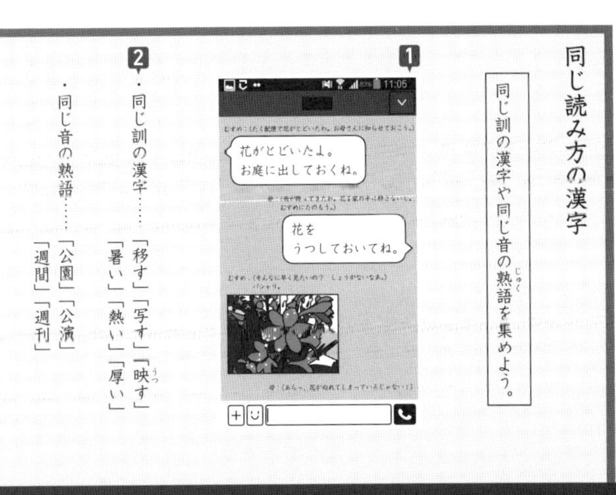

ICT 等活用アイデア

調査活動を広げる工夫

第１時と第２時の間の課外で、同訓異字・同音異義語を集める活動を行う。辞典だけでなく、経験やインタビュー、さらにインターネットなどを活用するとよい。

また、集めた言葉を「同じ訓の字」と「同じ音の熟語」に分けてホワイトボードアプリに記録していくことで、友達がどんな言葉を見つけたのか、どのくらい集まったのかをクラスで共有することができる。

3 教科書の問題を解き、同訓異字や同音異義語を集める 〈25分〉

T　同じ訓の漢字や同じ音の熟語は、意味を考えて、どの漢字を使うのが適切かを考えなければなりません。教科書の問題を解いて、練習してみましょう。

○初めから辞典で調べるのではなく、まずは子ども自身で意味を考えさせたい。難しい子どもには、ヒントとなるような助言をする。

T　これまで習った漢字の中から、自分たちが使い分けられるようになりたい同じ訓の漢字や、同じ音の熟語を集めてみましょう。

○漢字辞典や国語辞典だけでなく、関連図書を準備しておくとよい。

T　次時は、理解を深めたい字の使い分け方について調べて、友達に伝えましょう。

第1時
159

本時の板書例

子供たちの学びを活性化させ、授業の成果を視覚的に確認するための板書例を示しています。学習活動に関する項立てだけでなく、子供の発言例なども示すことで、板書全体の構成をつかみやすくなっています。

板書に示されている**1 2**などの色付きの数字は、「授業の流れ」の各展開と対応しています。どのタイミングで何を提示していくのかを確認し、板書を効果的に活用することを心掛けましょう。

色付きの吹き出しは、板書をする際の留意点です。実際の板書では、テンポよくまとめる必要がある部分があったり、反対に子供の発言を丁寧に記していく必要がある部分があったりします。留意点を参考にすることで、メリハリをつけて板書を作ることができるようになります。

その他、色付きの文字で示された部分は実際の板書には反映されない部分です。黒板に貼る掲示物などが当たります。

これらの要素をしっかりと把握することで、授業展開と一体となった板書を作り上げることができます。

よりよい授業へのステップ

ここでは、本時の指導についてポイントを絞って解説しています。授業を行うに当たって、子供がつまずきやすいポイントやさらに深めたい内容について、各時間の内容に即して実践的に示しています。よりよい授業づくりのために必要な視点を押さえましょう。

授業の流れ

1時間の授業をどのように展開していくのかについて示しています。

各展開例について、主な学習活動とともに目安となる時間を示しています。導入に時間を割きすぎたり、主となる学習活動に時間を取れなかったりすることを避けるために、時間配分もしっかりと確認しておきましょう。

各展開は、T：教師の発問や指示等、・：予想される子供の反応例、〇：留意点等の３つの内容で構成されています。この展開例を参考に、各学級の実態に合わせてアレンジを加え、より効果的な授業展開を図ることが大切です。

板書で見る全単元の授業のすべて

国語 小学校５年下 ―令和６年版教科書対応―

もくじ

1 第５学年における授業づくりのポイント

2 第５学年の授業展開

1

第 5 学年における授業づくりのポイント

「主体的・対話的で深い学び」を目指す授業づくりのポイント

1 国語科における「主体的・対話的で深い学び」の実現

平成29年告示の学習指導要領では、国語科の内容は育成を目指す資質・能力の３つの柱の整理を踏まえ、〔知識及び技能〕と〔思考力、判断力、表現力等〕から編成されている。これらの資質・能力は、国語科の場合は言語活動を通して育成される。

つまり、子供の取り組む言語活動が充実したものであれば、その活動を通して、教師の意図した資質・能力は効果的に身に付くということになる。逆に、子供にとって言語活動がつまらなかったり気が乗らなかったりすると、資質・能力も身に付きにくいということになる。

ただ、どんなに言語活動が魅力的であったとしても、あるいは子供が熱中して取り組んだとしても、それらを通して肝心の国語科としての資質・能力が身に付かなければ、本末転倒ということになってしまう。

このように、国語科における学習活動すなわち言語活動は、きわめて重要な役割を担っている。その言語活動の質を向上させていくための視点が、「主体的・対話的で深い学び」ということになる。学習指導要領の「指導計画の作成と内容の取扱い」では、次のように示されている。

> 単元など内容や時間のまとまりを見通して、その中で育む資質・能力の育成に向けて、児童の主体的・対話的で深い学びの実現を図るようにすること。その際、言葉による見方・考え方を働かせ、言語活動を通して、言葉の特徴や使い方などを理解し自分の思いや考えを深める学習の充実を図ること。

ここにあるように、「主体的・対話的で深い学び」の実現は、「資質・能力の育成に向けて」工夫されなければならない点を確認しておきたい。

2 主体的な学びを生み出す

例えば、「読むこと」の学習では、子供の読む力は、何度も文章を読むことを通して高まる。ただし、「読みましょう」と教師に指示されて読むよりも、「どうしてだろう」と問いをもって読んだり、「こんな点を考えてみよう」と目的をもって読んだりした方が、ずっと効果的である。問いや目的は、子供の自発的な読みを促してくれる。

教師からの「〇場面の人物の気持ちを考えましょう」という指示的な学習課題だけでは、こうした自発的な読みが生まれにくい。「〇場面の人物の気持ちは、前の場面と比べてどうか」「なぜ、変化したのか」「AとBと、どちらの気持ちだと考えられるか」など、子供の問いや目的につながる課題や発問を工夫することが、主体的な学びの実現へとつながる。

この点は、「話すこと・聞くこと」や「書くこと」の授業でも同じである。「まず、こう書きましょう」「書けましたか。次はこう書きましょう」という指示の繰り返しで書かせていくと、活動がいつの間にか作業になってしまう。それだけではなく、「どう書けばいいと思う？」「前にどんな書き方を習った？」「どう工夫して書けばいい文章になるだろう？」などのように、子供に問いかけ、考えさせながら書かせていくことで、主体的な学びも生まれやすくなる。

3 対話的な学びを生み出す

対話的な学びとして、グループで話し合う活動を取り入れても、子供たちに話し合いたいことがなければ、形だけの活動になってしまう。活動そのものが大切なのではなく、何かを解決したり考えたりする際に、１人で取り組むだけではなく、近くの友達や教師などの様々な相手に、相談したり自分の考えを聞いてもらったりすることに意味がある。

そのためには、例えば、「疑問（〇〇って、どうなのだろうね？）」「共感や共有（ねえ、聞いてほしいんだけど……）」「目的（いっしょに、〇〇しよう！）」「相談（〇〇をどうしたらいいのかな）」などをもたせることが有用である。その上で、何分で話し合うのか（時間）、誰と話し合うのか（相手）、どのように話し合うのか（方法や形態）といったことを工夫するのである。

また、国語における対話的な学びでは、相手や対象に「耳を傾ける」ことが大切である。相手の言っていることにしっかり耳を傾け、「何を言おうとしているのか」という意図など考えながら聞くということである。

大人でもそうだが、思っていることや考えていることなど、頭の中の全てを言葉で言い表すことはできない。だからこそ、聞き手は、相手の言葉を手がかりにしながら、その人がうまく言葉にできていない思いや考え、意図を汲み取って聞くことが大切になってくる。

聞くとは、受け止めることであり、フォローすることである。聞き手がそのように受け止めてくれることで、話し手の方も、うまく言葉にできなくても口を開くことができる。対話的な学びとは、話し手と聞き手とが、互いの思いや考えをフォローし合いながら言語化する共同作業である。対話することを通して、思いや考えが言葉になり、そのことが思考を深めることにつながる。

国語における対話的な学びの場面では、こうした言葉の役割や対話をすることの意味などに気付いていくことも、言葉を学ぶ教科だからこそ、大切にしていきたい。

4 深い学びを生み出す

深い学びを実現するには、言葉による見方・考え方を働かせ、言語活動を通して国語科としての資質・能力を身に付けることが欠かせない（「言葉による見方・考え方」については、次ページを参照）。授業を通して、子供の中に、言葉や言葉の使い方についての発見や更新が生まれるということである。

国語の授業は、言語活動を通して行われるため、どうしても活動することが目的化しがちである。だからこそ、読むことでも書くことでも、「どのような言葉や言葉の使い方を学習するために、この活動を行っているのか」を、常に意識して授業を考えていくことが最も大切である。

そのためには、例えば、学習指導案の本時の目標と評価を、できる限り明確に書くようにすることが考えられる。「〇場面を読んで、人物の気持ちを想像する」という目標では、どのような語句や表現に着目し、どのように想像させるのかがはっきりしない。教材研究などを通して、この場面で深く考えさせたい叙述や表現はどこなのかを明確にすると、学習する内容も焦点化される。つまり、本時の場面の中で、どの語句や表現に時間をかけて学習すればよいかが見えてくる。全部は教えられないので、扱う内容の焦点化を図るのである。焦点化した内容について、課題の設定や言語活動を工夫して、子供の学びを深めていく。言葉や言葉の使い方についての、発見や更新を促していく。評価についても同様で、何がどのように読めればよいのかを、子供の姿で考えることでより具体的になる。

このように、授業のねらいが明確になり、扱う内容が焦点化されると、その部分の学習が難しい子供への手立ても、具体的に用意することができる。どのように助言したり、考え方を示したりすればその子供の学習が深まるのかを、個別に具体的に考えていくのである。

「言葉による見方・考え方」を働かせる授業づくりのポイント

1 「言葉を学ぶ」教科としての国語科の授業

国語科は「言葉を学ぶ」教科である。

物語を読んで登場人物の気持ちについて話し合っても、説明文を読んで分かったことを新聞にまとめても、その言語活動のさなかに、「言葉を学ぶ」ことが子供の中に起きていなければ、国語科の学習に取り組んだとは言いがたい。

「言葉を学ぶ」とは、普段は意識することのない「言葉」を学習の対象とすることであり、これもまたあまり意識することのない「言葉の使い方」（話したり聞いたり書いたり読んだりすること）について、意識的によりよい使い方を考えたり向上させたりしていくことである。

例えば、国語科で「ありの行列」という説明的文章を読むのは、アリの生態や体の仕組みについて詳しくなるためではない。その文章が、どのように書かれているかを学ぶために読む。だから、文章の構成を考えたり、説明の順序を表す接続語に着目したりする。あるいは、「問い」の部分と「答え」の部分を、文章全体から見つけたりする。

つまり、国語科の授業では、例えば、文章の内容を読み取るだけでなく、文章中の「言葉」の意味や使い方、効果などに着目しながら、筆者の書き方の工夫を考えることなどが必要である。また、文章を書く際にも、構成や表現などを工夫し、試行錯誤しながら相手や目的に応じた文章を書き進めていくことなどが必要となってくる。

2 言葉による見方・考え方を働かせるとは

平成29年告示の学習指導要領では、小学校国語科の教科の目標として「言葉による見方・考え方を働かせ、言語活動を通して、国語で正確に理解し適切に表現する資質・能力を次のとおり育成することを目指す」とある。その「言葉による見方・考え方を働かせる」ということついて、『小学校学習指導要領解説　国語編』では、次のように説明されている。

> 言葉による見方・考え方を働かせるとは、児童が学習の中で、対象と言葉、言葉と言葉との関係を、言葉の意味、働き、使い方等に着目して捉えたり問い直したりして、言葉への自覚を高めることであると考えられる。様々な事象の内容を自然科学や社会科学等の視点から理解することを直接の学習目的としない国語科においては、言葉を通じた理解や表現及びそこで用いられる言葉そのものを学習対象としている。このため、「言葉による見方・考え方」を働かせることが、国語科において育成を目指す資質・能力をよりよく身に付けることにつながることとなる。

一言でいえば、言葉による見方・考え方を働かせるとは、「言葉」に着目し、読んだり書いたりする活動の中で、「言葉」の意味や働き、その使い方に目を向け、意識化していくことである。

前に述べたように、「ありの行列」という教材を読む場合、文章の内容の理解のみを授業のねらいとすると、理科の授業に近くなってしまう。もちろん、言葉を通して内容を正しく読み取ることは、国語科の学習として必要なことである。しかし、接続語に着目したり段落と段落の関係を考えたりと、文章中に様々に使われている「言葉」を捉え、その意味や働き、使い方などを検討していくことが、言葉による見方・考え方を働かせることにつながる。子供たちに、文章の内容への興味をもたせるとともに、書かれている「言葉」を意識させ、「言葉そのもの」に関心をもたせることが、国語科の授業では大切となる。

3 〔知識及び技能〕と〔思考力、判断力、表現力等〕

言葉による見方・考え方を働かせながら、文章を読んだり書いたりさせるためには、〔知識及び技能〕の事項と〔思考力、判断力、表現力等〕の事項とを組み合わせて、授業を構成していくことが必要となる。文章の内容ではなく、接続語の使い方や文末表現への着目、文章構成の工夫や比喩表現の効果など、文章の書き方に目を向けて考えていくためには、そもそもそういった種類の「言葉の知識」が必要である。それらは主に〔知識及び技能〕の事項として編成されている。

一方で、そうした知識は、ただ知っているだけでは、読んだり書いたりするときに生かされてこない。例えば、文章構成に関する知識を使って、今読んでいる文章について、構成に着目してその特徴や筆者の工夫を考えてみる。あるいは、これから書こうとしている文章について、様々な構成の仕方を検討し、相手や目的に合った書き方を工夫してみる。これらの「読むこと」や「書くこと」などの領域は、〔思考力、判断力、表現力等〕の事項として示されているので、どう読むか、どう書くかを考えたり判断したりする言語活動を組み込むことが求められている。

このように、言葉による見方・考え方を働かせながら読んだり書いたりするには、「言葉」に関する知識・技能と、それらをどう駆使して読んだり書いたりすればいいのかという思考力や判断力などの、両方の資質・能力が必要となる。単元においても、〔知識及び技能〕の事項と〔思考力、判断力、表現力等〕の事項とを両輪のように組み合わせて、目標／評価を考えていくことになる。先に引用した『解説』の最後に、「『言葉による見方・考え方』を働かせることが、国語科において育成を目指す資質・能力をよりよく身に付けることにつながる」としているのも、こうした理由からである。

4 他教科等の学習を深めるために

もう１つ大切なことは、言葉による見方・考え方を働かせることが、各教科等の学習にもつながってくる点である。一般的に、学習指導要領で使われている「見方・考え方」とは、その教科の学びの本質に当たるものであり、教科固有のものであるとして説明されている。ところが、言葉による見方・考え方は、他教科等の学習を深めることとも関係してくる。

これまで述べてきたように、国語科で文章を読むときには、書かれている内容だけでなく、どう書いてあるかという「言葉」の面にも着目して読んだり考えたりしていくことが大切である。

この「言葉」に着目し、意味を深く考えたり、使い方について検討したりすることは、社会科や理科の教科書や資料集を読んでいく際にも、当然つながっていくものである。例えば、言葉による見方・考え方が働くということは、社会の資料集や理科の教科書を読んでいるときにも、「この言葉の意味は何だろう、何を表しているのだろう」と、言葉と対象の関係を考えようとしたり、「この用語と前に出てきた用語とは似ているが何が違うのだろう」と言葉どうしを比較して検討しようとしたりするということである。

教師が、「その言葉の意味を調べてみよう」「用語同士を比べてみよう」と言わなくても、子供自身が言葉による見方・考え方を働かせることで、そうした学びを自発的にスタートさせることができる。国語科で、言葉による見方・考え方を働かせながら学習を重ねてきた子供たちは、「言葉」を意識的に捉えられる「構え」が生まれている。それが他の教科の学習の際にも働くのである。

言語活動に取り組ませる際に、どんな「言葉」に着目させて、読ませたり書かせたりするのかを、教材研究などを通してしっかり捉えておくことが大切である。

学習評価のポイント

1 国語科における評価の観点

各教科等における評価は、平成29年告示の学習指導要領に沿った授業づくりにおいても、観点別の目標準拠評価の方式である。学習指導要領に示される各教科等の目標や内容に照らして、子供の学習状況を評価するということであり、評価の在り方としてはこれまでと大きく変わることはない。

ただし、その学習指導要領そのものが、「知識及び技能」「思考力、判断力、表現力等」「学びに向かう力、人間性等」の資質・能力の３つの柱で、目標や内容が構成されている。そのため、観点別学習状況の評価についても、この３つの柱に基づいた観点で行われることとなる。

国語科の評価観点も、これまでの５観点から次の３観点へと変更される。

「(国語への）関心・意欲・態度」
「話す・聞く能力」
「書く能力」
「読む能力」
「(言語についての）知識・理解（・技能)」

→

「知識・技能」
「思考・判断・表現」
「主体的に学習に取り組む態度」

2 「知識・技能」「思考・判断・表現」の評価規準

国語科の評価観点のうち、「知識・技能」と「思考・判断・表現」については、それぞれ学習指導要領に示されている〔知識及び技能〕と〔思考力、判断力、表現力等〕と対応している。

例えば、低学年の「話すこと・聞くこと」の領域で、夏休みにあったことを紹介する単元があり、次の２つの指導事項を身に付けることになっていたとする。

・音節と文字との関係、アクセントによる語の意味の違いなどに気付くとともに、姿勢や口形、発声や発音に注意して話すこと。　〔知識及び技能〕(1)イ
・相手に伝わるように、行動したことや経験したことに基づいて、話す事柄の順序を考えること。　〔思考力、判断力、表現力等〕Ａ話すこと・聞くことイ

この単元の学習評価を考えるには、これらの指導事項が身に付いた状態を示すことが必要である。したがって、評価規準は次のように設定される。

「知識・技能」	姿勢や口形、発声や発音に注意して話している。
「思考・判断・表現」	「話すこと・聞くこと」において、相手に伝わるように、行動したことや経験したことに基づいて、話す事柄の順序を考えている。

このように、「知識・技能」と「思考・判断・表現」の評価については、単元で扱う指導事項の文末を「〜こと」から「〜している」として置き換えると、評価規準を作成することができる。その際、単元で育成したい資質・能力に照らして、指導事項の文言の一部を用いて評価規準を作成する場合もあることに気を付けたい。また、「思考・判断・表現」の評価を書くにあたっては、例のように、冒頭に「『話すこと・聞くこと』において」といった領域名を明記すること（「書くこと」「読む

こと」も同様）も必要である。

3 「主体的に学習に取り組む態度」の評価規準

一方で、「主体的に学習に取り組む態度」の評価については、指導事項の文言をそのまま使うということができない。学習指導要領では、「学びに向かう力、人間性等」については教科の目標や学年の目標に示されてはいるが、指導事項としては記載されていないからである。そこで、「主体的に学習に取り組む態度」の評価規準は、それぞれの単元で、育成する資質・能力と言語活動に応じて、次のように作成する必要がある。

「主体的に学習に取り組む態度」の評価規準は、次の①～④の内容で構成される（〈　〉内は当該内容の学習上の例示）。

①粘り強さ〈積極的に、進んで、粘り強く等〉
②自らの学習の調整〈学習の見通しをもって、学習課題に沿って、今までの学習を生かして等〉
③他の２観点において重点とする内容（特に、粘り強さを発揮してほしい内容）
④当該単元（や題材）の具体的な言語活動（自らの学習の調整が必要となる具体的な言語活動）

先の低学年の「話すこと・聞くこと」の単元の場合でいえば、この①～④の要素に当てはめてみると、例えば、①は「進んで」、②は「今までの学習を生かして」、③は「相手に伝わるように話す事柄の順序を考え」、④は「夏休みの出来事を紹介している」とすることができる。

この①～④の文言を、語順などを入れ替えて自然な文とすると、この単元での「主体的に学習に取り組む態度」の評価規準は、

「主体的に学習に取り組む態度」	進んで相手に伝わるように話す事柄の順序を考え、今までの学習を生かして、夏休みの出来事を紹介しようとしている。

と設定することができる。

4 評価の計画を工夫して

学習指導案を作る際には、「単元の指導計画」などの欄に、単元のどの時間にどのような言語活動を行い、どのような資質・能力の育成をして、どう評価するのかといったことを位置付けていく必要がある。評価規準に示した子供の姿を、単元のどの時間でどのように把握し記録に残すかを、計画段階から考えておかなければならない。

ただし、毎時間、全員の学習状況を把握して記録していくということは、現実的には難しい。そこで、ABC といった記録に残す評価活動をする場合と、記録には残さないが、子供の学習の様子を捉え指導に生かす評価活動をする場合との、２つの学習評価の在り方を考えるとよい。

記録に残す評価は、評価規準に示した子供の学習状況を、原則として言語活動のまとまりごとに評価していく。そのため、単元のどのタイミングで、どのような方法で評価するかを、あらかじめ計画しておく必要がある。一方、指導に生かす評価は、毎時間の授業の目標などに照らして、子供の学習の様子をそのつど把握し、日々の指導の工夫につなげていくことがポイントである。

こうした２つの学習評価の在り方をうまく使い分けながら、子供の学習の様子を捉えられるようにしたい。

板書づくりのポイント

1 縦書き板書の意義

国語科の板書のポイントの１つは、「縦書き」ということである。教科書も縦書き、ノートも縦書き、板書も縦書きが基本となる。

また、学習者が小学生であることから、板書が子供たちに与える影響が大きい点も見過ごすことができない。整わない板書、見にくい板書では子供たちもノートが取りにくい。また、子供の字は教師の字の書き方に似てくると言われることもある。

教師の側では、ICT 端末や電子黒板、デジタル教科書を活用し、いわば「書かないで済む板書」の工夫ができるが、子供たちのノートは基本的に手書きである。教師の書く縦書きの板書は、子供たちにとっては縦書きで字を書いたりノートを作ったりするときの、欠かすことのできない手がかりとなる。

デジタル機器を上手に使いこなしながら、手書きで板書を構成することのよさを再確認したい。

2 板書の構成

基本的には、黒板の右側から書き始め、授業の展開とともに左向きに書き進め、左端に最後のまとめなどがくるように構成していく。板書は45分の授業を終えたときに、今日はどのような学習に取り組んだのかが、子供たちが一目で分かるように書き進めていくことが原則である。

黒板の右側　授業の始めに、学習日、単元名や教材名、本時の学習課題などを書く。学習課題は、色チョークで目立つように書く。

黒板の中央　授業の展開や学習内容に合わせて、レイアウトを工夫しながら書く。上下二段に分けて書いたり、教材文の拡大コピーや写真や挿絵のコピーも貼ったりしながら、原則として左に向かって書き進める。チョークの色を決めておいたり（白色を基本として、課題や大切な用語は赤色で、目立たせたい言葉は黄色で囲むなど）、矢印や囲みなども工夫したりして、視覚的にメリハリのある板書を構成していく。

黒板の左側　授業も終わりに近付き、まとめを書いたり、今日の学習の大切なところを確認したりする。

3 教具を使って

⑴ 短冊など

画用紙などを縦長に切ってつなげ、学習課題や大切なポイント、キーワードとなる教材文の一部などを事前に用意しておくことができる。チョークで書かずに短冊を貼ることで、効率的に授業を進めることができる。ただ、子供たちが短冊をノートに書き写すのに時間がかかったりするなど、配慮が必要なこともあることを知っておきたい。

⑵ ミニホワイトボード

グループで話し合ったことなどを、ミニホワイトボードに短く書かせて黒板に貼っていくと、それらを見ながら、意見を仲間分けをしたり新たな考えを生み出したりすることができる。専用のものでなくても、100円ショップなどに売っている家庭用ホワイトボードの裏に、板磁石を両面テープで貼るなどして作ることもできる。

⑶ 挿絵や写真など

物語や説明文を読む学習の際に、場面で使われている挿絵をコピーしたり、文章中に出てくる写真や図表を拡大したりして、黒板に貼っていく。物語の場面の展開を確かめたり、文章と図表との関係を考えたりと、いろいろな場面で活用できる。

⑷ ネーム磁石

クラス全体で話合いをするときなど、子供の発言を教師が短くまとめ、板書していくことが多い。そのとき、板書した意見の上や下に、子供の名前を書いた磁石も一緒に貼っていく。そうすると、誰の意見かが一目で分かる。子供たちも「前に出た○○さんに付け加えだけど……」のように、黒板を見ながら発言をしたり、意見をつなげたりしやすくなる。

4 黒板の左右に

⑴ 単元の学習計画や本時の学習の流れ

単元の指導計画を子供向けに書き直したものを提示することで、この先、何のためにどのように学習を進めるのかという見通しを、子供たちももつことができる。また、今日の学習が全体の何時間目に当たるのかも、一目で分かる。本時の授業の進め方も、黒板の左右の端や、ミニホワイトボードなどに書いておくこともできる。

⑵ スクリーンや電子黒板

黒板の上に広げるロール状のスクリーンを使用する場合は、当然その分だけ、板書のスペースが少なくなる。電子黒板などがある場合には、教材文などは拡大してそちらに映し、黒板のほうは学習課題や子供の発言などを書いていくことができる。いずれも、黒板とスクリーン（電子黒板）という２つをどう使い分け、どちらにどのような役割をもたせるかなど、意図的に工夫すると互いをより効果的に使うことができる。

⑶ 教室掲示を工夫して

教材文を拡大コピーしてそこに書き込んだり、挿絵などをコピーしたりしたものは、その時間の学習の記録として、教室の背面や側面などに掲示していくことができる。前の時間にどんなことを勉強したのか、それらを見ると一目で振り返ることができる。また、いわゆる学習用語などは、そのつど色画用紙などに書いて掲示していくと、学習の中で子供たちが使える言葉が増えてくる。

5 上達に向けて

⑴ 板書計画を考える

本時の学習指導案を作るときには、板書計画も合わせて考えることが大切である。本時の学習内容や活動の進め方とどう連動しながら、どのように板書を構成していくのかを具体的にイメージすることができる。

⑵ 自分の板書を撮影しておく

自分の授業を記録に取るのは大変だが、「今日は、よい板書ができた」というときには、板書だけ写真に残しておくとよい。自分の記録になるとともに、印刷して次の授業のときに配れば、前時の学習を振り返る教材として活用することもできる。

⑶ 同僚の板書を参考にする

最初から板書をうまく構成することは、難しい。誰もが見よう見まねで始め、工夫しながら少しずつ上達していく。校内でできるだけ同僚の授業を見せてもらい、板書の工夫を学ばせてもらうとよい。時間が取れないときも、通りがかりに廊下から黒板を見させてもらうだけでも勉強になる。

1 ICT を活用した国語の授業をつくる

GIGA スクール構想による１人１台端末の整備が進み、教室の学習環境は様々に変化している。子供たちの手元にはタブレットなどの ICT 端末があり、教室には大型のモニターやスクリーンが用意されるようになった。また、校内のネットワーク環境も整備されて、かつては学校図書館やパソコンルームで行っていた調べ学習も、教室の自分の席に座ったままでいろいろな情報にアクセスできるようになった。

一方、子供たちの机の上には、これまでと同じく教科書やノートもあり、前面には黒板もあって様々に活用されている。紙の本やノート、黒板などを使って手で書いたり読んだりする学習と、ICT を活用して情報を集めたり共有したりする学習との、いわば「ハイブリッドな学び」が生まれている。

それぞれの学習方法のメリットを生かし、学年の発達段階や学習の内容に合わせて、活用の仕方を工夫していきたい。

2 国語の授業での ICT 活用例

ICT の活用によって、国語の授業でも次のような学習活動が可能になっている。本書でも、単元ごとに様々な活用例を示している。

共有する

文章を読んだ意見や感想、また書いた作文などをアップロードして、その場で互いに読み合うことができる。また、付箋機能などを使って、考えを整理したり、意見を視覚化して共有しながら話合いを行ったりすることもできる。ICT を活用した共有や交流は、国語の授業の様々な場面で工夫することができる。

書く

書いたり消したり直したりすることがしやすい点が、原稿用紙に書くこととの違いである。字を書くことへの抵抗感を減らす点もメリットであり、音声入力からまずテキスト化して、それを推敲しながら文章を作っていくという支援が可能になる。同時に、思考の速度に入力の速度が追いつかないと、かえって書きにくいという面もあり、また国語科は縦書きが多いので、その点のカスタマイズが必要な場合もある。

発表資料を作る

プレゼンテーションソフトを使って、調べたことなどをスライドにまとめることができる。写真や図表などの視覚資料も活用しやすく、文章と視覚資料を組み合わせたまとめを作りやすいというメリットがある。また、調べる活動もインターネットを活用する他、アンケートフォームを使うことでクラス内や学年内の様々な調査活動が簡単に行えるようになり、それらの調査結果を生かした意見文や発表資料を作ることが可能になった。

録音・録画する

話合いの単元などでは、グループで話し合っている様子を自分たちで録画し、それを見返しながら学習を進めることができる。また、音読・朗読の学習でも、自分の声を録音しそれを聞きながら、読み方の工夫へとつなげることができ、家庭学習でも活用することができる。一方、教材作成の面からも利便性が高い。例えば、教師がよい話合いの例とそうでない例を演じた動画教材を作って授業中に効果的に使うなど、様々な工夫が可能である。

蓄積する

自分の学習履歴を残したり、見返すことがしやすくなったりする点がメリットである。例えば、毎時の学習感想を書き残していくことで、単元の中の自分の考えの変化に気付きやすくなる。あるいは書いた作文を蓄積することで、以前の「書くこと」の単元でどのような書き方を工夫していたかをすぐに調べることができる。それらによって、自分の学びの成長を実感したり、前に学習したことを今の学習に生かしたりしやすくなる。

3 ICT 活用の留意点

⑴ 指導事項に照らして活用する

例えば、「読むこと」には「共有」の指導事項がある。先に述べたように、ICT の活用によって、感想や意見はその場で共有できるようになった。一方で、そうした活動を行えば、それで「共有」の事項を指導したということにはならない点に気を付ける必要がある。

高学年では「文章を読んでまとめた意見や感想を共有し、自分の考えを広げること」（「読むこと」カ）とあるので、「自分の考えを広げること」につながるように意見や感想を共有させるにはどうすればよいか、そうした視点からの指導の工夫が欠かせない。

⑵ 学びの土俵から思考の土俵へ

ICT は子供の学習意欲を高める側面がある。同時に、例えば、調べたことをプレゼンテーションソフトを使ってスライドにまとめる際に、字体やレイアウトのほうに気が向いてしまい、「元の資料をきちんと要約できているか」「使う図表は効果的か」など、国語科の学習として大切な思考がおろそかになりやすい、そうした一面もある。

ICT の活用で「学びの土俵」にのった子供たちが、国語科としての学習が深められる「思考の土俵」にのって、様々な言語活動に取り組めるような指導の工夫が必要である。

⑶「参照する力」を育てる

ICT を活用することで、クラス内で意見や感想、作品が瞬時に共有できるようになり、例えば、書き方に困っているときには、教師に助言を求めるだけでなく、友達の文章を見て書き方のコツを学ぶことも可能になった。

その際に大切なのは、どのように「参照するか」である。見ているだけは自分の文章に生かせないし、まねをするだけでは学習にならない。自分の周りにある情報をどのように取り込んで、自分の学習に生かすか。そうした力も意識して育てることで、子供自身が ICT 活用の幅を広げることにもつながっていく。

⑷ 子供が選択できるように

ICT を活用した様々な学習活動を体験することで、子供たちの中に多様な学習方法が蓄積されていく。これまでのノートやワークシートを使った学習に加えて、新たな「学びの引き出し」が増えていくということである。その結果、それぞれの学習方法の特性を生かして、どのように学んでいくのかを子供たちが選択できるようになる。例えば、文章を書くときにも、原稿用紙に手で書く、ICT 端末を使ってキーボードで入力する、あるいは下書きは画面上の操作で推敲を繰り返し、最後は手書きで残すなど、いろいろな組み合わせが可能になった。

「今日は、こう使うよ」と教師から指示するだけでなく、「これまで ICT をどんなふうに使ってきた？」「今回の単元ではどう使っていくとよいだろうね？」など、子供たちにも方法を問いかけ、学び方を選択しながら活用していくことも大切になってくる。

〈第５学年及び第６学年　指導事項／言語活動一覧表〉

教科の目標

	言葉による見方・考え方を働かせ、言語活動を通して、国語で正確に理解し適切に表現する資質・能力を次のとおり育成することを目指す。
知識及び技能	(1)　日常生活に必要な国語について、その特質を理解し適切に使うことができるようにする。
思考力、判断力、表現力等	(2)　日常生活における人との関わりの中で伝え合う力を高め、思考力や想像力を養う。
学びに向かう力、人間性等	(3)　言葉がもつよさを認識するとともに、言語感覚を養い、国語の大切さを自覚し、国語を尊重してその能力の向上を図る態度を養う。

学年の目標

知識及び技能	(1)　日常生活に必要な国語の知識や技能を身に付けるとともに、我が国の言語文化に親しんだり理解したりすることができるようにする。
思考力、判断力、表現力等	(2)　筋道立てて考える力や豊かに感じたり想像したりする力を養い、日常生活における人との関わりの中で伝え合う力を高め、自分の思いや考えを広げることができるようにする。
学びに向かう力、人間性等	(3)　言葉がもつよさを認識するとともに、進んで読書をし、国語の大切さを自覚して、思いや考えを伝え合おうとする態度を養う。

〔知識及び技能〕

（１）言葉の特徴や使い方に関する事項

(1)　言葉の特徴や使い方に関する次の事項を身に付けることができるよう指導する。	
言葉の働き	ア　言葉には、相手とのつながりをつくる働きがあることに気付くこと。
話し言葉と書き言葉	イ　話し言葉と書き言葉との違いに気付くこと。 ウ　文や文章の中で漢字と仮名を適切に使い分けるとともに、送り仮名や仮名遣いに注意して正しく書くこと。
漢字	エ　第５学年及び第６学年の各学年においては、学年別漢字配当表*の当該学年までに配当されている漢字を読むこと。また、当該学年の前の学年までに配当されている漢字を書き、文や文章の中で使うとともに、当該学年に配当されている漢字を漸次書き、文や文章の中で使うこと。
語彙	オ　思考に関わる語句の量を増し、話や文章の中で使うとともに、語句と語句との関係、語句の構成や変化について理解し、語彙を豊かにすること。また、語感や言葉の使い方に対する感覚を意識して、語や語句を使うこと。
文や文章	カ　文の中での語句の係り方や語順、文と文との接続の関係、話や文章の構成や展開、話や文章の種類とその特徴について理解すること。
言葉遣い	キ　日常よく使われる敬語を理解し使い慣れること。
表現の技法	ク　比喩や反復などの表現の工夫に気付くこと。
音読、朗読	ケ　文章を音読したり朗読したりすること。

＊…学年別漢字配当表は、『小学校学習指導要領（平成29年告示）』（文部科学省）を参照のこと

（２）情報の扱い方に関する事項

(2)　話や文章に含まれている情報の扱い方に関する次の事項を身に付けることができるよう指導する。	
情報と情報との関係	ア　原因と結果など情報と情報との関係について理解すること。
情報の整理	イ　情報と情報との関係付けの仕方、図などによる語句と語句との関係の表し方を理解し使うこと。

（３）我が国の言語文化に関する事項

(3)　我が国の言語文化に関する次の事項を身に付けることができるよう指導する。	
伝統的な言語文化	ア　親しみやすい古文や漢文、近代以降の文語調の文章を音読するなどして、言葉の響きやリズムに親しむこと。 イ　古典について解説した文章を読んだり作品の内容の大体を知ったりすることを通して、昔の人のものの見方や感じ方を知ること。
言葉の由来や変化	ウ　語句の由来などに関心をもつとともに、時間の経過による言葉の変化や世代による言葉の違いに気付き、共通語と方言との違いを理解すること。また、仮名及び漢字の由来、特質などについて理解すること。
書写	エ　書写に関する次の事項を理解し使うこと。 (ア)用紙全体との関係に注意して、文字の大きさや配列などを決めるとともに、書く速さを意識して書くこと。 (イ)毛筆を使用して、穂先の動きと点画のつながりを意識して書くこと。 (ウ)目的に応じて使用する筆記具を選び、その特徴を生かして書くこと。
読書	オ　日常的に読書に親しみ、読書が、自分の考えを広げることに役立つことに気付くこと。

〔思考力、判断力、表現力等〕

A　話すこと・聞くこと

	(1)　話すこと・聞くことに関する次の事項を身に付けることができるよう指導する。

領域	項目	指導事項
話すこと	話題の設定 情報の収集 内容の検討	ア　目的や意図に応じて、日常生活の中から話題を決め、集めた材料を分類したり関係付けたりして、伝え合う内容を検討すること。
	構成の検討 考えの形成	イ　話の内容が明確になるように、事実と感想、意見とを区別するなど、話の構成を考えること。
	表現 共有	ウ　資料を活用するなどして、自分の考えが伝わるように表現を工夫すること。
聞くこと	話題の設定 情報の収集	【再掲】ア　目的や意図に応じて、日常生活の中から話題を決め、集めた材料を分類したり関係付けたりして、伝え合う内容を検討すること。
	構造と内容の把握 精査・解釈 考えの形成 共有	エ　話し手の目的や自分が聞こうとする意図に応じて、話の内容を捉え、話し手の考えと比較しながら、自分の考えをまとめること。
話し合うこと	話題の設定 情報の収集 内容の検討	【再掲】ア　目的や意図に応じて、日常生活の中から話題を決め、集めた材料を分類したり関係付けたりして、伝え合う内容を検討すること。
	話合いの進め方の検討 考えの形成 共有	オ　互いの立場や意図を明確にしながら計画的に話し合い、考えを広げたりまとめたりすること。
(2)　(1)に示す事項については、例えば、次のような言語活動を通して指導するものとする。		
	言語活動例	ア　意見や提案など自分の考えを話したり、それらを聞いたりする活動。 イ　インタビューなどをして必要な情報を集めたり、それらを発表したりする活動。 ウ　それぞれの立場から考えを伝えるなどして話し合う活動。

B　書くこと

(1)　書くことに関する次の事項を身に付けることができるよう指導する。	
題材の設定 情報の収集 内容の検討	ア　目的や意図に応じて、感じたことや考えたことなどから書くことを選び、集めた材料を分類したり関係付けたりして、伝えたいことを明確にすること。
構成の検討	イ　筋道の通った文章となるように、文章全体の構成や展開を考えること。
考えの形成 記述	ウ　目的や意図に応じて簡単に書いたり詳しく書いたりするとともに、事実と感想、意見とを区別して書いたりするなど、自分の考えが伝わるように書き表し方を工夫すること。 エ　引用したり、図表やグラフなどを用いたりして、自分の考えが伝わるように書き表し方を工夫すること。
推敲	オ　文章全体の構成や書き表し方などに着目して、文や文章を整えること。
共有	カ　文章全体の構成や展開が明確になっているかなど、文章に対する感想や意見を伝え合い、自分の文章のよいところを見付けること。
(2)　(1)に示す事項については、例えば、次のような言語活動を通して指導するものとする。	
言語活動例	ア　事象を説明したり意見を述べたりするなど、考えたことや伝えたいことを書く活動。 イ　短歌や俳句をつくるなど、感じたことや想像したことを書く活動。 ウ　事実や経験を基に、感じたり考えたりしたことや自分にとっての意味について文章に書く活動。

C　読むこと

(1)　読むことに関する次の事項を身に付けることができるよう指導する。	
構造と内容の把握	ア　事実と感想、意見などとの関係を叙述を基に押さえ、文章全体の構成を捉えて要旨を把握すること。 イ　登場人物の相互関係や心情などについて、描写を基に捉えること。
精査・解釈	ウ　目的に応じて、文章と図表などを結び付けるなどして必要な情報を見付けたり、論の進め方について考えたりすること。 エ　人物像や物語などの全体像を具体的に想像したり、表現の効果を考えたりすること。
考えの形成	オ　文章を読んで理解したことに基づいて、自分の考えをまとめること。
共有	カ　文章を読んでまとめた意見や感想を共有し、自分の考えを広げること。
(2)　(1)に示す事項については、例えば、次のような言語活動を通して指導するものとする。	
言語活動例	ア　説明や解説などの文章を比較するなどして読み、分かったことや考えたことを、話し合ったり文章にまとめたりする活動。 イ　詩や物語、伝記などを読み、内容を説明したり、自分の生き方などについて考えたことを伝え合ったりする活動。 ウ　学校図書館などを利用し、複数の本や新聞などを活用して、調べたり考えたりしたことを報告する活動。

第５学年の指導内容と身に付けたい国語力

1 第５学年の国語力の特色

各学年の目標を２学年まとめて示し、子供の発達段階や中学校との関連を図る国語科において、第５学年は、低中学年の内容を発展させつつ、小学校への最高学年、そして中学校へとつなげていく意識をもって取り組みたい学年である。第６学年を小学校での学びの集大成の体現としていくためにも、高学年の学びを確かに身に付ける学年として、第５学年の学習を扱うようにする。

［知識及び技能］に関する目標は、全学年を通して共通であり、「日常生活に必要な国語の知識や技能を身に付ける」ことが求められる。高学年の学習においては、中学校の国語科の目標である「社会生活に必要な国語科の知識技能を身に付けること」にも意識を向け、日常生活の中でもより社会生活につながる知識・技能の習得を目指していきたい。また、「我が国の言語文化に親しんだり理解したりする」ことも、中学校への接続を考えて取り扱いたい。

［思考力、判断力、表現力等］に関する目標では、「筋道立てて考える力」と「豊かに感じたり想像したりする力を養う」こと、「日常生活における人との関わりの中で伝え合う力を高める」ことが、中学年と同様に示されている。自分の思いや考えについては、中学年の「まとめること」から「広げること」に発展している。

また、［学びに向かう力、人間性等］の態度の育成については、言葉がもつよさについて、中学年の「気付く」から「認識する」へ、読書については「幅広く読書をし」から「進んで読書をし」へと、自己認識や主体性をより重視した目標となっている。このような「学びに向かう力、人間性等」の育成によって、「知識及び技能」及び「思考力、判断力、表現力等」の育成も支えられている。

2 第５学年の学習指導内容

〔知識及び技能〕

学習指導要領では「⑴言葉の特徴や使い方に関する事項」「⑵情報の扱い方に関する事項」「⑶我が国の言語文化に関する事項」から構成されている。［思考力、判断力、表現力等］で構成されているものと別個に指導をしたり、先に〔知識及び技能〕を身に付けるという順序性をもたせたりするものではないことに留意をするようにする。

「⑴言葉の特徴や使い方に関する事項」では、他者との良好な関係をつくる働きや特徴に気付くために、「言葉には、相手とのつながりをつくる働きがあることに気付くこと」が今回の改訂で新設された。「日常よく使われる敬語を理解し使い慣れること」のように、相手と自分との関係を意識することも、他者との関係をつくる視点で発揮したい力となる。「話し言葉と書き言葉との違いに気付くこと」や「語感や言葉の使い方に対する感覚を意識して、語や語句を使うこと」など、総合的に言葉への理解を深め、実際に活用できることが求められている。教科書においては、『よりよい学校生活のために』『言葉を伝え合おう』など、他者との関わりを重視した単元も扱われている。

「⑵情報の扱い方に関する事項」では、「原因と結果など情報と情報との関係について理解すること」や「情報と情報との関連付けの仕方、図などによる語句と語句との関係の表し方を理解し使うこと」が示されている。複雑な事柄などを分解したり、多様な要素をまとめたり、類推したり系統化したりと、複数の情報を結び付けて捉えられるようにしたい。その際には、関連する語句を囲んだり線でつないだりと図示することによって情報を整理して考えを明確にし、思考をまとめることも重要である。教科書では、情報についての内容を前後の単元で活用して、より確かな知識として身に付けられるように配置されている。『原因と結果』は説明文『言葉の意味が分かること』、『統計資料の読み方』は説明文『固有種が教えてくれること』と書くこと『自然環境を守るために』の単元での活用がそれぞれ見込まれている。このように、指導に当たっては〔思考力、判断力、表現力等〕の各領域との関連を図り、指導の効果を高めることが考えられている。

「⑶我が国の言語文化に関する事項」には、「伝統的な言語文化」の項に、「昔の人のものの見方や感じ方を知ること」が示されている。昔の人々の生活や文化、世の中の様子を解説した文章や、作品の内容の大体を現代語で易しく書き換えられたものを用いて、作者や当時の人々の考えを知ることができる。現代人のものの見方や感じ方と比べ、古典や言語文化への興味・関心を深めて、様々な伝統芸能を鑑賞したり、日常にある年中行事や祭事を調べたりといった活動も考えられる。また、語句の由来や時間の経過による言葉の違い、共通語と方言の違いなど、言葉の変化や違いを意識することで、場に応じた適切な言葉遣いが身に付くようにさせたい。

「読書」の項には、「日常的に読書に親しみ、読書が自分の考えを広げることに役立つことに気付くこと」とある。学校での学習に留まらず、日常生活の中での主体的、継続的な読書を進めたい。

〔思考力、判断力、表現力等〕

① A　話すこと・聞くこと

高学年の「話すこと」では、「目的や意図に応じて、日常生活の中から」話題を設定するとともに、聞き手の求めに応じて材料をどう整理すればよいかを考えることが求められている。話の構成においては、自分の立場や結論などが明確になるようにする。事実と感想、意見とを区別するために、接続語や文末表現などにも注意する。表現する際には、資料を活用するなどして、相手や目的を一層意識した表現の工夫をしたい。

「聞くこと」では、話し手の目的や伝えたいことは何かを踏まえるとともに、自分はどのような情報を求めているのか、聞いた内容をどのように生かそうとしているのかなどを明確にして聞くことが示されている。話し手と自分の考えの共通点や相違点を整理したり、共感した内容や事例を取り上げたりして、自分の考えをまとめる。この経験を積み重ねることで、中学校での、自分の考えを筋道立てて整えることへ発展させていく。

「話し合うこと」では、「互いの立場や意図を明確にしながら計画的に話し合い、考えを広げたりまとめたりすること」が示されている。話題に対する互いの考えを明らかにし、話合いを通して何を達成するか、どのように話し合うかなどを明確にすることも重要である。話合いの内容、順序、時間配分などを事前に検討し、話合いの目的や方向性も検討して、計画的に話し合えるようにする。

本書では、「きくこと」について、『きいて、きいて、きいてみよう』で、インタビューをする側、される側、記録を取るとき、発表を聞くときなど、様々な「きく」を考える。また、『どちらを選びますか』を通して、それぞれの立場を明確にし、考えの違いを踏まえて話し合う経験を積む。その後の、『よりよい学校生活のために』で、「A⑵ウ　それぞれの立場から考えを伝えるなどして話し合う活動」を想定した学習へとつなげていく。

② B　書くこと

高学年の「書くこと」では、「目的や意図に応じて」書くことが示されている。これは、中学年で意識してきた相手や目的に加え、場面や状況を考慮することなども含んだものである。目的や意図に応じて書く材料を分類、関係付けしたり、簡単に書いたり詳しく書いたりと、構成や表現を工夫する。また、「引用したり、図表やグラフなどを用いたり」といった書き表し方の工夫も高学年の書くことの特徴である。

「知識及び技能」「⑵情報の扱い方に関する事項」での「情報と情報との関係」「情報の整理」の内

容も関連付けて活用していきたい。第５学年の学習では、『みんなが伝いやすいデザイン』で、調べたことを正確に報告する活動を行う前に、情報の扱い方として『目的に応じて引用するとき』の小単元で資料を集める際の留意点を学ぶ。また、説明文『固有種が教えてくれること』を読み、情報『統計資料の読み方』を学んだ後に、『自然環境を守るために』で資料を効果的に用いる学習が設定されている。このように、「読むこと」や「情報の扱いに関する事項」での学びを「書くこと」で実践し、他教科や日常生活にも生かしていけるようにしたい。

③C　読むこと

高学年の「読むこと」では、説明的な文章で、「事実と感想、意見などとの関係を叙述を基に押さえ、文章全体の構成を捉えて要旨を把握すること」が示されている。文章全体の構成を正確に捉え、書き手がどのような事実を理由や事例として挙げているのか、どのような感想や意見などをもっているのかに着目したい。また、要旨を手掛かりとして、必要な情報を見つけたり、論の進め方を考えたりする。目的に応じて、文章の中から必要な情報を取捨選択したり、整理したり、再構成したりするためにも、読む目的を明確にして取り組みたい。また、考えをより適切に伝えるために、書き手がどのように論を進めているのか、説得力を高めているのかについても考えをもたせたい。第５学年では、『言葉の意味が分かること』で、主に文章の要旨の捉え方、『固有種が教えてくれること』で、文章以外の資料の効果的な用い方、『想像力のスイッチを入れよう』で、自分の考えを明確にし、伝え合うことを学んでいく。

文学的な文章では、「登場人物の相互関係や心情などについて、描写を基に捉えること」が示されている。この場合の相互関係や心情には、登場人物の性格や情景なども含まれる。心情は、行動や会話、情景などを通して暗示的に表現されている場合もある。登場人物の相互関係などを手掛かりに、その人物像や物語などの全体像を具体的に思い描き、優れた叙述に着目しながら様々な表現の工夫の効果を考えたい。文学的な文章の『銀色の裏地』では、登場人物同士の関わりを読むこと、『たずねびと』では、物語の全体像から考えたことを伝え合うこと、『大造じいさんとガン』では、優れた表現に着目することを学んでいく。

高学年の「読むこと」では、文章を読んで理解したことに基づいて、自分の考えをまとめることや、まとめた意見や感想を共有し、自分の考えを広げることが示されている。互いの考えの違いを明らかにしたり、よさを認め合ったりすることが大切である。

3　第５学年における国語科の学習指導の工夫

第５学年は、高学年として国語科の年間授業時数が減少（中学年245時間→高学年175時間）する中で学習内容がより高度になる。カリキュラム・マネジメントを充実させながら、学級の子供の実態を踏まえた国語科の授業を実現していくことが肝要となる。

①話すこと・聞くことにおける授業の工夫について

【様々な音声言語活動の実施】

適切に話したり聞いたり話し合ったりする能力は、実際の音声言語活動を通して培われていく。したがって、子供には国語の授業のみならず、全教科の授業や生活の場面を通して様々な種類の音声言語活動を経験させていきたい。その際は、目的や意図を明確にして活動することが重要となる。例えば、話し合うことによって１つの結論に絞るのか、いろいろな意見を出し合って互いの考えを広げるのかなど、何のために言葉を交わすのかという目的や話し合う場面や状況を考慮することで、音声言語活動が充実したものとなる。

【事中・事後指導の充実】

話すこと・聞くことの学習の難しさは、長田友紀（2008）によれば、音声言語の２つの特徴に起因する。その第１は、音声言語が目に見えず生まれたそばから消えてしまう「非記録性」という特徴をもつからである。したがって、子供たちが価値あるコミュニケーションを行っていても、なかなか行為の当事者がその価値を自覚しにくいのである。さらに、音声言語の「非記録性」により、話合いの論点や友達の発言が学習者それぞれの中に曖昧に蓄積され、議論の共有性が低くなるという「非共有性」も生み出されることとなる。そこで、高学年の話すこと・聞くことの学習では、話合いを可視化するためのツールを活用した事中・事後指導が重要となる。自分たちが話したり聞いたり話し合ったりしている様子をホワイトボードや黒板に記録として残しそれを事中や事後に振り返ることで、話すこと・聞くことのコツを学習者自身が見いだしていくことができる。そういったメタ認知を伴った言語活動は、高学年ならではの学習と言えるだろう。

②書くことにおける授業の工夫について

【書くことの学習指導過程の軽重をつけた指導】

前述のとおり、高学年での国語の授業時間数は限られている。その中でも、書くことの学習の配当授業時間数は年間で55単位時間程度とされており、３学期制ならば１学期につき約20時間弱の時数しか取れないこととなる。したがって、国語の書くことの授業では、書くことの学習指導過程を意識しながら、年間を通して重点を決めて指導していくことが重要となる。具体的には、１つの書くことの単元において「題材の設定・情報の収集・内容の検討」「構成の検討」「考えの形成」「記述」「推敲」「共有」のどの段階を重点とするかを明確にして指導することが求められる。そして、年間を通して、上記の６つの学習指導過程のそれぞれが重点となる単元が実施されることで、書くことの能力が螺旋的・反復的に高められていくことを目指す。

また、書くことの評価で注意することとして、「完成した作品のみを評価対象としない」ことが挙げられる。評価のしやすさから完成した作品を評価対象としたくなるところであるが、そうなると「記述」や「推敲」の過程が常に評価項目となってしまう恐れがある。前述のとおり、単元ごとに重点を設定するからにはその重点を単元の評価項目とし、学習指導過程の適切なタイミングで評価をする必要があるだろう。

【他教科等での書くことの活用】

国語科の授業で培った書くことの能力は、国語科の授業時間内だけでは定着しない。そこで、他教科等の書くことの活動を通して、国語科で身に付けた書き方を大いに活用させていくことが重要となる。特に、高学年は総合的な学習の時間や理科や社会科の時間に、自分の考えをまとめる学習活動が多くなる時期である。それらの他教科等の学習を支える言葉の力として書くことの能力が生きることで、子供たちは書くことの大切さやおもしろさを再認識することになるだろう。そして、次の国語科の書くことの学習へ意欲をもって取り組むことにつながる。

③読むことにおける授業の工夫について

【ノート学習の充実】

子供たちは、中学年までの文学的文章の読むことの授業において、様々な読みの方略（登場人物の

長田友紀（2008）「話し合い指導におけるコミュニケーション能力観の拡張－事中・事後指導における視覚情報化ツール」，桑原隆『新しい時代のリテラシー教育』東洋館出版社，pp.196–206.

心情を想像する吹き出しや心情の変化を表す心情曲線、登場人物に同化しその人物の言葉で記述する日記等）を身に付けてきている。したがって、高学年の文学的文章の読むことの授業では、学習者一人一人が教材文の特徴や読みの目的に合わせて、これまでに培った読みの方略を生かしながら自分の読みをつくっていくことが重要となる。具体的には、ノート学習を積極的に活用させたい。

今村（2014）によれば、「ノート学習は教師が学習内容を知識として教授するのではなく、子供自身がノートというツールを使いながら思考を展開していくこと、それが思考力・判断力の基礎となり、ノートというフィールドに記されることによって表現力となる（p.2）」ものである。ワークシートなどのポイントを押さえた学習とノート学習のような学習者の主体性を生かした学習を併用しながら、子供たちの読みの力を高めていくことが求められる。

【非連続型テキストの活用】

近年の PISA 調査や全国学力・学習状況調査では、国語の設問において多用な形式のデジタルテキスト（ウェブサイト、投稿文、電子メール）が活用され、複数のインターネット上の情報を読み比べたり、事実か意見かを区別したりする能力が試されるようになってきた。情報化社会において必須のこういった読む能力を高めるためには、高学年の授業において積極的に非連続型テキストを読む学習を導入していく必要があるだろう。具体的には、社会科で学んだ貿易の輸出入のグラフや理科の天気図等のように、子供たちの学習や生活と関連した非連続型テキストを活用していきたい。

【読書の充実】

高学年になると、読書が好きな子供と嫌いな子供の二極化が進む傾向がある。また、高学年の忙しさから、授業内で図書の時間を確保することも難しくなる。しかし、読書は想像力や言語感覚を豊かにする重要な活動である。そこで、学校生活の隙間の時間でいつでも読書ができるように、机の横などに図書用のバックを準備させるとよいだろう。また、読書が苦手な子供用に、教師や学級の子供たちが選書したものを置く「おすすめ図書コーナー」を学級内に設置することも効果があるだろう。

④第５学年における ICT の活用について

ICT を活用した調査では、幅広く容易に行える。その一方で、書籍等も生かす視点や、ネット上の情報の信憑性の確認、著作権や肖像権への配慮、ネットリテラシーの順守などへの指導もあわせて行うようにする。より確かな情報を見付けるための検索方法等、指導者が事前に試みておくとよい。

表現活動では、文章以外にも、プレゼンテーションソフトを使った資料提示、ビデオ機能を使った動画発表など、学習者の（子供たちの）発想と必要感に応じて、自主的に活用させる。編集機能を生かし、相手にはどう伝わるのか、聞き取りやすいか、内容の順序はどうか、といった視点での作成を促す。考えの共有では、学習支援ソフトを使った感想の交流が可能である。その際は視点を明確にして、意義あるコメント交流を目指す。交流後は、再度自分の考えを読み返し、改善していく時間をもつとよい。修正前の内容も保存してから書き直しを行って、改善点を自覚できるようにしていく。

文章、映像や音声の保存はもちろん、様々な記録を残すことも ICT ならば容易である。例えば、学んだ筆者・作者の文章展開や表現の工夫を記録しておき、自身が文章を作成するときに読み返して参考にすることもできる。学級での共有フォルダを作成し、協働の作業に活用させるのもよいだろう。

ICT の利便性や効果、留意点などを学級全体で検討し、使用する箇所や方法を選択する意識をもたせていきたい。

今村久二（2014）『ノート学習についての一考察』，平成26年度東京都青年国語研究会月例会配布資料（私家版）.

2

第 5 学年の授業展開

4年生で習った漢字

漢字の広場③ （1時間扱い）

単元の目標

知識及び技能	・第４学年までに配当されている漢字を書き、文や文章の中で使うことができる。((1)エ)
思考力、判断力、表現力等	・文章全体の構成や書き表し方などに着目して、文や文章を整えることができる。(Bオ)
学びに向かう力、人間性等	・言葉がもつよさを認識するとともに、進んで読書をし、国語の大切さを自覚して思いや考えを伝え合おうとする。

評価規準

知識・技能	❶第４学年までに配当されている漢字を書き、文や文章の中で使っている。(〔知識及び技能〕(1)エ)
思考・判断・表現	❷「書くこと」において、文章全体の構成や書き表し方などに着目して、文や文章を整えている。(〔思考力、判断力、表現力等〕Bオ)
主体的に学習に取り組む態度	❸これまでの学習を生かして与えられた語を用いて進んで文を書き、よりよい文となるよう整えることで、第４学年までに配当されている漢字に習熟しようとしている。

単元の流れ

時	主な学習活動	評価
1	教科書 p.131に提示された言葉を使いながら、各教科での学習や学校生活について、学級日誌に記録するように文章を書く。 書いた文章を読み返し、構成などを整える。 書いた文章を見せ合い、交流するとともに、示された漢字に触れる。	❶ ❷ ❸

授業づくりのポイント

〈単元で育てたい資質・能力〉

本単元は、絵で表現された場面と言葉を結び付けることで、語彙を豊かに広げ、生活場面で使える言葉の力を育むことをねらいとしている。

まず、それぞれの漢字の読み方を確認する。その際、提示された漢字の別の読み方や、その漢字を用いた別の言葉にも目を向けられるようにする。部首の確認や「へんとつくり」の関係などについても復習の機会とするとよい。そうすることで、漢字の意味を定着させることにつながる。

また、書字の際に間違えやすい部分というのは、どの子供にとってもおおむね共通している。そこで、それらの点については文章を書き始める前に指導することが望ましい。画数が多く字形が複雑な漢字、字形の細部を間違えやすい漢字など、誤字の可能性が高い漢字を例示したり、子供が漢字を間違えた経験談を発表させたりしながら、要点を押さえて定着を図る。

[具体例]

○「面積」の「積」と「績」、「半径」の「径」と「経」など、音が同じことによって混乱が起こりやすい漢字を取り上げ、意味を表す部分への着目を促す。

〈他教材や他教科との関連〉

本教材では、他教科で使用する言葉が多く取り上げられている。それぞれの教科の学習を振り返りながら、各教科での学習や学校生活について、学級日誌に記録するように、短文を書く。また、他教科の学習においてもこうした漢字を押さえることで、国語科に限らず様々な教科を通して漢字の定着を図ることができる。

配当時間も1時間のため、授業時間内にできることは限られている。授業では、漢字の読み方、言葉の意味、押さえるべき文の構成要素を確認し、書いた文章を交流する。その後、家庭学習として、書く経験を重ねることで、前学年の漢字や文の構成要素の定着を図るようにする。

[具体例]

○ワークシートを学級日誌形式にし、日常の学校生活を想起しながら書くことができるようにする。学習後も、そのワークシートを家庭学習につなげることで、既習の漢字を使うことを意識させながら一日を振り返って記入するなど、継続的に取り組むことができる。

〈ICT の効果的な活用〉

共有：文書作成ソフトで入力したファイルを、学習支援ソフトで共有する。授業での取り組みだけでなく、日常の学校生活の記録として、日直が毎日交代で記録するなど、継続的に活用することも考えられる。

本時案

漢字の広場③

本時の目標

・第4学年までに配当されている漢字を書き、文や文章の中で使うとともに、よりよい文となるよう整えることができる。

本時の主な評価

❶第4学年までに配当されている漢字を書き、文章の中で使っている。【知・技】
❷文章全体の構成や書き表し方などに着目して、文や文章を整えている。【思・判・表】
❸提示された言葉を用いて進んで文を書き、これまでの学習を生かそうとしている。【態度】

資料等の準備

・国語辞典
・学級日誌ワークシート 01-01、01-02
・ワークシートを拡大したもの

○読み返そう。
①提示された言葉を適切に使っているか。
②提示された漢字を正しく書いているか。
③事実と感想が書かれているか。

4
○友達と読み合おう。

授業の流れ ▷▷▷

1 本時の課題を確認する 〈5分〉

T 教科書 p.131のリード文を読みましょう。今日は、教科書の言葉を使って、学級日誌に記録するように、各教科での学習や学校生活について、文章を書きましょう。
・いろいろな教科があるね。
・学級日誌には、その日に学習したことを書くんだよね。

ICT端末の活用ポイント

書くことが苦手な子供には、文書作成ソフトを活用することで、安心して学習することができる。また、授業だけでなく、日常の学校生活の記録として継続的に取り組む際は、手書きよりもICT端末のほうが共有も容易である。

2 間違えやすい漢字について、正しい書き方や使い方を確認する 〈5分〉

T 教科書にある言葉を、全部読んでみましょう。間違いやすい漢字はありませんか。
・「径」は、「経」と似ています。
・「積」は、「績」と間違えてしまったことがあります。
○子供に考えさせることによって、漢字を正しく捉える習慣を身に付けられるようにする。
○子供から出なかった漢字で、注意を要するものは、教師が提示する。
(例)「固定」←×個
　　「一周」←×週

漢字の広場③

1 各教科での学習や学校生活について学級日誌に記録するように、文章を書こう。

2 ○まちがえやすい漢字をかくにんしよう。

・「半径」← ×経

・「面積」← ×績

3 ○学習したこと（事実）と感じたことや考えたこと（感想）を書こう。

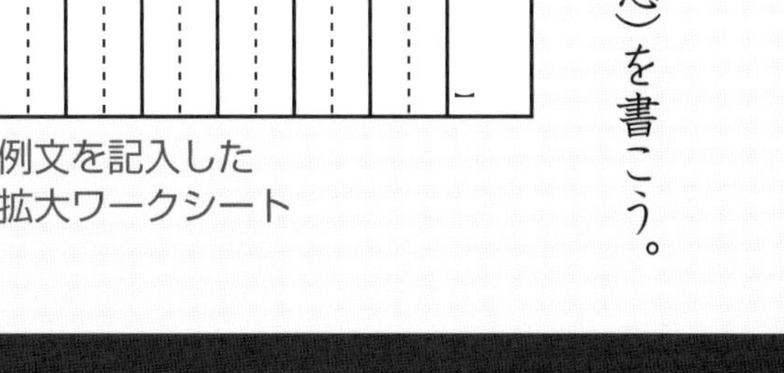

五年　二組　学級日誌　九月　二十三日（月）　今日の日直

1 理科	試験管を使って、液体を加熱する実験をした。予想とはちがう結果になったので、しっかり復習したい。
2	
3	
4	
5	
6	

例文を記入した拡大ワークシート

3 提示されている言葉を使って、文章を書く〈20分〉

T　教科書の言葉を使って、文章を書きましょう。どんな学習をしたのか、つまり「事実」と、そのときに感じたことや考えたことなど「感想」を書くようにしましょう。

・1時間目の算数では、円の半径の長さを測って面積を求めた。単位を間違えないように気を付けた。

・学芸会に向けて、友達と練習した。せりふを覚えられたので、次は動きを確認したい。

○自分で書くことが難しい子供には、好きな教科や書けそうな教科を選ばせ、絵を見ながらどんな学習をしたことがあるかを問いかけながら、一緒に考える。

4 推敲し、友達と交流して感想を伝え合う〈15分〉

T　書いたら読み返して、間違いを正したり、よりよい表現にしたりしましょう。

○推敲の観点を示す。

①提示された言葉を適切に使っているか。

②提示された漢字を正しく書いているか。

③事実と感想が書かれているか。

T　友達と交換して読み合い、感想を伝え合いましょう。

・最近、実際に学習した内容が書かれていておもしろいね。

・私が使わなかった言葉を使っているね。

T　4年生で習った漢字を正しく使って、文章を書くことができましたね。これからも、習った漢字を正しく使うようにしましょう。

資料

1 第１時資料　学級日誌ワークシート① 01-01

五年　二組　学級日誌

九月　二十三日（月）　今日の日直【　　　】

1	2	3	4	5	6
理科					
試験管を使って、液体(えき)を加熱する実験をした。予想とはちがう結果になったので、しっかり復習したい。					

2 第 1 時資料　学級日誌ワークシート② 01-02

五年　組　学級日誌

月　日（　）

今日の日直【　　】

1	2	3	4	5	6

言葉

方言と共通語　（2時間扱い）

単元の目標

知識及び技能	・語句の由来などに関心をもつとともに、時間の経過による言葉の変化や世代による言葉の違いに気付き、共通語と方言との違いを理解することができる。((3)ウ)
学びに向かう力、人間性等	・言葉がもつよさを認識するとともに、進んで読書をし、国語の大切さを自覚して、思いや考えを伝え合おうとする。

評価規準

知識・技能	❶語句の由来などに関心をもつとともに、時間の経過による言葉の変化や世代による言葉の違いに気付き、共通語と方言との違いを理解している。(〔知識及び技能〕(3)ウ)
主体的に学習に取り組む態度	❷進んで共通語と方言について調べ、学習課題に沿ってそれらの特徴や必要性を理解しようとしている。

単元の流れ

時	主な学習活動	評価
1	方言を用いた教員同士の会話を聞いて方言に関心をもち、「方言」「共通語」の意味を知る。 学級で一つの言葉を決め、その言葉の方言について調べてくることを確かめる。（調べ活動は課外で行う。）	❶
2	調べてきたことを報告し合う。 「たずねびと」から方言が使われているところを見つけ、その効果について話し合う。 方言を使った場合と共通語を使った場合の、それぞれのよさを話し合う。	❷

授業づくりのポイント

〈単元で育てたい資質・能力〉

本単元のねらいは、方言と共通語の特徴を捉え、それぞれの効果や役割について理解することである。また、相手や場面によって方言と共通語とを使い分けることの大切さにも気付かせたい。

方言が身近に使われている地方で生活しているか、主に共通語を使っている地方で生活しているかによって、実感を伴った理解ができるかどうかに差が出ることも考えられる。いずれにしても、方言と共通語のよさを理解し、それぞれの言葉を尊重する態度を育てることが大切である。

〈言語活動の工夫〉

導入段階では、子供たちの方言への興味を高めたい。本単元では、実際に方言を用いた教員同士の会話を聞かせる活動を取り入れた。これにより、方言への興味を高めるだけでなく、方言が実際の会話の中で使われるものであることも感じ取ることができるだろう。

また、学級で決めた共通の言葉について、どのような方言があるかを各自で調べ、報告し合う活動も取り入れた。調べる方法としては、本やインターネット、テレビ CM、観光ポスターやパンフレットなどの資料を活用するほか、実際に方言を使っている地方出身の家族や親戚、教職員などに聞くことも考えられる。方言は音声言語として用いられることが多く、イントネーションなど、文字だけでは分かりにくい部分があるため、可能であれば実際に方言を使う人に直接聞けるとよい。その際、方言を使うことのよさについても質問すると、方言のよさについて話し合う場面につなげることができるだろう。

〈資料リスト〉

方言についての本も多数出版されている。CD が付属しているものもあるので、本や CD デッキを教室に置いておき、子供が自由に手に取れるようにしておきたい。

[具体例]

・『ポプラディア情報館 方言（CD 付き）』佐藤亮一（監）、ポプラ社
・『都道府県別 全国方言辞典（CD 付き）』佐藤亮一（編）、三省堂
・『方言と地図　あったかい47都道府県の言葉』井上史雄（監）、フレーベル館
・『目で見る方言』岡部敬史（著）、東京書籍
・『小学生のミカタ おもしろ方言 47都道府県まるわかり！』神永曉（監）、小学館
・『方言ずかん』篠崎晃一（監）、ほるぷ出版
・『まんがで学ぶ方言』竹田晃子・吉田雅子（著）、国土社
・『ラジオ体操 第１・第２ ご当地版（CD・DVD）』日本コロムビア

〈ICT の効果的な活用〉

調査：方言を調べる際、インターネットを活用して調べることができる。動画等を活用すれば音声でも聞くことができるため、イントネーションなども分かりやすい。

記録：家族や親戚、教職員にインタビューした際、方言を ICT 端末で録音しておくと、実際に音声で共有することができるよさがある。

共有：調べてきたことを、学習支援ソフトを使って地域別に分類・整理しながら共有することも考えられる。

本時案

方言と共通語

本時の目標

・方言と共通語に関心をもち、「方言」と「共通語」の意味を理解するとともに、方言について進んで調べようとすることができる。

本時の主な評価

❶「方言」と「共通語」の意味やその違いを理解している。【知・技】

資料等の準備

・方言が使われているもの（テレビ CM、観光ポスター、パンフレット、土産物のパッケージ等）
・方言についての資料（本や辞典）

○調べる方法
・方言についての本や辞典
・インターネット
・方言を使っている人へのインタビュー（録音◎）

○○小で方言を話せる先生、主事さん
・○○先生………○○県
・△△先生………△△府
・◇◇主事さん…◇◇県

授業の流れ ▷▷▷

1 方言を用いた会話を聞いて、方言に関心をもつ 〈15分〉

T　今日の授業には○○先生と□□先生にゲストとして来ていただきました。ちょっとお話を聞いてみますね（方言を用いて会話をする。内容は２人とも同じ）。
・先生たちがいつも使っている言葉と違う。
・あんまり聞いたことがない言葉が交じっているな。イントネーションも違う。
T　実は、○○先生は○○県の出身、□□先生は□□県の出身です。先生たちが話してくださったのは、それぞれの出身地で使われている言葉です。
・□□先生の話した言葉は、うちのおじいちゃんも使っています。
・同じ内容なのに、全然違うように聞こえました。

2 「方言」と「共通語」の意味を理解する 〈15分〉

T　今聞いた言葉のように、住んでいる地方特有の表現を含んだ言葉遣いを「方言」といいます。反対に、どの地方の人でも分かる言葉遣いのことを「共通語」といいます。
T　みなさんはどこかで方言を聞いたり、見たりしたことはありますか。
・いなかの祖父母が使っています。
・旅行先の駅の看板に書いてありました。
・前に学習した「たずねびと」にも出てきました。
○テレビ CM の動画や、観光ポスター・パンフレット・土産物のパッケージ等の写真や実物を用意して見せると、より興味をもたせることができる。
・もっと方言を知りたいな。

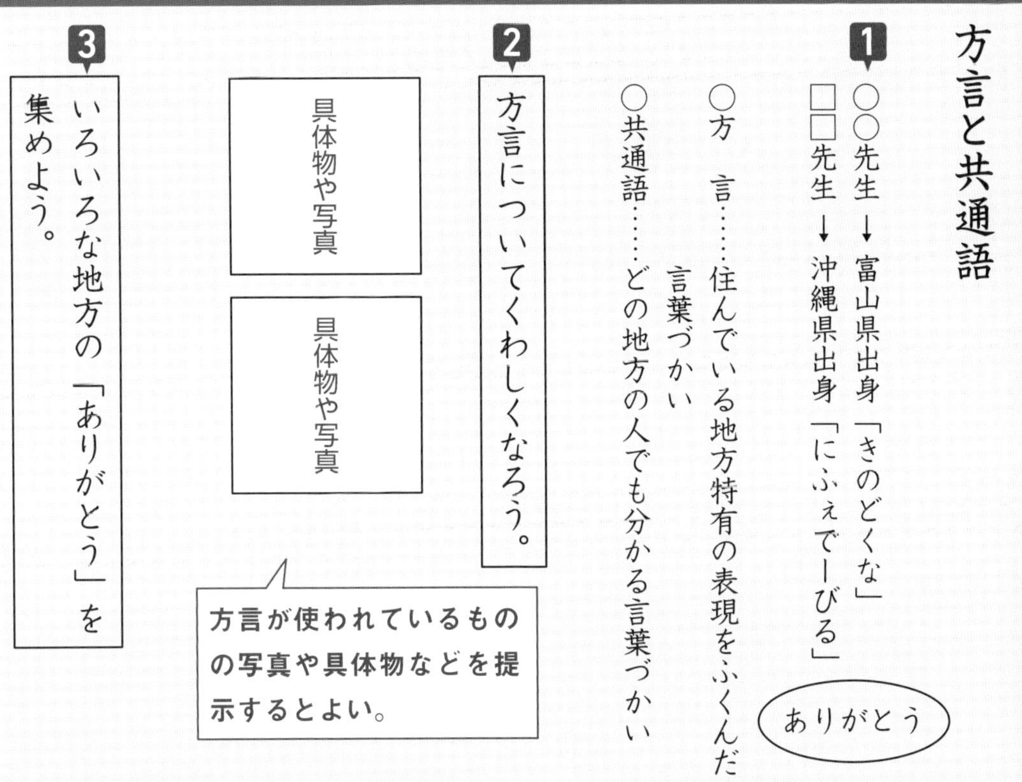

3 学級で決めた言葉の方言を調べる計画を立てる 〈15分〉

T　みんなで、一つの言葉についていろいろな方言を集めてみましょう。調べるには、どのような方法がありますか。

・方言の本に載っていそうです。
・インターネットでも調べられます。
・実際に方言を使っている人に聞いてみます。おじいちゃんに話してもらったのをICT端末で録音しようかな。

T　方言は話し言葉の中で使われることが多いので、実際に使っている人に聞くことができるといいですね。学校にも地方出身の先生方や主事さんがいらっしゃるので、聞いてみるといいですよ。

○余裕をもって調べられるように、次の時間まで1週間程度空けるとよい。

よりよい授業へのステップアップ

課外で調べ活動を行う工夫

方言は、音声言語として使われることが多いので、図書資料やインターネットだけでなく、実際に方言を使っている人へのインタビューも取り入れたい。話してもらった方言をICT端末で録音してくると、互いに聞き合うことができる。また、身近に地方出身者がいない子供のために、地方出身の教職員をリストアップして提示することも有効である。子供が集めた方言は一つの言葉につき1枚の付箋紙に記入させ、拡大した日本地図に貼らせていくと、視覚的にも分かりやすくなる。

本時案

方言と共通語

本時の目標

・方言と共通語の特徴を捉え、それぞれのよさや役割について理解しようとする。

本時の主な評価

❷調べてきた方言について報告したり、友達の報告を聞いたりして、進んで方言と共通語の特徴について考えようとしている。【態度】

資料等の準備

・方言を書いた付箋紙を貼った日本地図

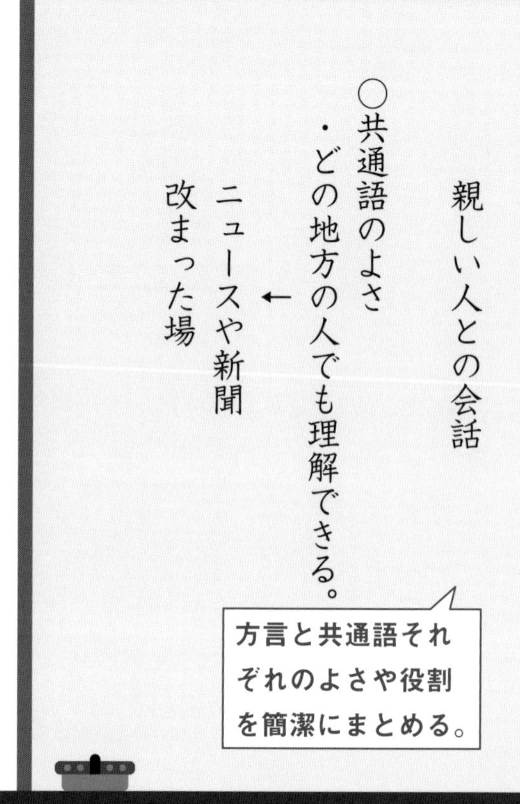

授業の流れ ▷▷▷

1 調べてきたことを報告し合う 〈20分〉

○子供が集めた方言が書かれた付箋紙を拡大した地図に貼ったものを黒板に掲示しておく。その際、同じ内容の付箋紙は重ねるなど、貼りながら分類・整理させておく。

T 「ありがとう」を表す方言がたくさん集まりましたね。報告し合いましょう。

・△△先生に聞いたら、大阪府では「おおきに」と言うそうです。

・「おおきに」は滋賀県や奈良県、兵庫県などでも使われているそうです。

・愛媛県の祖母は「だんだん」と言います。優しい感じがして好きです。ICT 端末で録音したので、聞いてください。

○方言のよさにも触れられるとよい。

○実際に話している音声を聞けるとよい。

2 「たずねびと」で使われている方言を見つける 〈10分〉

T 物語や絵本でも方言が使われているものがたくさんあります。何か知っているものはありますか。

・絵本の「給食番長」に使われていました。

・前に国語で学習した「たずねびと」でも使われていました。広島県のお話だったよね。

T では、「たずねびと」の中から、方言が使われているところを探してみましょう。

・「入れられんかった人」とか「ようけい」とかたくさんあります。

T 方言が使われていると、共通語のときと比べてどうですか。

・「かなうとええねえ」など、とても優しく温かみがある印象を受けます。

・その土地を大切にしているように感じます。

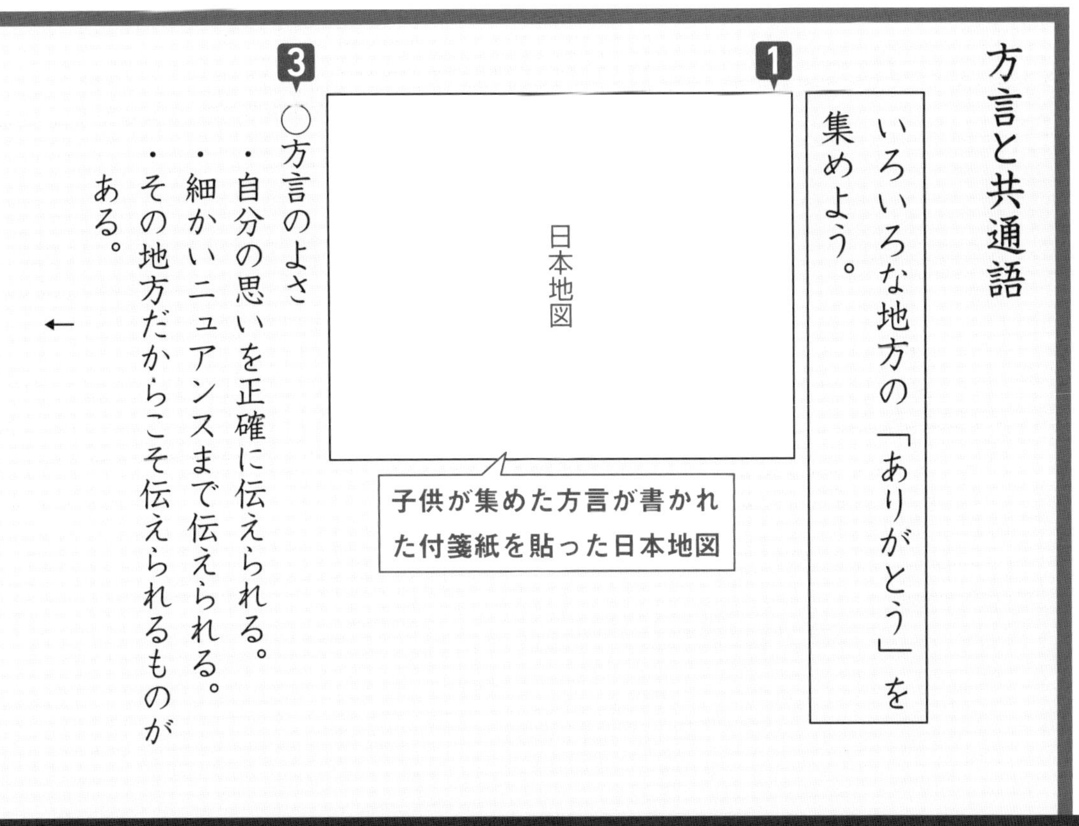

3 方言や共通語のよさや役割について話し合う 〈10分〉

T 方言と共通語のよさはなんでしょう。

・方言は、自分の思いを共通語よりももっと適確に伝えられる気がします。

・祖父は、方言じゃないと伝わらない細かいニュアンスがあると言っていました。その地方だからこそ伝わるものがあるそうです。

・共通語のよさは、全国どの地方の人でも理解できることです。

T 方言と共通語では役割が違うということですか。

・全国ニュースなどは、共通語でないと誰にでも伝わるニュースになりません。

・改まった場では共通語がいいけれど、親しい人と話すときは方言のほうがよく伝わりそうです。

4 学習を振り返る 〈5分〉

T 学習したことを振り返りましょう。

・方言にも共通語にもそれぞれのよさがありました。その場に応じて使い分けることが大切だと気付きました。

・方言はその地方の人にしか通じない面もあるけれど、その地方の人にとっては大切な言葉なのだと思います。

・全国の「ありがとう」を調べて、一つの意味をもつ言葉なのに、こんなにいろいろな表現があるなんて、日本語っておもしろいなと思いました。もっと調べたいです。

○方言と共通語のそれぞれによさがあることや、そのよさを生かした役割の違いがあることに気付かせ、言葉を大切にしようとする態度を育てられるようにしたい。

季節の言葉 3

秋の夕　（1時間扱い）

単元の目標

知識及び技能	・親しみやすい古文や漢文、近代以降の文語調の文章を音読するなどして、言葉の響きやリズムに親しむことができる。((3)ア) ・語感や言葉の使い方に対する感覚を意識して、語や語句を使うことができる。((1)オ)
思考力、判断力、表現力等	・目的や意図に応じて、感じたことや考えたことなどから書くことを選ぶことができる。(B ア)
学びに向かう力、人間性等	・言葉がもつよさを認識するとともに、進んで読書をし、国語の大切さを自覚して思いや考えを伝え合おうとする。

評価規準

知識・技能	❶親しみやすい古文や漢文、近代以降の文語調の文章を音読するなどして、言葉の響きやリズムに親しんでいる。(〔知識及び技能〕(3)ア) ❷語感や言葉の使い方に対する感覚を意識して、語や語句を使っている。(〔知識及び技能〕(1)オ)
思考・判断・表現	❸「書くこと」において、目的や意図に応じて、感じたことや考えたことなどから書くことを選んでいる。(〔思考力、判断力、表現力等〕B ア)
主体的に学習に取り組む態度	❹進んで文語調の文章や言葉の響きに親しみ、語感や言葉の使い方に対する感覚を意識しながら、学習の見通しをもって、事実や経験を基に感じたり考えたりしたことについて文章に書こうとしている。

単元の流れ

時	主な学習活動	評価
1	秋の思い出について想起する。 『枕草子』の秋の範読を聞き、清少納言の秋の感じ方を知る。 『枕草子』を音読し、言葉の響きやリズムに親しむ。 教科書を読んだり秋の言葉を出し合ったりして、新しい秋の言葉について知る。 自分の秋の思い出を基に、清少納言の秋の感じ方や、新しく知った秋の言葉について、思ったことや考えたことを文章（短歌・俳句を含む）にする。	 ❶ ❷ ❸ ❹

授業づくりのポイント

〈単元で育てたい資質・能力〉

本単元のねらいは、古文や俳句を音読して言葉の響きやリズムに親しみながら語彙を豊かにし、自分の感じたことを表現することである。子供は、これまでの学習で、季節を表す言葉とともに、俳句にも触れてきている。春、夏に続き、３回目となる季節の言葉の単元は、自分の秋の思い出を、短歌や俳句の形も含めた文章にまとめることで、語彙を増やすとともに、自分の感じたことを表現する力を向上させることをねらう。表現することを通して、言葉の響きやリズムに意識を向けたり、秋に関する言葉を増やしたりできるよう、文章を練り上げる時間をしっかりと確保する。また、夏と同様に、表現したものの共有などを通して、表現の仕方についても意図的に指導していく。

〈言語活動の工夫〉

夏のような暑さがとても長く続いたり、突然冬のような寒さになったりと、近年秋は感じ取りにくくなってきている。そんななかでも、紅葉や落ち葉、日暮れの早さ、栗や銀杏などには子供も季節を感じやすいと思われる。また、遠足など校外での学習や、運動会や学芸会、音楽会や展覧会など、秋は子供の感情が動く行事も多い。それらの生活経験を想起させ、見つけた言葉とあわせて自分が感じる秋について意識したことを、文章化させる。その際、夏で学習した「いと」や「うれし」などの表現も使えることを指導することで、言葉の語感や使い方を意識することができる。

［具体例］

○秋の言葉や思い出を想起したのち、教師の思い出をまとめたものを提示し、「自分たちにもできる、書きたい」と思わせる。秋は行事も多く、心が動いた経験を多くの子供がしていると予想される。楽しい思い出だけに限らず、多様な感情を表現できるよう、自分の経験を踏まえてまとめるよう声をかける。

○教科書に掲載されている「十六夜」「弓張月」「星月夜」という言葉から、月に関する言葉が数多くあると気付かせ、さらに調べたいとの思いをもたせる。春同様、国語辞典や子供向けの季語の本なども活用して言葉を探すことで、昔の人々が月を愛で、様々に言い表してきたことにも気付かせる。

○「秋○○」「○○狩り」などの言葉も取り上げ、感情を表現しやすい思い出が想起できるようにする。

〈子供の作品・ノート例〉

学芸会
みんなで仕上げた
作品は
声も動作も
おれたち一番

届けたい
家族を想う
歌詞の意味
母の涙に
うれし涙す

指揮を見て
となりと合わせて
息をすう
澄んだ歌声
紅き山越ゆ

夕焼けに
帰っていくよ
赤とんぼ

母、兄と
一緒に見上げる
望月を

塾帰り
きらりと光る
天の川

本時案

秋の夕

本時の目標

・文語調の文章を音読して、言葉の響きやリズムに親しみ、自分が感じた秋について文章にまとめることができる。

本時の主な評価

❶親しみやすい古文や漢文、近代以降の文語調の文章を音読するなどして、言葉の響きやリズムに親しむことができる。【知・技】
❸目的や意図に応じて、感じたことや考えたことなどから書くことを選ぶことができる。【思・判・表】

資料等の準備

・教科書の文と写真の拡大コピー
・子供向けの季語の本、国語辞典

日入り果てて、風の音、虫の音など、はた言ふべきにあらず。
日がすっかりしずんでしまって、風の音や虫の音などがするのも、言いようがなくよいものだ。

4
○秋の思い出を文章にまとめる
・じゅくの帰りに、つかれたなあと思って何となく空を見上げたら天の川が見えて、何だかはげまされた。
・音楽会で歌った歌がふるさとを思っている歌だったから、家の人がおじいちゃんやおばあちゃんを思いうかべてくれるように、心をこめて歌った。

授業の流れ ▷▷▷

1 自分が経験した秋の思い出を想起する 〈5分〉

T　みなさんは、秋にどのような経験をしたことがありますか。秋に心が動いたことを思い出してみましょう。
・秋は運動会でしょ。１位でうれしかった。
・遠足で、みんなと遊んで楽しかったなあ。
・家族で栗拾いに行って、イガが靴底を通り抜けて足に刺さったの。あれは痛かったよ。
・出かけたときに銀杏を踏んだことがあって、そのあと靴がずっと臭くって最悪だった。
・前に食べた秋刀魚、おいしかったなあ。
○秋の思い出を想起させ、出てきた言葉を内容によって大まかに分けて板書する。この後の活動で、自分の感じた秋を短歌や俳句、文章にするので、できるだけ具体的に想起させる。

2 清少納言の感じ方、リズムや言葉の響きに親しむ 〈10分〉

T　『枕草子』の「秋は夕暮れ」を読んで、清少納言の秋への見方や感じ方に触れてみましょう。
・秋は夕暮れがいいって思っているんだね。
・烏とか雁とか、清少納言は鳥が飛んでいるのをよく見ていたんだね。
・夕日とか虫の音は、自分もいいなと思うよ。
・「あはれ」って「哀れ」ってことかな？
・「をかし」は夏にも出てきたね。確か、「味わい深い」っていう意味だったよね。
○内容の大体を押さえつつ、全体読み、一人読み、ペア読みなど、多様な音読の仕方を通して、語感や言葉の使い方に気付かせる。また、リズムのよさや今と昔の言葉の違い、秋への思いの違いなどにも気付かせる。

秋の夕（ゆうべ）

1 言葉の響きやリズムに親しみ、自分が感じる秋について文章にまとめよう。

2 『枕草子』　清少納言

秋は夕暮れ。
秋は夕暮れがよい。

夕日のさして山の端いと近うなりたるに、
夕日が差して、山にとても近くなったころに、

烏の寝どころへ行くとて、三つ四つ、二つ三つなど、
烏がねぐらに行こうとして、三羽四羽、二羽三羽などと

飛びいそぐさへあはれなり。
急いで飛んでいく様子までしみじみとしたものを感じさせる。

まいて雁などのつらねたるが、いと小さく見ゆるはいとをかし。
まして、雁などが列を作っているのがとても小さく見えるのは、たいへん味わい深いものだ。

3 秋の言葉を共有し、さらに調べる 〈10分〉

○「十六夜」「弓張月」「星月夜」など月に関する言葉がもつ意味と表す情景を一致させる。「秋○○」「○○狩り」の言葉も想起させる。

・「望月」は満月のことだね。

・月に関する言葉がたくさんあるってことは、昔の人は月をよく見ていたってことかな。

・「秋晴れ」「秋雨」にも秋が付くね。トンボの「アキアカネ」もそうかなあ。

・「ぶどう狩り」とか「紅葉狩り」って言うよ。

○ ICT 端末に新しい言葉を追加する。

ICT 端末の活用ポイント

春、夏の言葉をためているソフトに、秋の言葉を追加していくことで、学びの蓄積を「見える化」し、１年間を通して活用できるようにする。

4 秋の言葉についての思いや考えを、文章にまとめる 〈20分〉

T　新しく学習した言葉を活用して、自分の感じた秋について、文章にまとめましょう。

・栗拾いでイガが刺さったことが忘れられないから、このことを書こう。

・「ぶどう狩り」が季語だって分かったから、使える。家族で行って楽しかったよ。

・徒競走で１位がとれて、赤組が勝って言うことなし！「運動会」も秋の言葉だけど、もう少し別の言葉はないかな。

・月に関する言葉を使って作れないかな。

○3の学習が生きるよう、秋の言葉を複数挙げて吟味するよう声をかける。また、教師が同じ題材で秋の言葉が違う作例を複数提示することで、言葉にこだわって文章をまとめる意識をもたせる。

たがいの立場を明確にして、話し合おう

よりよい学校生活のために （6時間扱い）

単元の目標

知識及び技能	・思考に関わる語句の量を増やし、話や文章の中で使うとともに、語句と語句との関係、語句の構成や変化について理解し、語彙を豊かにすることができる。((1)オ) ・情報と情報との関係付けの仕方、図などによる語句と語句との関係の表し方を理解し使うことができる。((2)イ)
思考力、判断力、表現力等	・目的や意図に応じて、日常生活の中から話題を決め、集めた材料を分類したり関係付けたりして、伝え合う内容を検討することができる。(A ア) ・互いの立場や意図を明確にしながら計画的に話し合い、考えを広げたりまとめたりすることができる。(A オ)
学びに向かう力、人間性等	・言葉がもつよさを認識するとともに、進んで読書をし、国語の大切さを自覚して思いや考えを伝え合おうとする。

評価規準

知識・技能	❶思考に関わる語句の量を増やし、話や文章の中で使うとともに、語句と語句との関係、語句の構成や変化について理解し、語彙を豊かにしている。(〔知識及び技能〕(1)オ) ❷情報と情報との関係付けの仕方、図などによる語句と語句との関係の表し方を理解し使おうとしている。(〔知識及び技能〕(2)イ)
思考・判断・表現	❸「話すこと・聞くこと」において、目的や意図に応じて、日常生活の中から話題を決め、集めた材料を分類したり関係付けたりして、伝え合う内容を検討している。(〔思考力、判断力、表現力等〕A ア) ❹「話すこと・聞くこと」において、互いの立場や意図を明確にしながら計画的に話し合い、考えを広げたりまとめたりしている。(〔思考力、判断力、表現力等〕A オ)
主体的に学習に取り組む態度	❺粘り強く、集めた材料を分類したり関係付けたりして、伝え合う内容を検討し、互いの立場や意図を明確にしながら計画的に話し合おうとしている。

単元の流れ

次	時	主な学習活動	評価
一	1	学習の見通しをもつ よりよい学校生活のために、新たにしてみたいことや解決したい課題を見つけ、学級で話し合う議題を決める。	
二	2	議題に対する自分の立場を明確にするために、現状と問題点、解決方法とその理由や根拠を考える。	❸

二	3	話し合いの様子を聞き、話し合いの仕方を確かめ、進行計画を立てる。コラム「意見が対立したときには」を読む。	❶
	4	話し合いの流れ、目的、進め方を全体で確認する。グループに分かれて話し合いを行う。（前半グループ）	❷
	5	グループに分かれて話し合いを行う。（後半グループ）	❹
三	6	**学習を振り返る** グループでの話し合いを振り返り、よかった点や課題点を共有する。	❺

授業づくりのポイント

〈単元で育てたい資質・能力〉

本単元のねらいは、互いの立場や意図を明確にしながら、計画的に話し合う力を育むことである。そのためには、話し合いに有効な言葉を知り、意見の伝え方や質問の仕方、話し合いのまとめ方への理解を深めることが必要となる。自分たちにとって話し合う価値や必然性のある話題を設定し、実際に話し合いを経験するなかで、「どのように意見を伝えればよいのか」、「どのように話し合いをまとめればよいのか」などを考えられるようにする。加えて、話し合うことの楽しさを経験させていきたい。

〈教材・題材の特徴〉

本教材では、よりよい学校生活のためにどんな取り組みが必要なのかを考え、話し合うことを中心に学習活動を構成している。子供たちにとって話し合う価値や必然性のある議題を設定することができるので、意欲的に取り組むことができる教材である。本教材では話し合いのモデルとして、「考えを広げる話し合い」と「まとめる話し合い」を示している。計画的な話し合いを経験することで、国語科の学習以外の場面においても、学んだことを活用することが期待できる。

〈言語活動の工夫〉

本単元では、グループによる話し合いを取り入れている。司会を中心に少人数での話し合いを行うことで、意見を伝えやすく、また、他者の考えをじっくりと聞き、吟味することができるであろう。さらに、話し合いを行う際に、グループを前半と後半とに分け、話し合いの様子を記録・観察する機会を設定した。話し合いの様子を客観的に見ることで、成果や改善点を明らかにすることができる。話し合いを可視化するための工夫として、ICT 端末を活用しながらまとめていく活動を取り入れた。そのことにより、それぞれの意見を関連付けながら、話し合うことができ、より円滑に議題に対する考えをまとめることができる。

[具体例]
○話し合いを３～４人の少人数グループにする。全員が話し合いに参加できるようにする。
○話し合いを前半グループと後半グループとに分け、それぞれの話し合いの様子を観察し合い、よかった点やアドバイスを伝え合うとよい。

〈ICT の効果的な活用〉

分類：ソフトの付箋機能等を用いて、「現状と問題点」「解決方法」「理由や根拠」の３つの観点から分類し、自分の立場をより明確にする。

記録：ICT 端末の録画機能を用いて、話し合いの様子を記録し、成果や課題について考える。

本時案

よりよい学校生活のために 1/6

本時の目標

・よりよい学校生活のために、新たにしてみたいことや解決したい課題を見つけ、学級で話し合う議題を決めることができる。

本時の主な評価

・よりよい学校生活のために、積極的に学級で話し合う議題を考えている。

資料等の準備

・ワークシート① 04-01

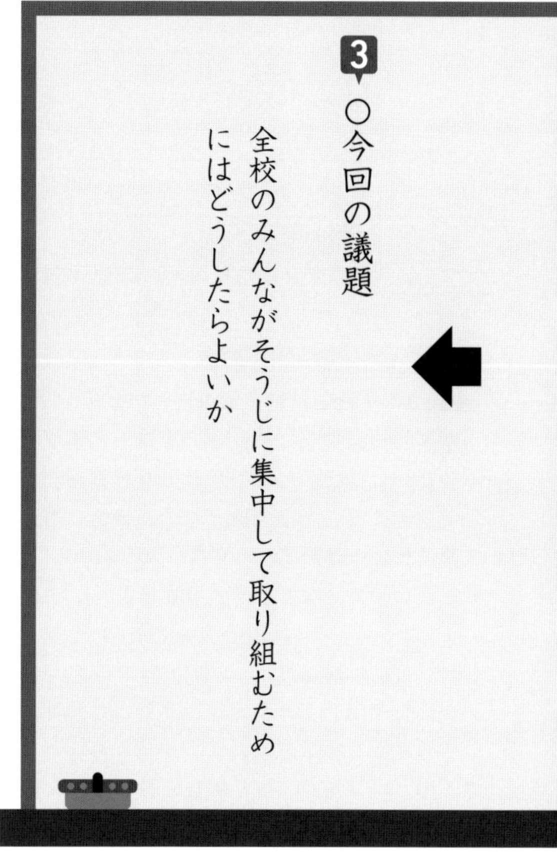

授業の流れ ▷▷▷

1 学習の見通しをもつ 〈5 分〉

○単元全体の見通しをもたせるために、学習のゴールを確認する。学習に必然性をもたせるために、学級活動の時間と関連させ「児童会目標の達成に向けて必要なことは何か」といった話題から学習の導入を行う。

T 児童会目標の達成度はどのくらいだと思いますか。10段階で評価しましょう。

T 児童会目標の達成に向けて、どんなことが必要ですか。

・掃除を今以上に丁寧にできるようにしたい。

・あいさつを自分からできるようにしたい。

T これから「よりよい学校生活のために」の学習を通して、みんなで話し合いをしましょう。

2 自分たちの学校のよい点と課題点について考える 〈15分〉

○自分たちの学校の「よい点」と「課題点」をそれぞれ考えさせる。その際に、理由を明確にさせると具体的な話し合いへと発展しやすい。

T 学校生活を振り返り、現状を整理しましょう。みなさんの学校の「よい点」と「課題点」についてまとめましょう。

・進んであいさつをすることができるところ。

・学年関係なく触れ合うことができている点。

・時間に遅れてしまうことがある。

○友達と自由に交流する時間をつくると、考えに広がりが生まれる。

ICT 端末の活用ポイント

ホワイトボードアプリ等の付箋機能を活用すると、自分の考えを整理しやすい。また、友達との意見の共有がしやすくなる。

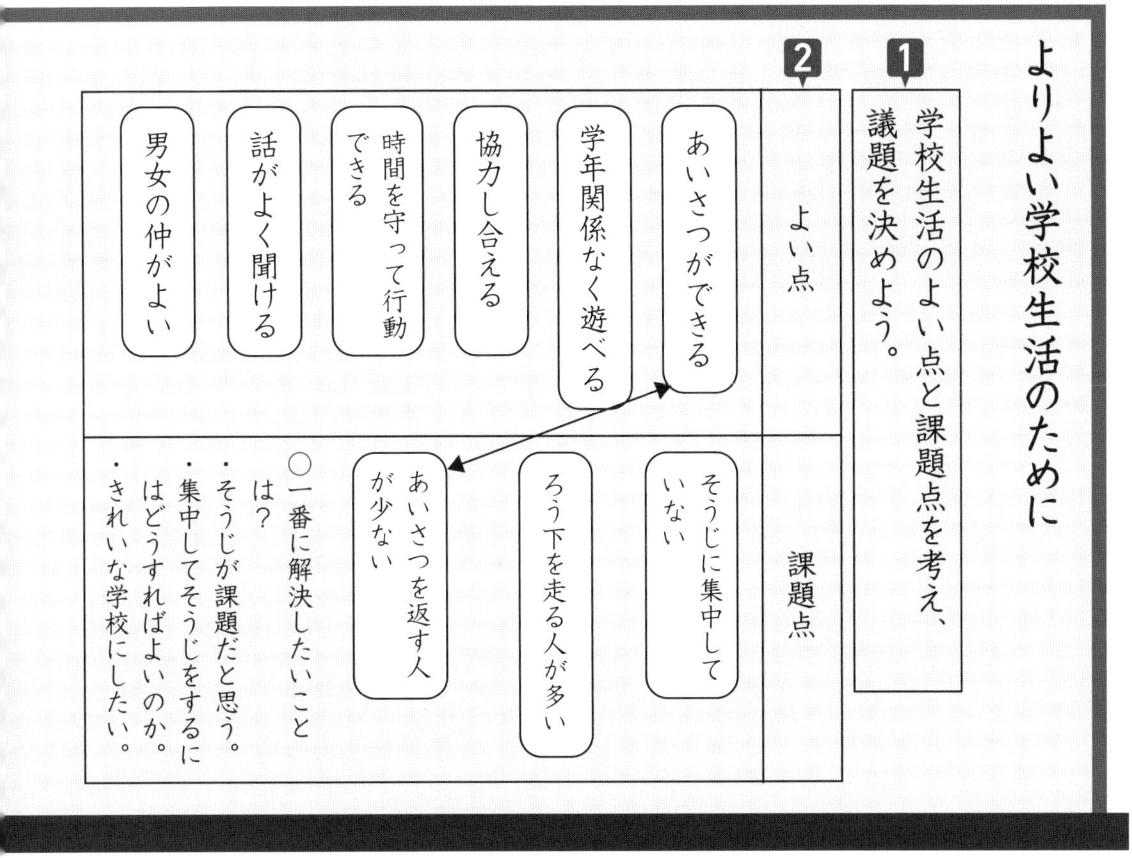

よりよい学校生活のために

1 学校生活のよい点と課題点を考え、議題を決めよう。

2

よい点

あいさつができる

学年関係なく遊べる

協力し合える

時間を守って行動できる

話がよく聞ける

男女の仲がよい

課題点

そうじに集中していない

ろう下を走る人が多い

あいさつを返す人が少ない

○一番に解決したいことは？

・そうじが課題だと思う。

・集中してそうじをするにはどうすればよいのか。

・きれいな学校にしたい。

3 学級で話し合う議題を決める 〈25分〉

T　考えたことを全体で共有しましょう。

○「よい点」と「課題点」について、それぞれまとめていく。関連する事柄を近くに書いたり、線でつなげたりしながら、意見を整理していくとよい。

T　様々な意見が出ましたが、課題点に着目しましょう。出された課題点のなかから、学級で話し合う課題を１つに決めましょう。

・そうじに集中することが大切だと思います。

・賛成です。そうじについてみんなで話し合いたいと思います。

○すぐに多数決で決めるのではなく、賛成意見、反対意見を出し合いながら、話し合いを進めたい。

よりよい授業へのステップアップ

必然性のある学習にするための工夫

本単元は国語科のみならず、特別活動の時間と関連させた学習活動を展開することができる。

例えば、学級活動の時間に「児童会目標の達成に向けて必要なことは何か」や「学校をさらによくするための作戦を考えよう」といった課題意識を子供にもたせた上で、本単元の導入を行うと、学習に必然性が生まれる。子供が意欲的に学習に取り組むことができるだろう。

本時案

よりよい学校生活のために 2/6

本時の目標

・議題に対する自分の立場を明確にするために、現状と問題点、解決策について考えることができる。

本時の主な評価

❸学級で決めた議題について、現状と課題点、解決方法とその理由を考えることで、伝え合う内容を検討している。【思・判・表】

資料等の準備

・ワークシート② 04-02
・ワークシート③ 04-03

3 みんなに提案したい解決方法を決めよう。

低学年はそうじのしかたになれていない。

↓

ペアそうじタイムをつくり、そうじをいっしょにする。

↓

そうじをいっしょにすれば、やり方を教えることができるから。

授業の流れ ▷▷▷

1 議題に関わる現状と問題点について考える 〈10分〉

T　クラスで決めた課題に対して、現状と問題点についての自分の考えをまとめましょう。

○付箋を利用し、考えを整理していくとよい。できるだけたくさんの考えが出せるように、声をかけるとよい。

・そうじ中に私語が多く、集中できない。
・そうじの仕方が当番の人によって違う。
・低学年はそうじの仕方に慣れていない。

○途中で友達と交流する時間を設定するなどして、多様な視点から現状と課題を捉えたい。

ICT 末の活用ポイント

付箋機能があるアプリケーションが使用できれば、意見の分類や整理がしやすくなる。また、書くことが苦手な子供も取り組みやすくなる。

2 議題に関わる解決方法とその理由を考える 〈15分〉

T　現状を基にして、解決方法とその理由についてまとめましょう。

○現状と問題点について考えたことを基にして解決方法を考えていく。その際に理由も必ず付箋に書くようにする。

○解決方法を考えることが苦手な子供もいると予想される。思いついたことを付箋紙にどんどん書かせるようにしたい。ここでも友達と自由に意見を交流する時間を確保すると、アイデアが生まれやすい。

○１つの付箋紙に１つの解決方法を書くようにする。

ICT 端末の活用ポイント

検索機能を用いて、議題に対する解決方法のアイデアを集めることも有効である。

よりよい学校生活のために

学級で決めた議題に対して、解決方法を考えよう。

1
自分の考えを整理して、解決方法のアイデアをまとめよう。

2
○議題
全校のみんながそうじに集中して取り組むためにはどうすればいいのか

	現状と問題点	解決方法	その理由
	そうじ中に私語が多く、集中できていない。	ムダロゼロ作戦として、チェックカードに取り組む。	チェックカードを使えば、意識できると思うから。
	そうじのしかたが当番の人によってちがう。	そうじのしかたを書いたけい示物をつくる。	そうじのしかたが分かりやすくなると思うから。

3 話し合いの中で提案する解決方法を決める 〈20分〉

T　考えた解決方法の中から、みんなに提案したい解決方法を１つ選びましょう。

○自分が考えた解決方法の中から１つを選び、具体的な提案を考える。提案を行う際の例として、

①具体的な内容（いつ、誰が、期間）

②その解決方法を考えた理由

③その解決方法で予想される効果

の３つの視点から提案を考えさせると、自分の立場を明確にしやすくなる。

○これらの視点を踏まえて考えをまとめることができるようなワークシートを用意すると、取り組みやすくなる。

よりよい授業へのステップアップ

付箋を利用した思考の可視化

付箋を利用することで、考えを整理しやすくなる。本単元では項目ごとに３色の付箋紙を用意して、色ごとに自分の考えを書かせるとよい。

【例】

緑の付箋紙→現状と問題点

青の付箋紙→解決方法

赤の付箋紙→その理由

付箋のよさは意見を追加したり、並べ替えたりすることが簡単にできる点である。また、１枚に１つの意見を書き、整理することによって、自分の思考が構造化しやすくなる利点がある。

本時案

よりよい学校生活のために 3/6

本時の目標

・話し合いの様子を聞き、話し合いの仕方を確かめ、進行計画を立てることができる。

本時の主な評価

❶話し合いを行う際に必要な語句の量を増やし、質問の仕方や意見の伝え方、および話し合いのまとめ方について理解し、語彙を豊かにしている。【知・技】

資料等の準備

・ワークシート 04-04
・話し合いの進め方（例）04-05
・教科書付録の動画

○話し合いを聞いて、自分たちに生かせると思ったところはどこか
・司会の進め方が参考になった。
・全員が話せるように、話題をふっていた。
・みんなが質問をし合っていた。

4
○意見が対立したときには
・たがいの意見をしっかりと聞き合い、受け止め、話を前に進めることが大切。

授業の流れ ▷▷▷

1 話し合いの経験を想起する 〈5分〉

T　これまでの話し合いの経験を振り返りましょう。困ったことはありましたか。
・意見がなかなか出なくて、話し合いが進まなかった。
・話し合いをうまくまとめることができなかった。
○これまでの経験を想起させ、話し合いを円滑に進めるための計画の重要性を理解させたい。
T　話し合いで大切なことは進行計画を立てることです。今日は話し合いの計画を立てていきましょう。

2 話し合いの仕方を確かめる 〈10分〉

T　話し合いの進め方の例を見て、気付いたことを発表しましょう。
・全員が意見を順番に言っている。
・質問をする時間がある。
・共通点と異なる点でまとめている。
・話し合いが2段階になっている。
・考えをまとめる条件を決めることが大切。
T　話し合いには、「考えを広げる話し合い」と「考えをまとめる話し合い」があります。話し合いの流れを意識すると意見がまとまりやすくなりますね。
○話し合いには「広げる話し合い」と「まとめる話し合い」があることをつかませたい。

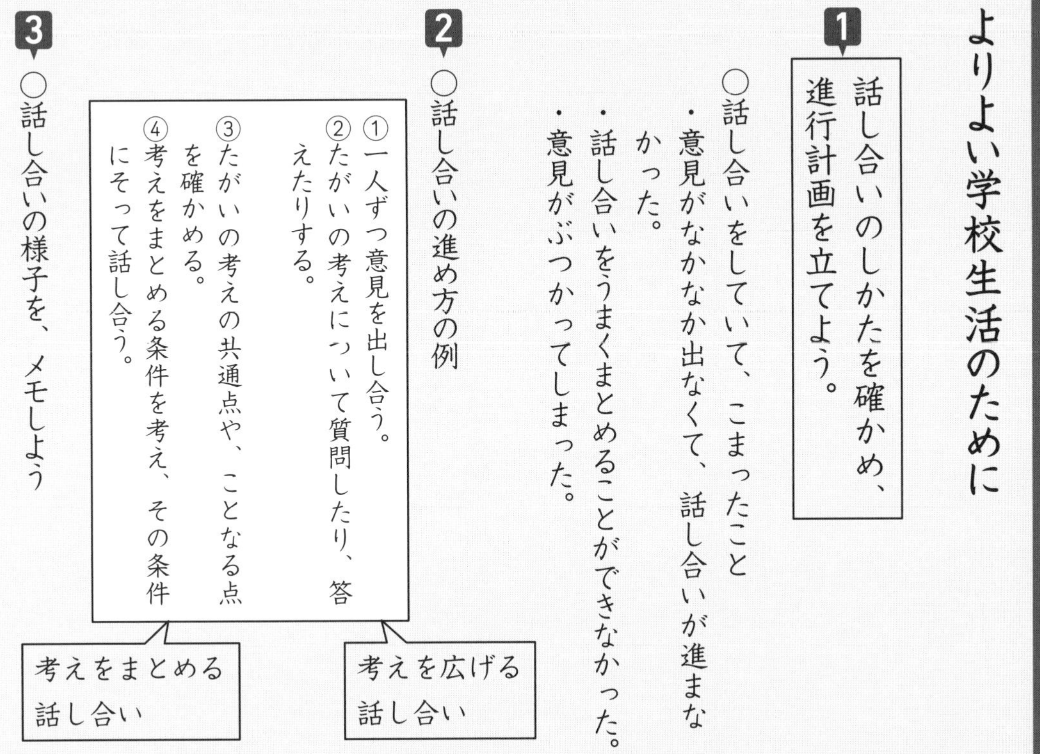

3 話し合いの様子を、メモを取りながら聞く 〈20分〉

T　話し合いの様子を、メモを取りながら聞きましょう。

○教科書付録の音声データや動画を活用し、話し合いの様子を観察させる。

○メモの取り方も合わせて指導するとよい。短くキーワードでまとめる、など。

T　話し合いを観察し、自分たちの話し合いに生かせると思ったことは何ですか。

・司会の進め方が参考になった。
・全員が話せるように、うまく進めていた。
・相づちをうったり、コメントしたりした。

ICT 端末の活用ポイント

教科書付録の動画を活用するとよい。個々で視聴する時間を設定することで、自分のペースで活動に取り組むことができる。

4 コラム「意見が対立したときには」を読む 〈10分〉

T　もし意見が対立してしまったときには、どのようにすればよいのでしょうか。

・相手の意見の理由をじっくりと聞く。
・相手の意見のよさを認めるようにする。
・自分の意見にこだわりすぎない。

T　コラム「意見が対立したときには」を読みましょう。大切なことをみんなで考えましょう。

T　意見が対立してしまった２人にどんな言葉をかけますか。

・相手の意見を自分の意見に生かすように意識するといいね。
・相手の意見のよさを見つけるといいね。

○教科書を用いて、大切なポイントを押さえる。

本時案

よりよい学校生活のために 4/6

本時の目標

・話し合いの流れ、目的、進め方を理解し、よりよい学校生活にするための話し合いをすることができる。

本時の主な評価

❷議題に対して、情報を関連付けたり、言葉を関係付けたりしながら、話し合いをしている。【知・技】

資料等の準備

・話し合いの進め方（例） 04-05
・ワークシート⑤ 04-06

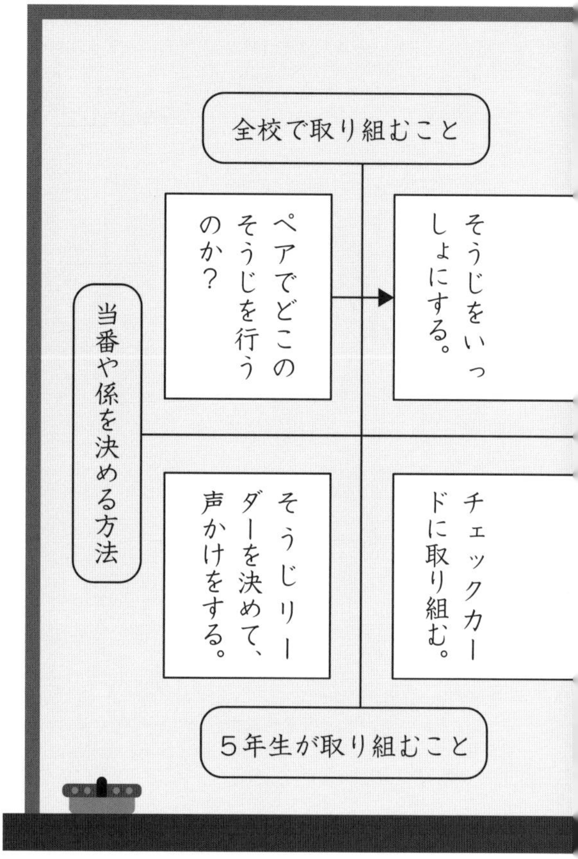

全校で取り組むこと

当番や係を決める方法

ペアでどこのそうじを行うのか？

そうじをいっしょにする。

そうじリーダーを決めて、声かけをする。

チェックカードに取り組む。

5年生が取り組むこと

授業の流れ ▷▷▷

1 話し合いの流れ、目的、進め方、役割を確認する〈5分〉

T　話し合いを行う前に、流れや目的を確認しましょう。

○事前に、前半グループと後半グループとに分けておく。

○例えば、学級に8グループあれば、前半と後半をそれぞれ4グループずつに分ける。前半グループの話し合いの様子を後半グループはメモを取りながら観察する。

T　前半グループのみなさんは、話し合いを行います。後半グループのみなさんは話し合いの内容を記録しましょう。

ICT端末の活用ポイント

話し合いの様子を動画として撮影しておくことで、話し合いのポイントを振り返る際に有効に活用することができる。

2 話し合いを行う（前半グループ）〈30分〉

T　それでは司会の人を中心に、話し合いを始めてください。

○話し合いの進行計画を基に、話し合う。グループごとに時間のばらつきが出ることが予想される。おおまかな時間設定を示しておくとよい。

○後半グループは話し合いの内容を記録しながら、質問や意見を出すこともできるようにすると話し合いがより活発になる。

○話し合いは二軸四象限の中に、前時までにまとめた解決策を位置付けていく形で行う。

ICT端末の活用ポイント

ホワイトボード機能や付箋機能のあるアプリケーションを活用すると、意見の分類・整理がしやすくなる。

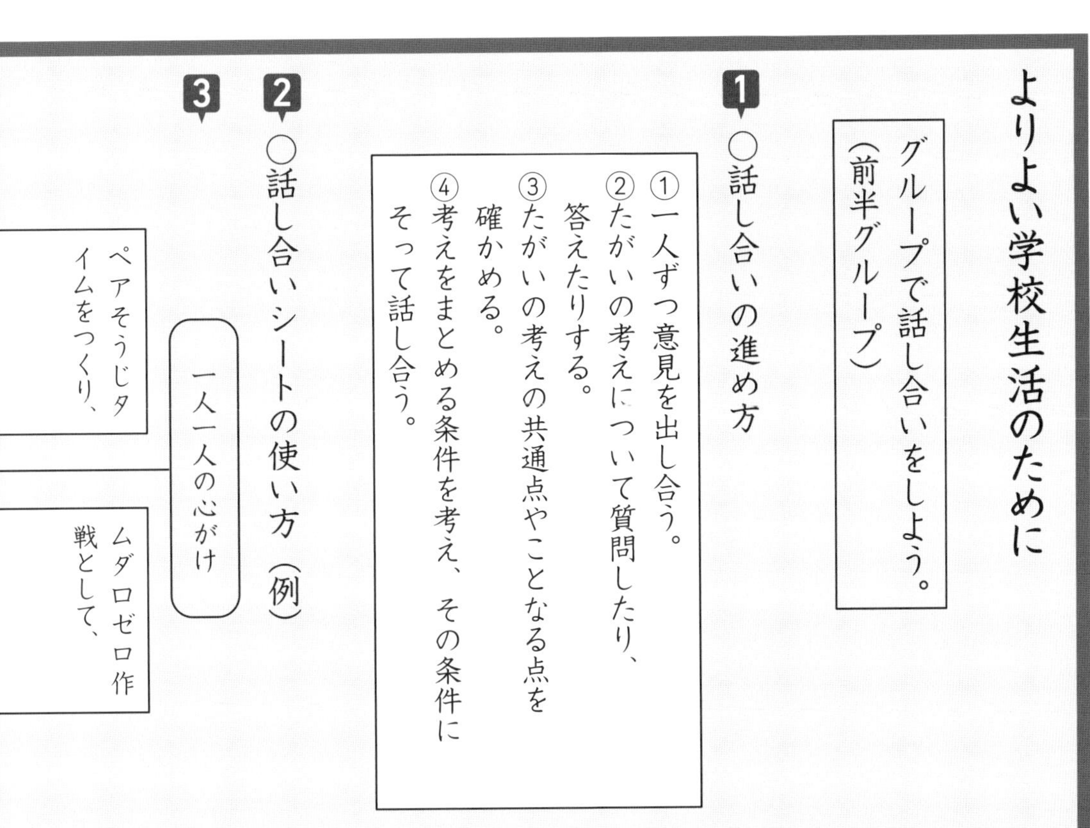

3 話し合いのよかった点、課題点を共有する 〈10分〉

T 今日の話し合いの様子を振り返りましょう。話し合いのよかったところや、課題点をグループごとに話しましょう。

○話し合いを観察していた後半グループからよかった点や課題点を発表させるとよい。

・司会が「○○さんはどう思いますか」というように意見を求めていたので、とてもよかった。

・「○○さんに付け足しです」「○○さんと同じです」という言葉がたくさんあったので、分かりやすかった。

○話し合いの振り返りをさせることで、次回の話し合いのめあてになる。意識させていきたいポイントである。

よりよい授業へのステップアップ

話し合いの役割の工夫

話し合いの質を高めるために、話し合いを子供自身が観察し、客観的に評価する機会を作ることが有効である。学級全体で一斉に話し合いを行うのではなく、前半と後半に分け、前半チームの話し合いの様子を、後半チームが記録し、客観的に評価させるとよい。

また、記録者にフロアとしての役割も担わせることで、話し合いをより活発にすることができる。例えば、質問や意見を出す際には、記録者からも発言することができるというように工夫すると、多様な意見が出される。

本時案

よりよい学校生活のために 5/6

本時の目標

・話し合いの流れ、目的、進め方を理解し、よりよい学校生活にするための話し合いをすることができる。

本時の主な評価

❹議題に対して、互いの立場や意図を明確にしながら計画的に話し合い、考えを広げたり、まとめたりしている。【思・判・表】

資料等の準備

・話し合いの進め方（例） 04-05
・ワークシート⑤ 04-06

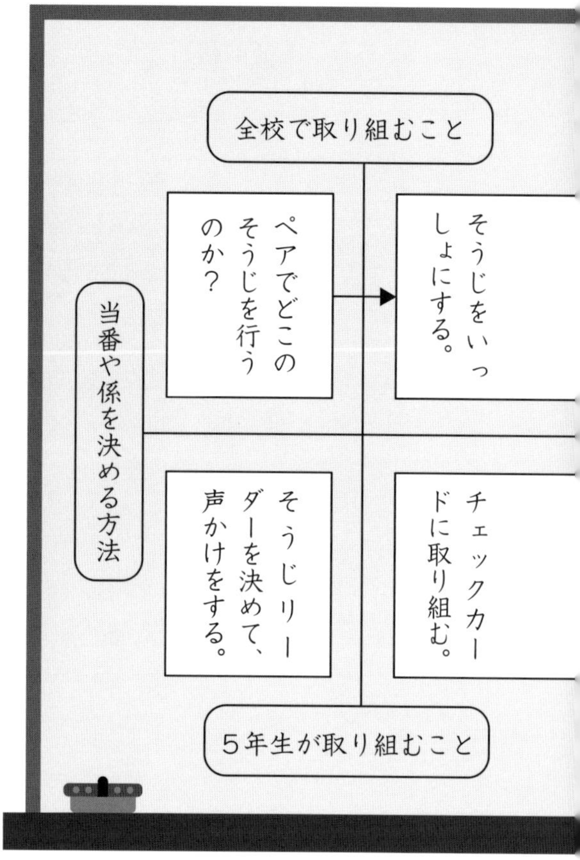

全校で取り組むこと

ペアでどこのそうじを行うのか？

そうじをいっしょにする。

当番や係を決める方法

そうじリーダーを決めて、声かけをする。

チェックカードに取り組む。

5年生が取り組むこと

授業の流れ ▷▷▷

1 話し合いのポイントを確認する 〈5分〉

T 話し合いを行う上でのポイントを確認しましょう。前回の話し合いで出された点を意識して話し合いましょう。

・意見を言いやすいように、うなずきながら話を聞くことを大切にしたい。

・全員が意見を言えるように、司会者が配慮したい。

・話し合いをまとめるときに、新しい意見を考えるといい。

○本時は後半グループの話し合いである。議題は前時と同様であるが、改めて確認をすることが大切である。

2 話し合いを行う（後半グループ） 〈30分〉

T それでは司会の人を中心に、話し合いを始めてください。

○話し合いの進行計画を基に、話し合う。おおまかな時間設定を示しておくとよい。

○前半グループは話し合いの内容を記録しながら、質問や意見を出すこともできるようにすると、話し合いがより活発になる。

○前時と同様に話し合いは二軸四象限の中に、前時までにまとめた解決方法を位置付けていく形で行う。（板書例参照）

○話し合いをまとめる際には、どのような条件でまとめるのかを意識させたい。

ICT 端末の活用ポイント

ホワイトボード機能や付箋機能を活用すると、意見の分類・整理がしやすくなる。

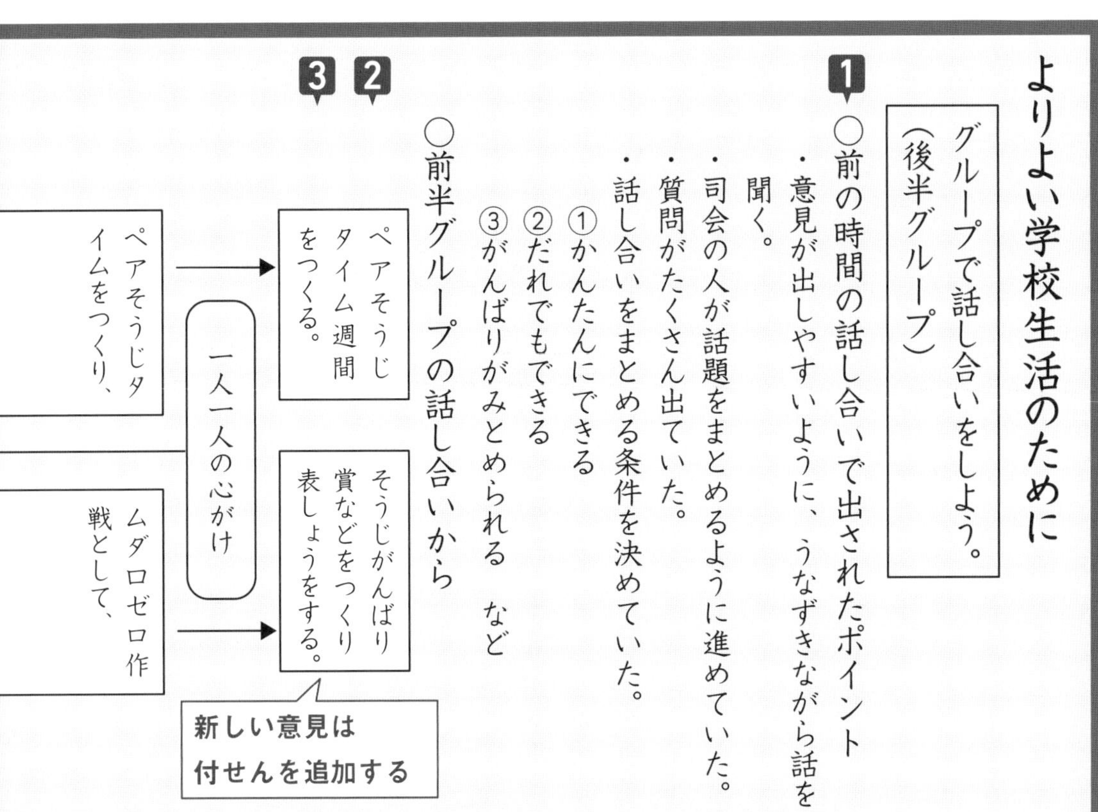

3 話し合いのよかった点、課題点を振り返る 〈10分〉

T　今日の話し合いの様子を振り返りましょう。話し合いのよかったところや課題点をグループごとに話しましょう。

○前時と同様に、振り返りを行う。その際に、前回と比べてよかった点はどこだったのかという視点をもたせるとよい。

○話し合いを観察した前半グループから、話し合いのよかった点や課題点を発表させるとよい。

T　前半と後半の話し合いの感想をまとめましょう。

○話し合いの感想を自分なりにまとめることで、話し合う際に大切なポイントへの気付きにつながるであろう。

よりよい授業へのステップアップ

付箋を利用した話し合いの工夫

付箋を利用しながら話し合いを行うと、話し合いが可視化され、意見がまとまりやすくなる。板書例に示したように、それぞれの意見を位置付けながら話し合うようにしている。このようにすることで、誰がどういった意見をもっているのか、よりよい意見はどれかを考えやすくなる。

また、関連する意見を線でつないだり、新たに出された意見や質問を図の中に位置付けたりしながら、話し合いの内容を視覚化すると理解が深まる。

本時案

よりよい学校生活のために 6/6

本時の目標

・話し合いを振り返り、よかった点や課題点を共有し、話し合いの特徴についてまとめようとする。

本時の主な評価

❺話し合いを振り返り、よかった点や課題点を共有し、進んで話し合いの特徴をまとめようとしている。【態度】

資料等の準備

・前時までのワークシート等

4
○話し合いのポイント
・「考えを広げる話し合い」と「考えをまとめる話し合い」
・自分の意見を出し合う。
・質問したり、答えたりする。
・意見の共通点や異なる点を見つける。
・意見をまとめる条件を考える。

授業の流れ ▷▷▷

1 前時までの話し合いについてグループで振り返る 〈10分〉

T　今日は前時までの話し合いについて、学級全体で共有したいと思います。

T　グループごとに話し合いの内容を振り返り、どのように話し合いがまとまったのかを確認しましょう。

○グループごとにどのような解決方法にまとまったのか、その理由は何かを発表できるように準備させる。下記の例のように、発表する順番を板書すると、発表しやすくなる。

例①どのような解決方法にまとまったのか。
②その解決方法にまとまった理由は何か。

ICT 端末の活用ポイント

ホワイトボード機能のあるアプリケーションを用いて、前時の話し合いの内容を再度確認するとよい。

2 話し合いの内容を学級全体で共有する 〈15分〉

T　それぞれのグループでどのような解決方法が出されたのかを、みんなで共有しましょう。

○グループごとにまとめた解決方法について学級全体で共有する。ここでは、話し合いの内容を中心にグループごとに発表を行う。

○多様な解決方法が出されることが予想される。一つ一つ丁寧に価値付けながら、板書していくとよい。

○話し合いがまとまらなかったグループについても、提案されている内容については大いに価値付けたい。

よりよい学校生活のために

1 ○話し合いで出された解決方法

一グループ……そうじチェックカードの取り組み。

二グループ……ペア清そう活動を行う。

2 三グループ……そうじがんばりタイムをつくる。

四グループ……そうじチャンピオンを表しょうする活動。

五グループ……ポスターやけい示物をつくる。

六グループ……そうじサポート係をつくる。

3 ○二回の話し合いをふりかえって

よかった点

・全員がしっかりと意見を言うことができた。

・質問が多く出された。

・賛成や反対が活発に出ていた。

・司会の人が話し合いをうまくまとめていた。

課題点

・グループで一つの解決方法にまとめることができなかった。

・意見がぶつかって、そのまま言い合いになってしまった。

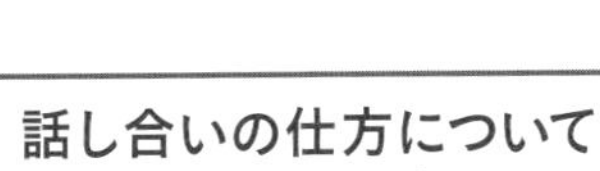

3 話し合いの仕方について成果と課題を共有する 〈10分〉

T　話し合いの仕方について、成果と課題を学級全体で共有しましょう。

T　前半グループ、後半グループの話し合いを行ったなかで成果（よかった点）や課題について発表してください。

・全員が意見を言うことができた。

・質問がたくさん出された。

・意見の共通点を探して話し合いをまとめていた。

・意見がぶつかって、そのまま言い合いになってしまった。

・意見をまとめることが難しかった。

4 話し合いのポイントをまとめ、感想を交流する 〈10分〉

T　話し合いのポイントを改めてまとめましょう。話し合いには「考えを広げる話し合い」と「考えをまとめる話し合い」がありました。

T　一人一人が自分の意見を出し合うこと、質問したり、答えたりすることなどがポイントでした。

T　まとめる際には、意見の共通点を探したり、まとめる条件を決めたりして話し合うことがポイントでした。

T　話し合いの学習を通して、思ったこと、考えたことなどをグループで発表し合いましょう。

・友達との共有点や異なる点を整理すると、話し合いをまとめることができた。

・みんなの考えを合わせることができた。

資料

1 第1時資料　ワークシート① 04-01

よりよい学校生活のために①

名前（　　　　）

○学校のよい点と課題点について考えよう。

よい点	課題点
理由	理由

学級で決めた議題は

2 第2時資料　ワークシート② 04-02

よりよい学校生活のために②

名前（　　　　）

○自分の考えを整理して、解決方法を考えよう。

議題

現状と問題点

解決方法

その理由

みんなに提案したい解決方法は

3 第２時資料　ワークシート③ 04-03

よりよい学校生活のために③

名前（　　　　　）

○自分が考えた解決方法を具体的に書こう。

わたしの提案は

①具体的な取り組み（いつ、だれが、どの位の期間、何をする）

②どうして、その取り組みをしようと考えたのか

③その取り組みをすると、どんな効果があるのか（アピールポイント）

4 第３時資料　ワークシート④ 04-04

よりよい学校生活のために④

名前（　　　　　）

○話し合いの様子をメモしよう。

①（　　）さんの意見	②（　　）さんの意見	③（　　）さんの意見	④（　　）さんの意見
⑤質問・意見	⑦質問・意見	⑨質問・意見	⑪質問・意見
⑥その答え	⑧その答え	⑩その答え	⑫その答え

○話し合いのよかった点・参考にしたい点・課題点などを書こう。

5 第3、4、5時資料　話し合いの進め方（例）04-05

話し合いの進め方（例）

議題

『　　　　　　　　　　　　　　　　　　　　　』

①はじめのあいさつ

②議題の確にん

例　まずは話し合いの議題を確にんしましょう。
まずは、考えを広げる話し合いです。一人ずつ意見を言って、ふせんを提出してください。〇〇さんからお願いします。

③意見発表（一人ずつ）

・理由とともに、自分の考えを発表しましょう。

④質問タイム

例　それでは次に質問タイムにうつります。質問のある人は手を挙げてください。
・なぜ　・いつ　・どのように　・一度受け入れることが大切。

⑤意見交かんタイム

例　次に、考えをまとめる話し合いをします。出し合った意見を、整理してみます。みんなの意見の中で、共通点やことなる点はあるでしょうか。
意見のある人は手を挙げてください。
・つまり〇〇ということですね。
・〇〇さんはどう考えていますか。
・これまでの意見をまとめると・・・ですね。
・では、このグループの取り組みは〇〇という意見にまとまりました。

⑥司会者によるまとめ

例　では、今日の話し合いをまとめます。
・ここでは、決まったことをもう一度全体で確にんしましょう。

⑦終わりのあいさつ

6 第４、５時資料　ワークシート⑤ 04-06

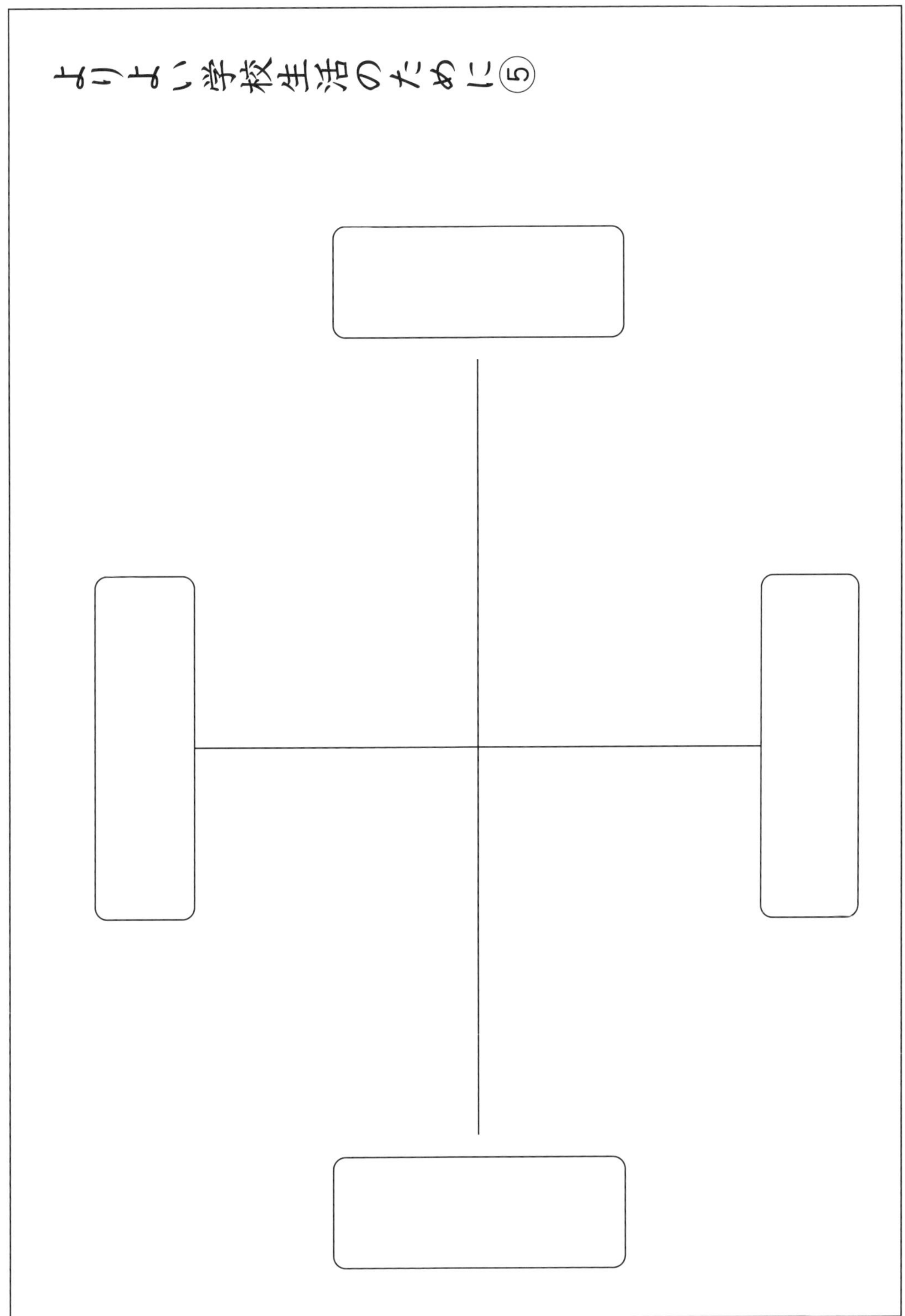

古典に親しもう

浦島太郎　「御伽草子」より　（1時間扱い）

単元の目標

知識及び技能	・古典について解説した文章を読んだり作品の内容の大体を知ったりすることを通して、昔の人のものの見方や感じ方を知ることができる。((3)イ) ・親しみやすい古文を音読するなどして、言葉の響きやリズムに親しむことができる。((3)ア) ・語句の由来などに関心をもつとともに、時間の経過による言葉の変化や世代による言葉の違いに気付き、仮名及び漢字の由来、特質などについて理解することができる。((3)ウ)
学びに向かう力、人間性等	・言葉がもつよさを認識するとともに、進んで読書をし、国語の大切さを自覚して思いや考えを伝え合おうとする。

評価規準

知識・技能	❶古典について解説した文章を読んだり作品の内容の大体を知ったりすることを通して、昔の人のものの見方や感じ方を知っている。(〔知識及び技能〕(3)イ) ❷親しみやすい古文を音読するなどして、言葉の響きやリズムに親しんでいる。(〔知識及び技能〕(3)ア) ❸語句の由来などに関心をもつとともに、時間の経過による言葉の変化や世代による言葉の違いに気付き、仮名及び漢字の由来、特質などについて理解している。(〔知識及び技能〕(3)ウ)
主体的に学習に取り組む態度	❹進んで昔の人のものの見方や感じ方を知り、学習課題に沿って、古典の文章について思ったことを話そうとしている。

単元の流れ

時	主な学習活動	評価
1	『浦島太郎』の話について、知っていることを発表し合う。 『浦島太郎』の結末部分の範読を聞き、大体の内容を確認する。 教科書の二次元コードの音声データを活用しながら、繰り返し音読したり暗唱したりして、言葉の響きやリズムに親しむ。 『浦島太郎』を音読して、昔の人のものの見方や感じ方、言葉の意味や使い方の相違など、感じたことや考えたことについて話し合う。 昔の人のものの見方や考え方、言葉の意味や使い方について、自分の考えをまとめて書く。	❷ ❶ ❹ ❸

授業づくりのポイント

〈単元で育てたい資質・能力〉

本単元のねらいは、「御伽草子」の文語調の文章を音読することで、言葉の響きやリズムに親しむとともに、昔の人のものの見方や感じ方を知ることである。『浦島太郎』は幼児向けの絵本も多く、話の内容をほとんどの子供が知っていると思われる。お話の元の形に近い文語調の文章に触れることで、時代による言葉の移り変わりに気付くとともに、自分の知っている話と結末が違う理由を探り、ものの見方や感じ方について考えさせていきたい。

〈教材・題材の特徴〉

「御伽草子」は、南北朝・室町時代〜江戸時代初期に現れた、短編物語の総称である。貴族のものだった文学が、武家の台頭で大衆化したものの１つが「御伽草子」であるといわれている。約300編超が存在するといわれ、現在は『浦島太郎』以外にも、『一寸法師』や『ものぐさ太郎』、『酒呑童子』など、100編ほどが知られている。一般的には、浦島が持ち帰った玉手箱を開けて、おじいさんになったところで話が終わるものが知られている。しかし「御伽草子」では、おじいさんになった浦島が鶴となって蓬萊山へ飛び立ち、亀となった乙姫と永遠に結ばれる。これは、おじいさんになるという結末を悲劇的に捉えず、長寿や不老不死の象徴と捉えたためである。また、鶴から浦島明神という神様になったとされている絵巻物もあり、教科書もこの結末に則っている。結末が異なる理由を考えてみることで、昔の人の死生観を含むものの見方や考え方にも触れることができる。

〈言語活動の工夫〉

『浦島太郎』の結末については、自分の知っているものと違うと考える子供が多いと思われる。そこで、おじいさんになって終わる結末と、鶴と亀になってずっと添い遂げる結末、鶴と亀になって生き物を救う明神（神様）になる結末のどれが好きか、その理由を問う。そうすることで、自分と友達、昔の人とのものの見方や考え方を比べることができる。

［具体例］

○①おじいさんになって終わる、②鶴と亀になって添い遂げる、③生き物を救う明神になる、の３つの結末を提示し、好きな結末を問う。理由も合わせて発表させることで、同じ結末を選んでいても理由が違ったり、違う結末を選んでいても理由が同じだったりすることを知ることができ、友達と自分とのものの見方や考え方を比べることができる。また、なぜ昔の人は②や③の結末を考えたのか、今知られている結末が①なのはなぜか、を問うことで、昔の人のものの見方や考え方に触れることができる。

〈ICT の効果的な活用〉

表現：春に学習した『竹取物語』や『平家物語』、『方丈記』や『徒然草』と比べても、『浦島太郎』は文章が長い。音読に抵抗感をもつ子供も少なくないと思われる。そこで、教科書に添付されている二次元コードの音声データを活用して、再生したものを個々に追読させたい。この形であれば、うまく読めない部分を繰り返し練習でき、音読を苦手とする子供も安心して取り組むことができる。追読せずに読めるようになったら、自分の音読を録音させたい。自分の音読を聞き直すことで、文語調の文章をリズムよく読み、言葉の響きを感じる大切さを意識させることもできる。

本時案

浦島太郎「御伽草子」より 1/1

本時の目標

・言葉の響きやリズムを味わい、感じたり考えたりしたことを話し合うことができる。

本時の主な評価

❶古典について解説した文章を読んだり作品の内容の大体を知ったりすることを通して、昔の人のものの見方や感じ方を知っている。【知・技】
❷親しみやすい古文を音読するなどして、言葉の響きやリズムに親しんでいる。【知・技】
❸語句の由来などに関心をもつとともに、時間の経過による言葉の変化や世代による言葉の違いに気付き、仮名及び漢字の由来、特質などについて理解している。【知・技】

資料等の準備

・教科書 p.144–145　浦島太郎の本文の拡大

授業の流れ ▷▷▷

1 浦島太郎について知っていることを話し合う〈5分〉

T　みなさんは、浦島太郎という話を知っていますか。浦島太郎はどんなお話ですか。
・いじめられていた亀を助ける話だよね。
・お礼に、竜宮城に連れて行ってもらうの。
・竜宮城が楽しくて、ずっと遊んでいてさ。
・竜宮城にそんなに長くいたわけじゃないのに、もとの世界では長い時間が流れていて、知っている人は誰もいなかったんだよ。
・帰りに玉手箱をもらって、「開けちゃダメ」って言われたのに開けちゃって。煙が出てきておじいちゃんになっちゃうんだよ。
○子供が知っていること、覚えていることを自由に話させる。内容の覚え間違いや食い違いなどがあっても、追及せずに話を進める。

2 浦島太郎の大体を知り、音読をする〈20分〉

T　浦島太郎は、短い物語を集めた「御伽草子」という、今から500年ほど前にまとめられた作品の１つです。読んでみましょう。
・え、浦島が亀を釣っているよ。
・しかも海で出会った女性と結婚している。
・700年も経っていたの。
・紫色の雲だったかな、煙じゃなかったっけ。
・浦島が鶴になって飛んで行っているよ。
・なんだか知っている話とずいぶん違うよ。
○範読のあと、内容の大体を確認し、知っている内容と異なることもあることを伝える。

ICT 端末の活用ポイント

内容の確認後、繰り返し音読してリズムや文語調の文章に慣れさせる。配慮が必要な子供には、二次元コードを活用して声を合わせるよう促す。

浦島太郎「御伽草子」より

古典を読み、自分が感じたことや考えたことを伝え合おう。

1

「御伽草子」……今から五百年ほど前に書かれた、短い物語のこと。「一寸法師」「ものぐさ太郎」など、約三百の物語がある。

2

太郎思ふやう、亀が与へしかたみの箱、あひかまへてあけさせ給ふなと言ひけれども、今は何かせん、あけて見ばやと思ひ、見るこそくやしかりけれ。この箱をあけて見れば、中より紫の雲三すぢ上りけり。これを見れば、二十四五の齢も、たちまちに変わりはてに

3

【内容のちがい】
・紫色の雲
・雲が三本
・おじいさんが鶴になる。
・年れいを入れていた。

【結末のちがい】
①明神様になった。
　ずっと生きられる。
　今の時代にも合う。
②亀と夫婦の明神なった。
　幸せな結末

3 昔の人のものの見方や考え方について話し合う 〈15分〉

T 「御伽草子」の浦島太郎は、みなさんがよく知っている内容や結末と違いましたよね。どれが好きですか。なぜ違うのでしょう。結末が違うと、感じ方は変わりますか。

・「御伽草子」の結末のほうが幸せそうで好き。
・でも、神様になるって偉すぎじゃない。だから今の結末は違うんじゃない。
・生き物を救う神様なら今の時代にも合うよ。
・鶴と亀が縁起いいってことと関係あるかな。
・今の結末のほうがつらい。世の中、そんなにいいことばかりじゃないって言いたいのかな。
・昔の人は、物語で救われたかったのかな。
・話が広まって、結末が変えられたんだよ。

○話し合いの内容が、昔の人のものの見方や考え方に合うように話し合いを整理する。

4 昔の人のものの見方や考え方について考えを書く 〈5分〉

○話し合いを通して、昔の人のものの見方や考え方に十分触れた上で考えを書かせる。

T 今日は、「御伽草子」の浦島太郎を読んで、考えたことや感じたことを話し合いました。昔の人のものの見方や考え方について、自分の考えをまとめましょう。

・昔の人も今の人と同じで、幸せな結末がいいと思ったんだよ。
・物語が書き写されながら全国に伝わっていくうちに、勝手に書き変えた人がいて、別の結末ができたのかもしれない。昔の人も物語を楽しんだんだと思うよ。
・昔の人は、今の人よりも神様とか、不思議なもの、神秘的なものが身近だったんだと思う。だから神様になる結末なんだよ。

言葉

和語・漢語・外来語 （2時間扱い）

単元の目標

知識及び技能	・語句の由来などに関心をもつとともに、時間の経過による言葉の変化や世代による言葉の違いに気付くことができる。また、仮名及び漢字の由来、特質などについて理解することができる。((3)ウ) ・思考に関わる語句の量を増やし、語や文章の中で使うとともに、語句と語句との関係、語句の構成や変化について理解し、語彙を豊かにすることができる。また、語感や言葉の使い方に対する感覚を意識して、語や語句を使うことができる。((1)オ)
学びに向かう力、人間性等	・言葉がもつよさを認識するとともに、進んで読書をし、国語の大切さを自覚して思いや考えを伝え合おうとする。

評価規準

知識・技能	❶語句の由来などに関心をもつとともに、時間の経過による言葉の変化や世代による言葉の違いに気付いている。また、仮名及び漢字の由来、特質などについて理解している。(〔知識及び技能〕(3)ウ) ❷思考に関わる語句の量を増やし、語や文章の中で使うとともに、語句と語句との関係、語句の構成や変化について理解し、語彙を豊かにしている。また、語感や言葉の使い方に対する感覚を意識して、語や語句を使っている。(〔知識及び技能〕(1)オ)
主体的に学習に取り組む態度	❸進んで和語・漢語・外来語の由来などに関心をもち、学習課題に沿ってそれらを理解しようとしている。

単元の流れ

時	主な学習活動	評価
1	教科書の例文を比べて、文の印象や気付いたことを発表する。 和語・漢語・外来語の由来や特性、使い分けについてを理解する。 身の回りの文章の中から、和語・漢語・外来語を探す。 〔課外〕集めた言葉をカードに書きためておく。	❶ ❸
2	読み手（聞き手）や場面を設定し、和語・漢語・外来語の特性を踏まえて、文を作る。 文を読み合い、どんな印象を受けるか話し合う。	❷

授業づくりのポイント

〈単元で育てたい資質・能力〉

子供が日常的に触れる言葉について、「和語」「漢語」「外来語」という視点から捉え直す単元である。それぞれの由来や感じ方、表現上の特性を理解するために、文章を比べて読んだり、書きかえたりする活動を通して、場面によって「和語」「漢語」「外来語」をどのように使い分けることが効果的なのかを考え、日常で使えるようになることを目指す。

日本語では、ほぼ同じような内容でも、「和語」「漢語」「外来語」で言い分けることができる。さらに、語の種類の使い分けの違いで、意味や受ける感じが違ってくる。本単元では、場に応じた適切な言葉を使うことができるように、意味や語感の違いに気付かせたい。

〈言語活動の工夫〉

本単元では、文章を比べて読んだり、書きかえたりする言語活動を設定する。

まず、2つの例文を比べて読み、それぞれの感じ方の違いやその理由について話し合う。ここで、同じ情報を伝える際に、相手や目的に合わせて言葉の選び方や表現の仕方を使い分けていくとよいことに気付かせたい。

そして、生活を振り返り、身の回りの「和語」「漢語」「外来語」を探す。このとき、どんな文章にどの言葉が多いかを確かめさせることによって、「和語」「漢語」「外来語」それぞれの由来や特徴が明確になり、それぞれの語感も実感することができると考える。

単元のゴールの言語活動として、日常の場面を設定し、相手や目的によって「和語」「漢語」「外来語」をどのように使ったら効果的なのかを考え、文を書きかえる活動を行う。どうしてそのように書きかえたのか、第1時で学習したことを踏まえて理由を述べられるとよい。そうすることで、相手や場面、目的に応じて意図的に言葉を正しく使い分けられる力を育てられると考える。

[具体例]

○集めた言葉は、カードに書きためていく。「和語」「漢語」「外来語」の枠をつくり、言いかえが可能な言葉が分かるようにしておく。そうすることで、文を作る際に相手や目的に応じた言葉を選ぶ手掛かりとなる。

〈ICT の効果的な活用〉

共有：文書作成ソフトで入力したファイルを、学習支援ソフトで共有する。子供一人一人の考えを共有できるようにすることで、「どうしてこの言葉にしたのか、理由を聞いてみたい」など、目的を明確にして友達と対話することができる。また、どう書いてよいかを考える際に、友達の文を参考にすることができる。

表現：単元のゴールの言語活動として、ニュース番組や園内放送などの音声言語で表現したい子供には、録音機能を活用する。書きかえる前の文章と書きかえたあとの文章を録音し、聞き比べることで、「和語」「漢語」「外来語」をどのように使うと効果的なのかを考えることができる。

本時案

和語・漢語・外来語

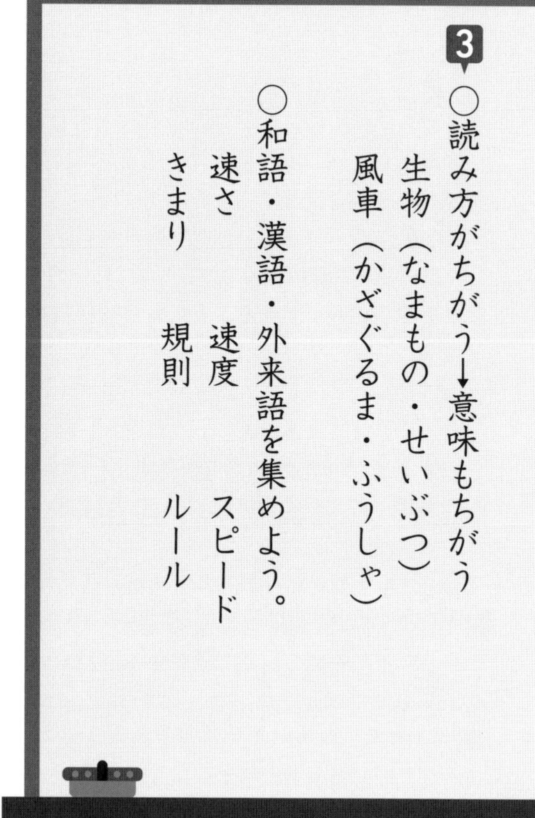

本時の目標

・和語・漢語・外来語の由来を理解することができる。

本時の主な評価

❶語句の由来などに関心をもち、和語・漢語・外来語のそれぞれの意味や由来を理解している。【知・技】

❸辞典などを用いて言葉を集め、和語・漢語・外来語を進んで集めようとしている。【態度】

資料等の準備

・教科書 p.146の例文の拡大コピー
・国語辞典
・類語辞典
・新聞紙

授業の流れ ▷▷▷

1 2つの例文を音読し、気付いたことから問いをもつ 〈15分〉

T　黒板に掲示した2つの文を読んで、比べてみましょう。どんな違いがありますか。

・意味は同じだけれど、使っている言葉が違う。

・①は、普段自分たちがよく使う言葉が使われている。

・②は熟語が多く、少し硬い感じがする。

○どの言葉が同じ意味なのか、対応している言葉を確認する。

T　同じような意味なのに、言葉や言い方が違うのはなぜだろう。

・伝える相手によると思います。

・話し言葉と書き言葉でも違うと思います。

T　どのように使い分けていけばよいのかを学習していきましょう。

2 和語・漢語・外来語の意味を確認する 〈15分〉

T　「和語・漢語・外来語」の意味を確認していきましょう。

・「和語」は、もともと日本にあった言葉で、訓読みの言葉です。

・「漢語」は、古くに中国から日本に入ってきた言葉で、音読みの言葉です。

・「外来語」は、漢語以外で、外国語から日本語に取り入れられた言葉で、片仮名で書き表します。

T　もう一度、2つの文を見てみましょう。文の中の「和語」「漢語」「外来語」を確認しましょう。

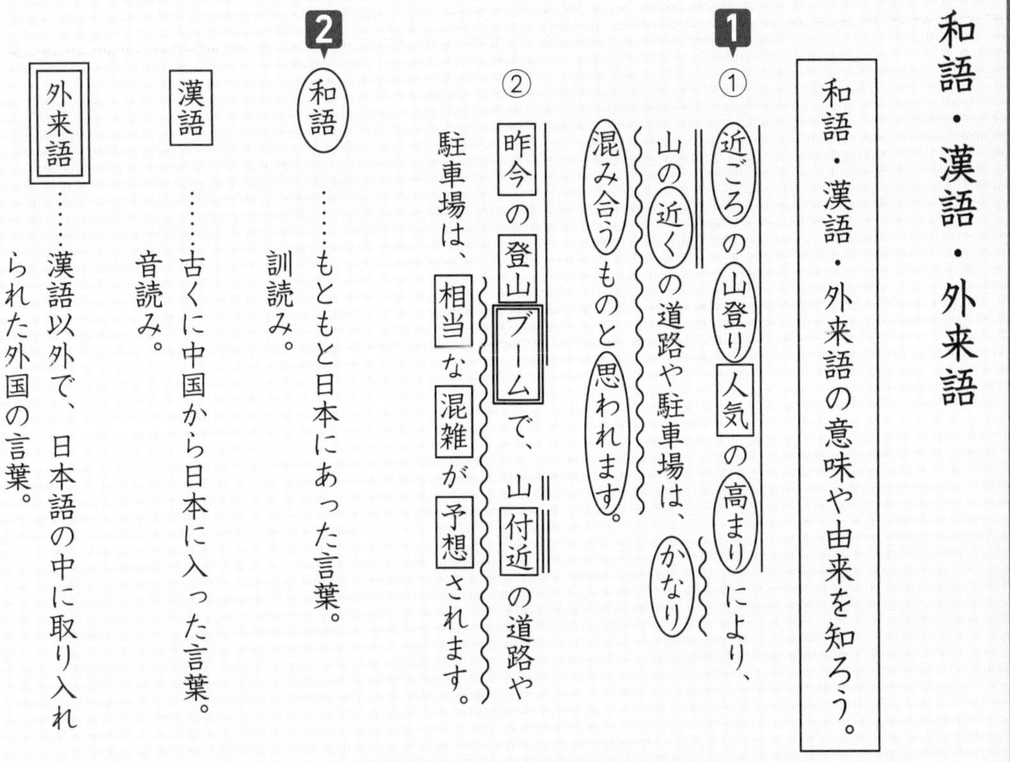

3 身の回りにある「和語」「漢語」「外来語」を集める 〈15分〉

○教科書 p.147の 1 の問題に取り組み、見た目は同じ熟語でも、和語と漢語では読み方や意味が違うことを押さえる。

T このような違いにも気を付けながら、身の回りにある「和語」「漢語」「外来語」を集めましょう。分類しながら集められるとよいですね。次時は、集めた言葉を使って、場面を設定して短文づくりをしましょう。

○国語辞典や類語辞典を活用するとよい。

○集めた言葉は、カードに書きためておく。

ICT 端末の活用ポイント

集めた言葉を紙のカードではなく、文書作成ソフトで入力する。さらに、学習支援ソフトで共有することで、友達がどんな言葉を集めたのかを知ったり、参考にしたりすることができる。

よりよい授業へのステップアップ

言葉を集めるための工夫

次時での短文づくりに向けて、主体的に言葉を集められるようしたい。

例えば、同じ内容の記事を一般紙と子供向け新聞を並べて掲示する。そうすることで、言葉の違いに気付くことができる。

また、国語辞典だけでなく、類語辞典などを準備することで、言葉の違いを確かめながら集めることができる。

本時案

和語・漢語・外来語

本時の目標

・和語・漢語・外来語から受ける印象の違いを考えながら、短文を読んだり書いたりすることができる。

本時の主な評価

❷目的や意図に応じて言葉を使い分け、自分の考えが伝わるように文章を書いている。【知・技】

資料等の準備

・国語辞典
・類語辞典
・ワークシート 06-01、06-02

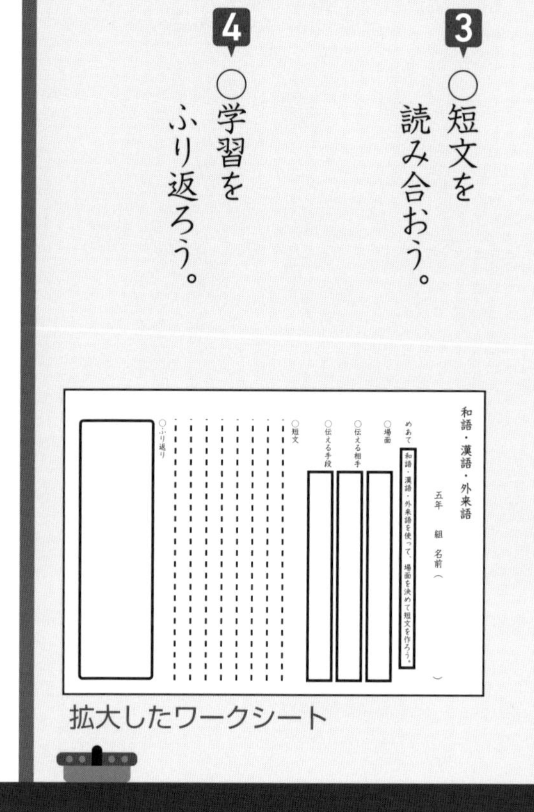

授業の流れ ▷▷▷

1 集めた言葉を使って、短文を作る 〈15分〉

T　前回の授業を踏まえて、どんな和語・漢語・外来語を集められましたか。
・「昼飯、昼食、ランチ」を見つけました。
・「練習」は漢語で、「トレーニング」は外来語です。
T　今日は、それらの言葉を使って、場面を決めて短文を作りましょう。
○具体的な場面を想定することで、子供たちの日常生活に近づけ、必要感のある活動にするとよい。
・保健委員会のお知らせをする場面にしよう。低学年と高学年では言葉を使い分けたほうがいいね。

2 短文を読み合い、効果的な表現の仕方を考える 〈15分〉

T　いろいろな文を作ることができましたね。お互いに書いたものを読み合い、どんな印象を受けるかを話し合いましょう。
・「風邪を予防しよう」を、低学年には「風邪を防ごう」にしたのは、分かりやすいね。
・「換気をしよう」は低学年には難しいから、「空気を入れかえよう」にしたらどうかな。
○友達の意見をもらう場面を設定することで、自分では気付かなかった言葉の選び方にも気付くことができるようにする。

和語・漢語・外来語

1 和語・漢語・外来語を使って、場面を決めて短文を作ろう。

○集めた言葉

2

和語	漢語	外来語
昼飯	昼食	ランチ
	練習	トレーニング
名札		ラベル

3 短文を書き換える 〈10分〉

T 友達と話し合ったことを参考に、よりよい言葉や表現になるように、文を書きかえましょう。

・相手によって言葉を選ぶことを意識していたけれど、ポスターなのか放送なのか、何で伝えるかでも、感じ方が違ってくるんだな。

・相手が大人でも、漢語ばかりだと硬い感じがするから、いくつかを和語に変えよう。

ICT端末の活用のポイント

音声言語で表現したい子供は、ICT端末の録音機能を活用し、書きかえる前と書きかえた後の文章を聞き比べるとよい。

4 学習を振り返り、気付いたことや学んだことを書く 〈5分〉

T 「和語」「漢語」「外来語」について、感じたことや気付いたこと、友達の短文を読んで考えたことを書きましょう。

・同じ意味なのに、言葉を変えると印象が大きく変わることに驚きました。

・これからは、相手や伝える方法に合わせて、言葉を選びたいと思いました。

T 書きかえた文を友達と読み合いましょう。

ICT端末の活用のポイント

完成した短文を文書作成ソフトで入力し、学習支援ソフトで共有することで、互いに読み合える環境をつくる。

資料

1 第2時資料　ワークシート 06-01

和語・漢語・外来語

五年　　組　名前（　　　　　　　　）

めあて　和語・漢語・外来語を使って、場面を決めて短文を作ろう。

○場面

○伝える相手

○伝える手段

○短文

○ふり返り

和語・漢語・外来語

五年　　組　名前（　　　　　　　　）

めあて　和語・漢語・外来語を使って、場面を決めて短文を作ろう。

◎場面
保健委員会の風邪（かぜ）予防の取り組みについて

◎伝える相手
低学年

◎伝える手段
教室に行って、話す。

◎短文
寒くなるこれからの季節は、かぜがはやります。
かぜを防ぐために、手洗い・うがいをこまめにしましょう。
また、休み時間になったら教室の空気を入れかえましょう。

◎ふり返り

資料を用いた文章の効果を考え、それをいかして書こう

固有種が教えてくれること／自然環境を守るために

10時間扱い

単元の目標

知識及び技能	・原因と結果など情報と情報との関係について理解することができる。((2)ア)
思考力、判断力、表現力等	・事実と感想、意見などとの関係を叙述を基に押さえ、文章全体の構成を捉えて要旨を把握することができる。(C(1)ア) ・目的に応じて、文章と図表などを結び付けるなどして必要な情報を見付けたり、論の進め方について考えたりすることができる。(C(1)ウ) ・引用したり、図表やグラフを用いたりして、自分の考えが伝わるように書き表し方を工夫することができる。(B エ)
学びに向かう力、人間性等	・言葉がもつよさを認識するとともに、進んで読書をし、国語の大切さを自覚して思いや考えを伝え合おうとする。

評価規準

知識・技能	❶原因と結果など情報と情報との関係について理解している。(〔知識及び技能〕(2)ア)
思考・判断・表現	❷「読むこと」において、事実と感想、意見などとの関係を叙述を基に押さえ、文章全体の構成を捉えて要旨を把握している。(〔思考力、判断力、表現力〕C ア) ❸「読むこと」において、目的に応じて、文章と図表などを結び付けるなどして必要な情報を見付けたり、論の進め方について考えたりしている。(〔思考力、判断力、表現力〕C ウ) ❹「書くこと」において、引用したり、図表やグラフを用いたりして、自分の考えが伝わるように書き表し方を工夫している。(〔思考力、判断力、表現力〕B エ)
主体的に学習に取り組む態度	❺粘り強く文章と図表などを結び付けて読み、学習の見通しをもって、読み取った筆者の工夫を生かして統計資料を用いた意見文を書こうとしている。

単元の流れ

次	時	主な学習活動	評価
一	1	学習の見通しをもつ 「固有種が教えてくれること」を読むことで、初めて知ったことや興味をもったことを出し合う。	
	2	教科書 p.158の「問いをもとう」「目標」を基に、学習課題を設定し、学習計画を立てる。	
二	3	文章の構成を整理して、文章の要旨をまとめる。	❷
	4	筆者が図表やグラフ、写真を使った意図と効果を考える。	❸
	5	筆者の考えや説明の工夫について自分の考えをまとめ、学習を振り返る。	

三	6	環境問題の中で、特に解決したいもの選び、統計資料を集め、自分の考えをもつ。	
	7	自分の考えの根拠に適した統計資料を決め、統計資料から分かることを書く。	❶
	8	自分の考えに合った資料を用いて、文章を書く。	❹
	9	書き上げたら読み返して、説得力がある文章になっているか確かめる。	❺
	10	書いた文章を友達と読み合い、説得力があるところについて、意見や感想を交流する。 学習を振り返る	

授業づくりのポイント

〈単元で育てたい資質・能力〉

本単元のねらいは、「目的に応じて、文章と図表などを結び付けるなどして必要な情報を見つけたり、論の進め方について考えたりすること」と、「引用したり、図表やグラフを用いたりして、自分の考えが伝わるように書き表し方を工夫すること」ができる力を育むことである。図表やグラフを用いた文章を書くために、それらが使われた文章を読み、書く文章に生かしていくことが求められる。そのためには、図表やグラフと文章との結び付きを捉え、原因と結果といった因果関係を理解した上で、自分の主張に生かしていくことが重要である。

〈教材・題材の特徴〉

本単元の特徴は、「読むこと」の学習と、「書くこと」の学習を組み合わせた単元構成となっていることである。特に重要になるのは、学習の目的意識である。それぞれの領域別に目的意識をもたせるのではなく、２つの領域を関連させながら目的意識をもたせたい。

「固有種が教えてくれること」では、他の説明的文章との違いを捉えることで、資料が多く使われていることに気付くことができるだろう。そうした資料が、読み手や書き手にとってどのような効果をもたせることができるのかを考えさせたい。

資料を用いた文章の効果を学習した上で、「自然環境を守るために」の学びにつなげる。書く内容については、「固有種が教えてくれること」のように、自然環境について書かれている文章を並行読書させながら話題設定を行うことで子供が主体的に学習に取り組むことができるだろう。

〈ICT の効果的な活用〉

本単元では、ICT 端末を効果的に活用することで、子供の学びがより主体的になる。文章を書く場面では、文章作成ソフトを活用することで、誤字や脱字があった場合でも、容易に修正が可能である。また、構成を練り直したい場面においても、挿入などの編集が簡単に行える。ただ、文字を「打つ」ことと、文字を「書く」ことのバランスについては、教師が学級の実態を踏まえて選択することが必要である。

また、グラフや表を用いて書く場合、文章の内容と資料のつながりに対する意識が重要である。学習支援ソフトを使うことで文中への挿入や位置の変更が容易になり、下書きの段階から用いることで、自分の書いた文章と資料とを相互に参照しながら書き進めることができる。

〈ICT の効果的な活用〉

調査：環境問題について調べる際に、自分の関心のある動画を見たり、自分の主張に関する統計資料を調べたりする。

表現：文書作成ソフトによって、構成を考えたり、推敲したりしやすくなる。

共有：書いたものを学習支援ソフトで取り込むことで、全体で共有しやすくなる。また、ペアで推敲し合う際にも、互いの書いたものを参照しやすくなる。

本時案

固有種が教えてくれること

本時の目標

・既習の説明文の学びを振り返り、文章を読み、感想を書くことができる。

本時の主な評価

・文章について興味をもち、進んで感想を書くことができている。

○「固有種が教えてくれること」って何だろう？
・固有種という種類の生き物がいること。
・固有種の大切さ。
・その地域の生態系と関わっているということ。
・固有種がどのように生きているかが分かる。

○説明の工夫は？
・グラフがたくさん使われている。
・構成が四つに分かれていた。

授業の流れ▷▷▷

1 既習の説明文の学びを振り返る〈10分〉

T　今日から説明文の学習を始めていきます。これまでの説明文の学習を振り返ってみましょう。説明文はどんな目的で書かれた文章ですか。

・筆者の思っていることを読み手に伝えるために書かれている文章です。

T　説明文は筆者の主張が「分かりやすく」書かれていました。どんな工夫があったでしょうか。

・前に学んだ文章は構成が工夫されていました。主張が序論と結論の両方にありました。

・事例を上手に使って、読んでいる人がイメージしやすいように工夫されていました。

2 題名から文章の内容を予想し、教師の範読を聞く〈20分〉

T　これから先生が「固有種が教えてくれること」という説明文を音読します。題名からどんな文章か、内容を予想しましょう。

・固有種って生き物のことだよね。生き物について書かれている文章だと思う。

・「教えてくれること」って書いてあるから、固有種を題材にして何か伝えたいことがあるのだと思う。

○初めから範読を聞かせるのではなく、題名から内容を予想することで、活動に期待感をもたせたい。

T　先生の範読を聞きながら、初めて知ったことやおもしろいと思ったところに線を引きましょう。

固有種が教えてくれること

1
○これまでの説明文も学びをふり返ろう。
・説明文ってどんな文章？
↓筆者の主張を分かりやすく伝える文章
・どんな工夫があるの？
↓構成が工夫されている。
（頭かつ型・尾かつ型・双かつ型）
↓事例
（具体例を出すことでイメージしやすい）

「固有種が教えてくれること」についての最初の感想をまとめよう。

2
○「固有種が教えてくれること」ってどんな話だろう？
3
・生き物について書かれている文章
4
・何か生き物が教えてくれる？

3 感想を書き、交流する 〈10分〉

T　読んだ感想をまとめましょう。文章の内容で初めて知ったこと、おもしろいと思ったことについて書きましょう。

・固有種を大切にしていきたいという筆者の思いが伝わりました。

○子供の意識は、初めは文章の内容に向くと思われる。文章の内容で興味をもったことから、感想をまとめさせる。

T　興味をもったところがたくさんあったのですね。文章は分かりやすかったですか。分かりやすいと思った理由はどこでしょう。

○「分かりやすい」をキーワードとして説明の工夫に目を向けさせる。

・グラフや表がたくさん使われていました。

・構成が４つに分かれていました。

4 学習をまとめる 〈５分〉

T　みなさん、文章の内容や、説明の仕方についてたくさん考えることができましたね。次回は、この感想を基に学習計画を立てていきましょう。

○文章を読んだ感想から学習計画を立てることを伝える。

○本時の学習は、教科書 p.158の「問いをもとう」につながっている。単元の冒頭でそれぞれの感じたことを丁寧に扱うことで、その後の学習計画に活用したり、子供の学習意欲を高めたりすることができる。

本時案

固有種が教えてくれること

2/10

本時の目標

・単元の「問い」を基に、学習計画を立てることができる。

本時の主な評価

・学習の見通しをもち、積極的に学習計画を立てようとしている。

⑤筆者の主張や説明の工夫について自分の考えをまとめる。

内容：「固有種が教えてくれること」とは何か。
形式：筆者の説明の工夫の効果とは？

読むことで学習したことを、書くことに生かす。

授業の流れ ▷▷▷

1 前時の学習を想起し、「問いをもとう」を確認する〈15分〉

T　前回は文章の内容や、説明の工夫について考えました。今日は学習計画を立てていきます。「固有種が教えてくれること」のいちばんの特徴とは何でしょうか。

・グラフや表が、他の説明文に比べてたくさん使われています。

・固有種っていう、みんながあまり知らないことを説明している文章でした。

T　では、どんな学習計画を立てればよいでしょうか。学習計画を立てる目的として、教科書の p.158の「問いをもとう」を参考にしましょう。

○子供は、活動の中で文章の内容や、説明の工夫に目を向けている。「問いをもとう」を提示して、目的意識を再確認させる。

2 学習計画を立てる〈25分〉

T　どんな学習をすればよいですか。

・資料がたくさん使われていることがこの文章の特徴だから、資料がどう使われているのかを学習したらいいと思います。

・「固有種が教えてくれること」という題名だから、教えてくれることが何か、をまとめていくといいと思います。

・前の説明文の学習で要旨のまとめ方について学習したので、今回も要旨をまとめていくといいと思います。

○学習計画を立てる際には、単元の目標に照らし合わせながら計画を立てるとよい。その際、大枠となる時数や、学級の中で多くの子供が着目した部分などを引き合いに出しながら、学習計画を立てていくとよい。

固有種が教えてくれること

文章の特徴をとらえて、学習計画を立てよう。

1
○「固有種が教えてくれること」の特徴は？
・資料（図やグラフ、表）などが多く使われている。
・生物と環境との関わりについて書かれている。

○単元の問い
「固有種が教えてくれること」を読んで、あなたが初めて知ったことは、どんなことでしょうか。
筆者はそのことをどのように書いていたでしょうか。

2 3
○学習計画
①文章に対する感想をまとめる。
②学習計画を立てる。
③文章の構成をつかんで、要旨をまとめる。
④資料の効果と文章の結び付きについて考える。

3 次時への見通しをもつ 〈5分〉

T　計画を上手に立てることができました。次時はどんなことに取り組みますか。

・文章の構成を確認します。

T　今回の学習では、読むことで身に付けた力を、書くことにも生かしていきたいと思います。筆者の説明の工夫についてしっかり学んでいきましょう。

○授業の初めと終わりには、学習計画を確認する時間を確保したい。確認することで、次時の見通しや、学習の進み具合などが実感できる。

ICT 端末の活用ポイント

学習計画を立てた板書を写真で記録しておくと次時でも参照しやすくなる。子供に撮影させて、撮った写真を全体に共有することもできる。

よりよい授業へのステップアップ

学習計画を立てることの難しさ

学習計画を立てさせるうえで重要な点は2つある。1点目は、「既習の学び」を生かすことである。過去の学びを想起させながら、説明文の学びのなかで必要なことはどんなことなのかを考えさせたい。

2点目は、教師が事前に立てた計画にこだわり過ぎないことである。想定どおりの言葉が子供から出てこないこともある。そうしたときには、言いかえたり、発問したりしながら子供から出た意見を拾い上げ、子供との対話を通して計画を立てていくことが重要である。

本時案

固有種が教えてくれること

本時の目標

・文章の構成を捉え、要旨をまとめることができる。

本時の主な評価

❷事実と感想、意見などとの関係を叙述を基に押さえ、文章全体の構成を捉えて要旨を把握している。【思・判・表】

資料等の準備

・150字程度のマス目の用紙

・序論と結論に同じことが書かれている。
↓双かつ型の文章
・「中」が二つに分かれている。

4
○要旨をまとめよう。
・一五〇字程度でまとめる。
・くり返し使われている言葉を使う。

授業の流れ ▷▷▷

1 めあてを確認する 〈10分〉

T　学習計画を確認しましょう。今日はどんなことを学習しますか。

・今日は作品の構成を考えて、要旨をまとめます。

T　要旨はどんなことを中心にしながらまとめていくとよいでしょうか。

・筆者の主張を中心にしていくとよいと思います。

T　要旨をまとめることで筆者の主張がよく分かるのですね。それではまず、構成から確認しましょう。

○要旨をまとめる活動は、子供に目的意識をもたせることが重要である。何を中心にまとめるのか、まとめることでどんなことがよく分かるようになるのか、意識させたい。

2 文章の構成を確認する 〈10分〉

T　初めに構成を確認しましょう。段落に着目して「初め」、「中」、「終わり」に分けてみましょう。

・「初め」は２段落までだと思います。１段落に書かれているのは固有種の説明です。２段落には「思います」で終わっている文章があるので、筆者の主張が書かれていると思います。

・「終わり」は11段落だと思います。「初め」にある筆者の主張と同じ内容が書かれています。この事から「固有種が教えてくれること」は双括型の文章だと分かります。

○構成の区切りについて確認する際には、どうしてそこで分けたのか、理由も含めて発表させる。

固有種が教えてくれること

文章の構成をとらえ、要旨をまとめよう。

1 2 3

構成	初め	中1	中2	終わり
段落	①②	③④⑤⑥⑦	⑧ ⑨⑩	⑪
内容	固有種とは何か。 固有種たちがすむ日本の環境を、できるだけ残していきたいと考えています。	イギリスとの比かく 日本列島に成り立ちと固有種の多さの関係が説明されている 多様な環境が必要 豊かな環境が保全される必要性	現状はどうでしょうか？ 森林のばっさい、外来種の侵入 天然記念物として保護 天然林の減少→害獣としてほかく 生息環境の保護とのバランスが重要	固有種のすむ日本の環境をできるだけ残していかなければなりません。

3 各段落の内容を確認する 〈15分〉

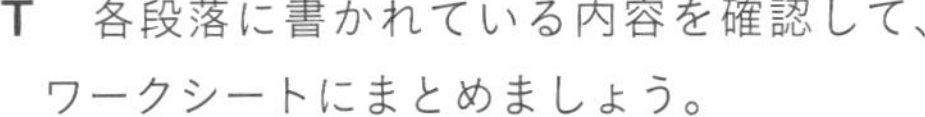

T　各段落に書かれている内容を確認して、ワークシートにまとめましょう。

○各段落における重要な言葉を中心にして、短い言葉でまとめさせるとよい。

○段落に対応する資料を確認しておくとよい。

T　「中」はいくつに分かれますか。

・２つに分かれます。

T　どこで分かれますか。

・僕は８段落に分かれると思います。「では現状はどうでしょうか。」という問いかけの言葉が入っています。この部分から話題が変わると思います。

4 要旨をまとめる 〈10分〉

T　各段落の内容を分かりやすくまとめることができました。この文章は双括型ですが、主張はどの段落に書かれているでしょうか。

・１段落と11段落です。

T　筆者の主張をより理解するために、要旨をまとめます。150字程度でまとめましょう。

○まとめることが難しい子供もいるだろう。実態に応じて書き出しを指定したり、筆者の主張に関する言葉を全体で確認したりするとよい。

ICT 端末の活用ポイント

要旨をまとめる際には、文書作成ソフトを使うことで、言葉をあとから挿入したり、文字数をカウントしたりして文章の編集が容易になる。

本時案

固有種が教えてくれること

4/10

本時の目標

・資料の効果について考えることができる。

本時の主な評価

・原因と結果など情報と情報との関係について理解している。
❸目的に応じて、文章と図表などを結び付けるなどして必要な情報を見つけたり、論の進め方について考えたりしている。【思・判・表】

資料等の準備

・資料を抜いた本文
・資料のみの切り抜き
・掲示用の拡大した資料（1から7）

4

○資料があることの効果とは何だろう。

教科書p.156
資料6：
天然林等面積の推移

資料6…数字の変化が分かる。
↓具体的な数字＝事実
↓天然林が減る（原因）

教科書p.157
資料7：
全国のニホンカモシカほかく数

資料7…ニホンカモシカのほかく数が増える（結果）
↓組み合わせることで見えること
↓「生息環境の保護とのバランス」ということが見えやすい。

授業の流れ ▷▷▷

1 めあてを確認し、資料を文章に当てはめる〈10分〉

T　今日はどんなことについて学習しますか。
・今日は資料の効果について考えます。
T　「固有種が教えてくれること」には、多くの資料が使われていました。今日は資料が文章と結び付くことでどんな効果があるのかを考えましょう。まずは資料を文章に当てはめてみましょう。
○資料を抜いた本文と、各資料の切り抜きを配布する。当てはめることで資料の位置や、文章との結び付きを考えさせたい。

ICT 端末の活用ポイント

デジタル教科書や学習支援ソフトを使うことで、資料の作成や配布がしやすくなる。文章のみと画像のみの資料を別々に配布する。

2 資料を当てはめた理由について考える〈10分〉

T　それぞれの資料について当てはめることができましたか。資料が文章のどこの部分とつながっているのか考えましょう。
・「資料２を見てください」という言葉があるので、資料２の場所はここだと思います。
・「更新世」や、「完新世」と書かれているので資料２は、この部分に入ると思います。
・日本とイギリスの話題がこの段落には書かれているので、資料１はこの場所に入ると思います。
○子供は、比較的容易に当てはめることができるだろう。資料の内容に関わる言葉を線で結ばせることで、資料と文章の結び付きを意識させたい。

固有種が教えてくれること

1 2 3 資料の効果について考えよう。

資料1（地図）…日本とイギリスの位置関係
↓どれくらいきょりがはなれているかよく分かる。
資料1（表）…国土や島国という条件は同じなのに固有種の数は全然違う。
↓比較することで見えやすくなる。

教科書p.151
資料1：
日本とイギリスの陸生ほ乳類

「資料2を見てください」
↓読み手のし点のゆうどう
資料2……大陸がどのように変わってきたのかが分かる。
↓「鮮新世」から「完新世」への流れ
↓文章では説明できない部分を補足する役割がある。

教科書p.153
資料2：
日本列島の成り立ち

資料3、4……日本全国の気候や標高のちがいが分かりやすくなる。
↓色で分けられていることで視覚的にちがいをとらえやすい。
↓固有種、自分の場所に合った場所を選ぶ。
↓豊かで多様な環境が保全される必要がある。

教科書p.154
資料3、4：
1年間の平均気温、標高

資料5…ニホンオオカミとニホンカワウソがどんな生き物か分かる。
↓写真があることでイメージしやすくなる。

教科書p.155
資料5：
絶滅したとされる動物

3 資料の効果について考える 〈20分〉

T　資料１は、どんな種類の資料ですか。
・表だと思います。
・地図が使われています。
T　表や地図が使われていることの効果はどんなことでしょうか。何が、どのように、分かりやすくなっているのでしょうか。
・地図があることで、「大陸に近い島国」という言葉の意味が、目で見て分かります。
・表はイギリスと日本を比較することに適しています。日本とイギリスは地理的には同じ条件だけど、固有種の数が全然違うことが分かります。
T　ほかの資料についても効果について確認しましょう。
○資料を１つずつ確認する。

4 学習をまとめる 〈５分〉

T　資料の効果にはどんなものがありましたか。
・資料があることで、文章だけでは分かりにくい部分を具体的にイメージさせることができると思いました。
・資料があることで、文章に書き切れない部分を補足して説明できると思いました。
○子供の説明は「分かりやすくなる」という言葉だけで終わらせないようにしたい。資料があることで、どんなことが、どのように分かりやすくなっているのか、発問を通して、子供により深く考えさせたい。
○資料の種類ごとの特徴や、効果について言及しておくと、書くことの学びにつなげやすくなる。

本時案

固有種が教えてくれること

本時の目標

・筆者の考えや説明の工夫について自分の考えをまとめることができる。

本時の主な評価

・筆者の考えや説明の工夫について自分の考えをまとめている。

○筆者の説明の工夫についてのよさは？

・多くの資料が使われている

→文章だけでは表せないことを、資料で表すことができる。

→イメージを読み手にもたせることができる。

・双かつ型

→初めと終わりに主張を二回入れることで、より筆者の主張が伝わる。

授業の流れ ▷▷▷

1 めあてを確認する 〈10分〉

T　今日はどんな学習をしますか。

・「固有種が教えてくれること」の学習をまとめます。

T　単元の問いを確認しましょう。「固有種が教えてくれること」とはどんなことか、「筆者の説明の工夫」とはどんなことか、についてまとめましょう。

○第２時で確認した単元の問いを基に、文章の内容、説明の工夫という２点についてまとめていくことを確認する。

2 文章の内容や、説明の工夫についてまとめる 〈10分〉

○文章の内容については、「固有種が教えてくれることとは何か」という問いを基にまとめさせる。第３時でまとめた要旨を参照させながら、筆者の主張との関連のなかでまとめさせるとよい。

○説明の工夫については、資料の効果を中心にしてまとめさせるとよい。よい点だけでなく、「こうしたほうがもっと伝わりやすくなる」などの批判的視点が出てきた場合には、適宜、その理由を取り上げ、検討していくとよいだろう。

固有種が教えてくれること

1 文章の内容や説明の工夫について、自分の考えをまとめよう。

○単元の問い
「固有種が教えてくれること」を読んで、あなたが初めて知ったことは、どんなことでしょうか。筆者はそのことをどのように書いていたでしょうか。

2 ○「固有種が教えてくれること」とは何か？
3 ・人間たちが自然界に対する態度を改めることの重要性
4 →人間が勝手に環境をこわしてはならない。
→「日本にくらすわたしたちの責任」
・日本の成り立ちを教えてくれる。
→「生物の進化や日本列島の成り立ちの生き証人」という例え
・生き物としての希少性
→「日本でしか生きていくことができません。」

3 グループ、全体で共有する 〈15分〉

T　書いたものをグループで交流しましょう。
・私は、「固有種が教えてくれること」とは、人間が自然に対する態度を改めていくことの大切さだと思いました。固有種は人間の都合で勝手に自然を壊してはならないということを教えてくれていると思います。
・筆者の説明の工夫のよいところは、資料が多く使われていることだと思いました。写真が使われていることで、読み手がよりイメージしやすくなったと思います。
○子供たちそれぞれの考えの視点に沿って、交流させる。

4 学習をまとめる 〈10分〉

T　文章の内容についても、筆者の説明の工夫についても、しっかりとまとめることができました。次の時間は、「固有種が教えてくれること」で身に付けた力を「書くこと」に生かしていきましょう。
○読むことで学んだことを、書くことに生かすという目的意識を子供と共有し、次の単元の予告をする。

本時案

自然環境を守るために

本時の目標

・環境問題の中で、特に解決したいもの選び、統計資料を集め、自分の考えをもつことができる。

本時の主な評価

・自分の興味がある環境問題について進んで調べている。
・学習の見通しをもち、意見文を書く際に必要な事を考えながら学習計画を立てている。

4

○学習計画
①環境問題について自分の意見をもつ。学習計画を立てる。
②自分の考えの根きょに適した統計資料を決め、統計資料から分かることを書く。
③自分の考えに合った資料を用いて、文章を書く。
④書き上げた文章をすいこうする。
⑤おたがいに読み合い、感想を伝え合う。

授業の流れ ▷▷▷

1 前時までの学習を振り返り、めあてを確認する 〈10分〉

T　前回までは、「固有種が教えてくれること」を読みました。前回の学習で、みなさんが学習したことは何ですか。

・資料を効果的に使う方法について学習しました。

T　「固有種が教えてくれること」では、筆者の説明の工夫について学習するとともに、生物と環境とのつながりが大切なことを学習することができました。今回の単元を確認しましょう。

○単元の問いを確認することで、学習の方向性を明確にする。

2 解決したいと思う環境問題を考える 〈10分〉

T　これまで他教科の学習でも、環境問題について学習を進めてきました。あなたが解決したいと思う環境問題とその理由について考えてみましょう。

○問題だけでなく、理由も一緒に考えさせることで、このあとの意見文を書く活動に生かせるようにする。

・僕は地球温暖化を解決したいと思います。海面が上がることで沈む島も出てくると聞いたことがあります。

・私はマイクロプラスチックの問題を解決したいです。生き物がプラスチックを飲み込んでしまって、生態系が崩れてしまうということを聞いたことがあるからです。

自然環境を守るために

1 学習計画を立てよう。

「固有種が教えてくれること」の書き方の特ちょう

↓文章と資料を関連付けて書く。

◯単元の問い

日本や世界には、どんな環境問題があるのでしょうか。その中であなたが解決したいと思うものは何でしょう。

2 ◯あなたが解決したいと思う環境問題は？

・地球温暖化↓しずんでしまう島をなくしたい。
・ごみ問題↓家庭のごみをもっと減らしたい。
・マイクロプラスチック↓海でごみをすてないようにしたい。
・エネルギー問題↓火力発電から再生可能エネルギーへ。

3 ◯単元の目標

資料の効果を生かして、関心のある環境問題について考えたことを書こう。

3 単元の目標を確認する 〈5分〉

T　それぞれが自分の解決したい環境問題を考えることができましたね。前回の「固有種が教えてくれること」の学習を生かして、どんな目標を立てればよいでしょうか。

◯「固有種が教えてくれること」で学んだことを今回の学習にどのように生かすか、という視点で目標を考えさせたい。子供の発言を拾いながら一緒に課題をつくっていく。

・説明文は筆者の意見が書かれていました。環境問題について、自分の考えを文章にまとめていけばよいと思います。

・資料の効果について学習したので、資料を使って文章をまとめていくとよいと思います。

4 学習計画を立てる 〈20分〉

T　では、今回の学習の目標は、「資料の効果を生かして、関心のある環境問題について考えたことを書こう」になりました。どのように計画で学習を進めますか。

・使う資料を選んで、どんな形でつくっていくか考えていかないといけないと思います。

・書いたものを、お互いに読んで交流したいです。

・書いたものを、自分で読み直す必要があると思います。

◯統計資料という言葉は、子供からは出てこないことが考えられる。資料の効果について意見が出てきた際に、教科書 p.161を紹介するとよい。

本時案

自然環境を守るために

本時の目標

・自分の考えの根拠に適した統計資料を決め、統計資料から分かることを書くことができる。

本時の主な評価

❶原因と結果など情報と情報との関係について理解している。【知・技】

資料等の準備

・教科書 p.163の資料①と資料②の拡大コピー

3
〇資料を使うときに分析するポイントとは？
・グラフが示す具体的な数字を理解する。
↓目もりや単位を理解して使う。
・調査の時期や対象を確認する。
↓対象によって結果がことなることがある。
・出典を確にんする。
↓公的機関なのか、個人での調査なのかを判断する。

4
〇自分が使う資料を選んで分析してみよう。

授業の流れ ▷▷▷

1 めあてを確認する 〈5分〉

T　今日はどんな学習をしますか。

・今日は統計資料の分析をします。

T　統計資料を用いることで、どんなよいことがあるでしょうか。

・自分の意見に説得力が出ると思います。

・意見が読み手に伝わりやすくなると思います。

・数字があることで、読み手が具体的にイメージすることができると思います。

〇資料の効果について再度確認する。説得力を高めるために、具体的な数字が必要なことに気付かせる。

2 統計資料の使われ方について分析する 〈15分〉

T　教科書 p.162–163の文章を基に、資料の使われ方について分析しましょう。この文章には資料が2つ使われています。文章の中で2つの資料がどのように使われているでしょうか。

・資料①は、産業部門と家庭部門の二酸化炭素排出量の比較をしています。産業部門は1億トン減っていて、家庭では3千万トン増えていることが具体的な数字で述べられています。比較することで、家庭での二酸化炭素量を減らすという主張により説得力が生まれています。

・資料②は、割合の中でいちばん大きいものを取り上げています。グラフの中でいちばん目に入るものを扱うとよいことが分かります。

自然環境を守るために

1

自分の主張に合った統計資料を見つけて、考えに説得力をもたせよう。

説得力をもたせるためには？

↓自分の主張に根きょをもたせる。

↓グラフから分かる具体的な数字を使う。

2

〇統計資料が文章にどのような形で使われているか分析しよう。

教科書p.163
資料①

・産業部門と家庭部門の一九九〇年と二〇一九年を比べている。

↓産業部門　一億トン減

↓家庭部門　三千万トン増

・比較によって具体的な数字が示されている。

教科書p.163
資料②

・家庭から排出される二酸化炭素量のエネルギーごとの割合からいちばん割合の大きいものを取り上げる。

↓電気　六十六パーセント

3 資料を分析するポイントを確認する 〈10分〉

T　文章の中での資料の使われ方が確認できましたね。そのほかにも、統計資料を読むときに気を付けることがあります。教科書を見て確認しましょう。

〇教科書 p.165の「統計資料の読み方」を確認する。

T　資料を使うときには、目盛りを正確に読んで具体的な数字を確認することが大切です。また、調べた対象や時期についてもよく確認してから使いましょう。そして、文章の最後には出典を明記して、誰が作った資料なのかを明らかにしましょう。

4 自分の主張に関する資料を集めて分析する 〈15分〉

T　自分の主張に合う資料を集めて分析しましょう。インターネットで調べる際には、出典をよく確認しましょう。

〇資料を選ぶなかで、主張をもたせる展開もあるが、主張に合った資料を選ばせることで、選ぶ視点が明確になる。

〇選ぶ資料は２点程度にするとよい。資料が多くなり過ぎると分析が難しくなったり、主張に対する一貫性が弱くなったりすることが考えられる。

ICT 端末の活用ポイント

統計資料を調べるためにウェブブラウザを使って調べさせる。学習支援ソフトに保存していくことで下書きの際にも使うことができる。

本時案

自然環境を守るために

本時の目標

・自分の考えに合った資料を用いて、文章を書くことができる。

本時の主な評価

❹「書くこと」において、引用したり、図表やグラフを用いたりして、自分の考えが伝わるように書き表し方を工夫している。【思・判・表】

③文末表現を意識して書く
［グラフや表を用いて書くときの言葉］
・この資料は――を示しています。
・――を見てください。
・――に対し、――。
・いちばん多い（少ない）のは――です。

授業の流れ ▷▷▷

1 めあてを確認する 〈5分〉

T　今日はどんな学習をしますか。
・今日は資料を基に文章を書きます。
○授業の冒頭には、単元計画を活用して学習の進捗状況を確認させるとよい。特に書くことの学習は、学習進度が子供それぞれに異なることが考えられる。学習過程を弾力的にすることで、子供が安心して学習できるようにする。
T　前回の学習が終わっていない人は、資料を選んでから学習を進めましょう。もう資料が決まっている人は、文章を書き進めます。

2 文章の書き方を確認する〈10分〉

T　文章の書き方を確認しましょう。教科書p.162を見て確認しましょう。
・「初め」「中」「終わり」に分けて、文章の構成を考えます。
○構成を考えるときは、書く内容を箇条書き程度で書かせるとよい。文章全体のバランスを考えさせることを目的にする。
T　使った資料の出典の書き方も確認しましょう。書き方は教科書p.163の文章の見本を確認しましょう。
○ホームページ等で探してきた資料では、ウェブサイトの名前が確認しにくいものもある。信憑性の高いホームページを紹介することも考えられる。

自然環境を守るために

1 資料を用いて文章を書こう。

2 文章の書き方

3 ①文章の構成を考える（か条書き）

・初め……自分の考え、話題提示

・中………グラフや表の説明、分せきの結果

・終わり…自分の考え、読み手へのメッセージ

・出典……資料を選ぶときに確にんする。

②考えた構成をもとに文章を書き進める

［書くときに注意すること］

・段落を意識して書く。

↓初め・中・終わりで段落を変える。

・文字数のバランスを意識しながら書く。

↓初め：百字程度

↓中：二百字程度

↓終わり：百字程度

↓全体四百字程度

3 文章を書く 〈30分〉

◯文章を書き始める際には、書くことに関する既習事項を簡単に確認しておくとよい。段落の分け方や、文字数の全体的なバランスなどについても書き始めるまでに確認しておくと見通しがもちやすい。

T 資料を使って書き進めていくうえで、大切な説明の言葉は何があるでしょう。

・「資料◯を見てください」と書くことで、読み手が資料に注目すると思います。

・「この資料は、◯◯を示しています」と書くことで、資料や表の内容について理解してもらうことができると思います。

T 必要に応じて、その表現を入れて書くことを目標にしましょう。

ICT 等活用アイデア

書くことと打つことのそれぞれのよさを生かす

「書くこと」の学習は、ICT 機器の出現によって劇的に変化した。文章作成ソフトを使うことで、書き終わった後でも編集が容易になったり、再度構成を練り直したりすることも可能になった。ただ、小学生段階では自筆で長い文章を書いたり、相手に読みやすい字形で書いたりする経験も大切にしたい。推敲までを文章作成ソフトで作成させ、清書は手書きにするなど、目的に合わせて、手で書くことと文字を打つこととの活動のバランスを考慮していく必要があると考える。

本時案

自然環境を守るために

本時の目標

・書き上げた文章を推敲して、説得力がある文章を書こうとする。

本時の主な評価

❺粘り強く文章と図表などを結び付けて読み、学習の見通しをもって、読み取った筆者の工夫を生かして統計資料を用いた意見文を書こうとしている。【態度】

3
○最終チェックはペアの友達に音読してもらおう。
・相手が読んでくれたものを聞いて修正するところを見つける。
・見つけたところをもとに最終チェックをする。

4
○下書きが完成したら、清書をしよう。
・手書きでていねいに書く。
・書いたものを写真にとって、資料をてん付する。
・学習支援ツールにアップして完成

授業の流れ ▷▷▷

1 めあてを確認する 〈5分〉

T　今日はどんな学習をしますか。
・読み直しをして、文章を完成させます。
T　今日は読み直して、清書をします。清書は手書きにしますので、ICT端末で書いた文章の最終修正をして、そのあとに清書をしましょう。
○学習の手順を確認しておくことで、子供が見通しをもって取り組めるようにする。

2 推敲のポイントを確認する 〈15分〉

T　読み直してチェックポイントを確認しましょう。読む人が分かりやすいようにするには、どのようなところを確認したらよいでしょうか。
・誤字、脱字や変換ミスがないように、よく確認するといいと思います。
・伝わりにくい表現は、避けたほうがいいと思います。
・主張とそれに関する根拠がちゃんと関係しているかを見るとよいと思います。
○「読み手にとって分かりやすい文章」という視点で考えさせるとよい。板書のように順序性をもたせて整理することで、推敲する手順が分かりやすくなる。

自然環境を守るために

1 書いた文章を読み直して、清書をしよう。

2 ○チェックポイントをもとにして、文章を読み直そう。

[チェック①]
・ご字、だつ字はないか。
・漢字の変かんミスはないか。

[チェック②]
・一文が長くないか。
・伝わりにくい表現はないか。

[チェック③]
・資料と文章が結び付いているか確にんする。
・資料を用いるときの表現は使えているか。
「この資料は――を示しています。」
「――を見てください。」
・主張と資料の分せきにつながりはあるか。

3 ペアで書いた文章を音読し合う 〈10分〉

T　チェックポイントを基にして、自分の文章を読み直すことができた人は、友達とペアをつくってお互いの文章を読み合いましょう。

○お互いの文章を音読することで、一人では気付かなかった推敲のポイントに気付きやすくなる。特に、一文が長くなっている部分などに意識を向けさせるとよい。お互いが文章を読み合うなかで出てきた修正箇所は全体で取り上げ、チェックポイントに加えてもよいだろう。

ICT 端末の活用ポイント

学習支援ソフト上に書いたものをアップロードすることで、友達と共有したり、書いたものにコメントしたりしやすくなる。

4 文章を清書する 〈15分〉

T　修正が終わった人から清書に入りましょう。ワークシートに文章を清書したら、ICT端末でワークシートを写真にとって、学習支援ソフトにアップロードします。使った資料をそこに添付します。資料と文章を合わせて完成です。

○マス目のある用紙やワークシートを配布する。

ICT 端末の活用ポイント

手書きとデジタルを、活動の目標に照らし合わせて使い分けるとよい。今回は手書きしたものを写真として保存し、資料を添付する。

本時案

自然環境を守るために

本時の目標

・書いた文章を友達と読み合い、説得力があるところについて、意見や感想を交流することができる。

本時の主な評価

・友達の文章を読んで、書き方のよいところを伝え合うことができる。

資料等の準備

・400字程度のマス目ワークシート

「これは、日本の再生可能エネルギーの発電量の割合を表すグラフです。」

4
○学習をまとめよう。
・説得力をもたせるために、資料から分かることと主張を結び付けて書くとよい。
・資料を使って文章を書くときには、資料に着目させるための言葉を使う。

授業の流れ ▷▷▷

 めあてを確認する 〈5分〉

T　今日はどんな学習をしますか。
・書いた文章を読み合って、感想を交流します。
・今日は単元の最後の時間なので、学習のまとめをします。

2 交流のポイントを確認する 〈15分〉

T　どんなところを中心に、交流すればよいでしょうか。
・自分と違う環境問題を選んでいる人がいるので、自分が知らなかったことや、驚いたことを伝え合うといいと思います。
・「書くこと」の学習なので、友達の書き方のよいところを見つけたいと思います。
T　よい視点ですね。友達の文章の書き方に注目しましょう。「言葉の使い方」や、「文章の構成」の仕方のよさが見つけられるといいですね。
○視点が出てこないときには、第7時などの内容を想起させる。本単元で学習した内容の中心をよさとして扱うとよい。

自然環境を守るために

1 2

おたがいの文章を読み、感想を交流しよう。

◎友達の文章のよいところを伝え合う。

○交流のポイント

①言葉の選び方
・資料に着目させるための言葉が使われているか。
・読み手が理解しやすい言葉を使っているか。

②文章の構成のしかた
・主張が明確に書かれているか。
・書き手の考えと資料から分かることがつながっているか。

3

○友達の文章のよいところは？

・○○さん
ごみ問題についての文章
ペットボトルのリサイクル率が二〇一二年から二〇二二年まで十年間変わっていない
主張とグラフがつながっていて説得力があった。

・△△さん
エネルギー問題についての文章
資料に注目させるための言葉を使っていた。

3 文章を読んで感想をもつ〈10分〉

T　学習支援ソフトにアップロードされている友達の文章を読んで、感想を書きましょう。

○交流形態は実態に応じて選択するとよい。ペアやグループをつくって少人数で読み合う交流の仕方もあれば、学習支援ソフトの共有機能を使って学級全体で文章を読み合うことも考えられる。前者は、子供同士が読み合うなかで直接的に会話がしやすくなる。後者は、自分とは選んだ環境問題が違う子供を探させたり、同じ問題を選んだ子供との書きぶりの違いを感じさせたりすることができる。

4 学習をまとめる〈15分〉

T　この単元を通して学んだこと、大切だと思ったことをまとめましょう。
・文章に説得力をもたせるためには、資料から分かることが、自分の主張としっかり結び付いているかが大切だと思いました。
・資料に着目させるためには、書き方を工夫する必要があると思いました。例えば、「○○を見てください」など、読み手の視点を誘導するための言葉を使うといいと思いました。

T　今回学んだ文章の書き方は、これから文章を書くときにも使う機会が多いと思います。次の学習にも生かしていきましょう。

カンジー博士の暗号解読 （2時間扱い）

単元の目標

知識及び技能	・第５学年までに配当されている漢字を読むとともに、漸次書き、文や文章の中で使うことができる。((1)エ)
学びに向かう力、人間性等	・言葉がもつよさを認識するとともに、進んで読書をし、国語の大切さを自覚して思いや考えを伝え合おうとする。

評価規準

知識・技能	❶第５学年までに配当されている漢字を読むとともに、漸次書き、文や文章の中で使っている。（〔知識及び技能〕(1)エ）
主体的に学習に取り組む態度	❷進んで漢字の読み方に関心をもち、これまでの学習を生かして、漸次書こうとしている。

単元の流れ

時	主な学習活動	評価
1	カンジー博士として漢字について考える（「漢字暗号文」を解く過程を意識） ICT 端末で、アンゴー教授からの「漢字暗号文」を受け取る。 ○△□に入る漢字を、カンジー博士として学習支援ソフトに入力（手書きも可）する。 クラス全体で、入る漢字を確認する。 グループで、どのように「暗号を解読したのか」漢字暗号文(1)～(3)○△□でどこに注目したのか、話し合う。 **学習の見通しをもつ** 教科書 p.166下段の「暗号解読の方法」を見ながら、解読の流れを比較する。 国語辞典を使った「暗号解読の方法」をグループ活動で取り組む（その後、漢字辞典)。 教科書 p.167の **1**～**3** の暗号文を解読する。	❶
2	アンゴー教授として漢字について考える（「漢字暗号文」を作る過程を意識） 前時を振り返り、カンジー博士としてどのように暗号を解いたのか、流れを確認する。 アンゴー教授なら、どのように「漢字暗号文」を作るかという活動を理解する。 グループで教科書 p.166下段の「暗号解読の方法」を、「漢字暗号文」の作り手（アンゴー教授）として考える。 次のように、作り方をグループで共有したら、各自で「漢字暗号文」を作り学習支援ソフトで送信する。 ・教科書 p.272～280から、同じ読み方の漢字を３種類（○△□に相当）探す。 ・国語辞典（または漢字辞典）を使って、○△□を入れて(1)～(3)の「漢字暗号文」を作る。 「漢字暗号文」を学習支援ソフトで送信したら、「漢字暗号文」を解いて返信する。	❷

授業づくりのポイント

〈単元で育てたい資質・能力〉

本単元のねらいは、これまで学習した漢字を読んだり書いたりするだけでなく、子供自ら文や文章の中で漢字を使おうとする力を育てることである。そのために、同じ読み方であっても異なる意味で使われる同音異義語への関心を高め、漢字辞典の「音訓さくいん」と国語辞典を組み合わせて言葉と言葉のつながりを理解することができるようにする。

〈教材・題材の特徴〉

本教材は、アンゴー教授から「漢字暗号文」を受け取り暗号解読の方法を考え、考えたことを基に、暗号を解読する教材である。「漢字暗号文」を、子供がそれぞれ解くだけでなく、どのように暗号を解読していくのかという「考える手順」を、言葉を通して共有する過程を大切にしたい。どのように解読したのかを言語化する過程は、学びそのものを俯瞰して認識することにつながる。

教科書 p.166下段の「暗号解読の方法」を確認することで、学び方を学ぶ機会につなげる。「どのように考えたらよいのか」が、なかなか思い浮かばない子供にとって、仲間がどのように考えたのか聞き合うことで「次は、その考え方にチャレンジしてみよう」と、新たな学びへの方向性が見えてくる。

〈言語活動の工夫〉

ICT 端末で、子供がそれぞれアンゴー教授からの「漢字暗号文」を受け取る機会を設けることで、教科書の流れを実際に体験できる。最初から紙媒体の教科書を開くと、教科書 p.166下段の「暗号解読の方法」まで見たうえで、「漢字暗号文」について考える子供がある程度いる。しかし、ICT 端末で「漢字暗号文」のみを受け取る言語活動によって、どのように同音異義語の暗号を解読するのか、カンジー博士としての視点で暗号の解読に取り組むことができる。

[具体例]

○例えば、カンジー博士（暗号文を解く立場）とアンゴー教授（暗号文を作る立場）で役割を決めて活動することができる。個々の子供が暗号文を解き、作る活動を学習支援ソフトで取り組むと効率的ではあるものの、「どのように考えるのか」という思考のプロセスを意識しにくい。そのため、クイズ番組の出題者と解答者のように、それぞれの立場で話し合うことによって、考え方を学び合うことができる。

〈ICT の効果的な活用〉

調査：ウェブブラウザで「漢字　同音異義語　小学生」で検索すると、同音異義語の使い分けなどの用例を豊富に得ることができる。授業前に、どのような情報が得られるのか調べておくことで、子供がどのような情報を目にするのか把握することができる。さらに、本単元後半に「漢字暗号文」を作る活動を設定する場合、支援を要する子供には問題作成への支援として検索することをアドバイスする。その際は、引用先を示すことをあわせて伝える。

共有：学習支援ソフトで「漢字暗号文」を解いた結果や解く過程、作った問題を解き合う場面で一人一人の考えを送信することで、クラスや学年全体で学びを共有することができる。

記録：グループで暗号文を作る話し合いの過程を端末で録画し、学習支援ソフトで提出するようにすると、どの資料をどの順で参照しているか、誰がどのような言葉を互いに伝えているのか記録できる。映像資料として蓄積していくと、実態の把握だけでなく、参考になる場面を学級全体で視聴する教材として活用することにつながられる。

本時案

カンジー博士の暗号解読

本時の目標

・カンジー博士として漢字について考えることができる

本時の主な評価

❶第5学年までに配当されている漢字を読むとともに、漸次書き、文や文章の中で使っている。【知・技】

資料等の準備

・国語辞典
・漢字辞典

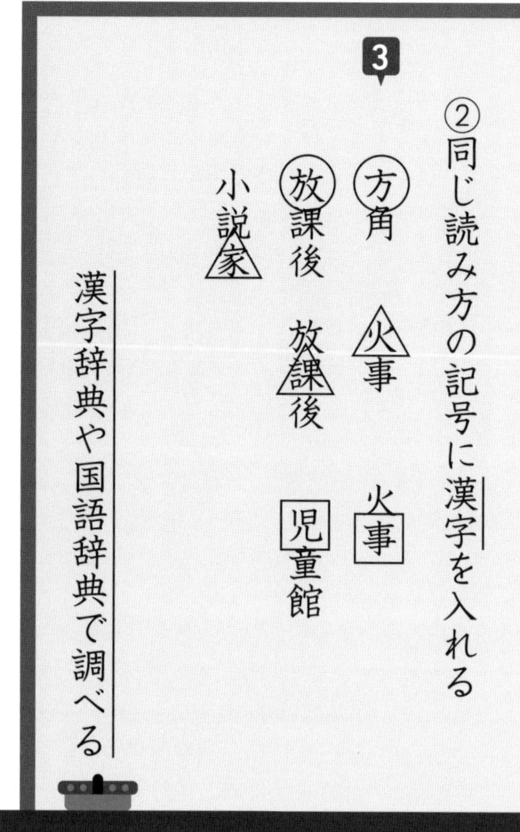

授業の流れ ▷▷▷

1 暗号文を受け取り、解読する 〈10分〉

T　これから、「漢字暗号文」について考えましょう。どのような漢字が入りそうですか。

・まったく分からないな。どうしよう。

・あっ、分かった。簡単だ。

T　では、暗号に入る漢字を思いついた人は書き込みましょう。そのあと、思いつかない人に「どのように考えたらよいのか」、ヒントを書いてみてください。

・漢字は分かったけれど、どうやってヒントを出したらいいのかな。

T　ヒントを考えた人は、ぜひグループの人に伝えてみましょう。

ICT 端末の活用ポイント

子供の ICT 端末に、暗号文を個別に届け、個人でじっくり考える時間を確保したい。

2 暗号文に入る漢字を確認し、解読方法を見つける 〈15分〉

T　では、入る漢字を確認しましょう。どのように考えたのか、付け加えましょう。

・△が3つあって、「か」って読む漢字が入りそうです。違う漢字みたい。

・○は2つあって、言葉の先頭で「ほう」角、「ほう」課後と同じ読み方が入るのかな。

T　同じ読み方で、漢字が分からないときは、どのように調べますか。

・ICT 端末の漢字変換を使います。

・漢字変換だと意味が分からないから、漢字辞典や国語辞典を使います。

ICT 端末の活用ポイント

ICT 端末のみで学びを閉じずに、辞典等の資料を組み合わせることで、学びを広げたい。そのために、教師の言葉が大切になる。

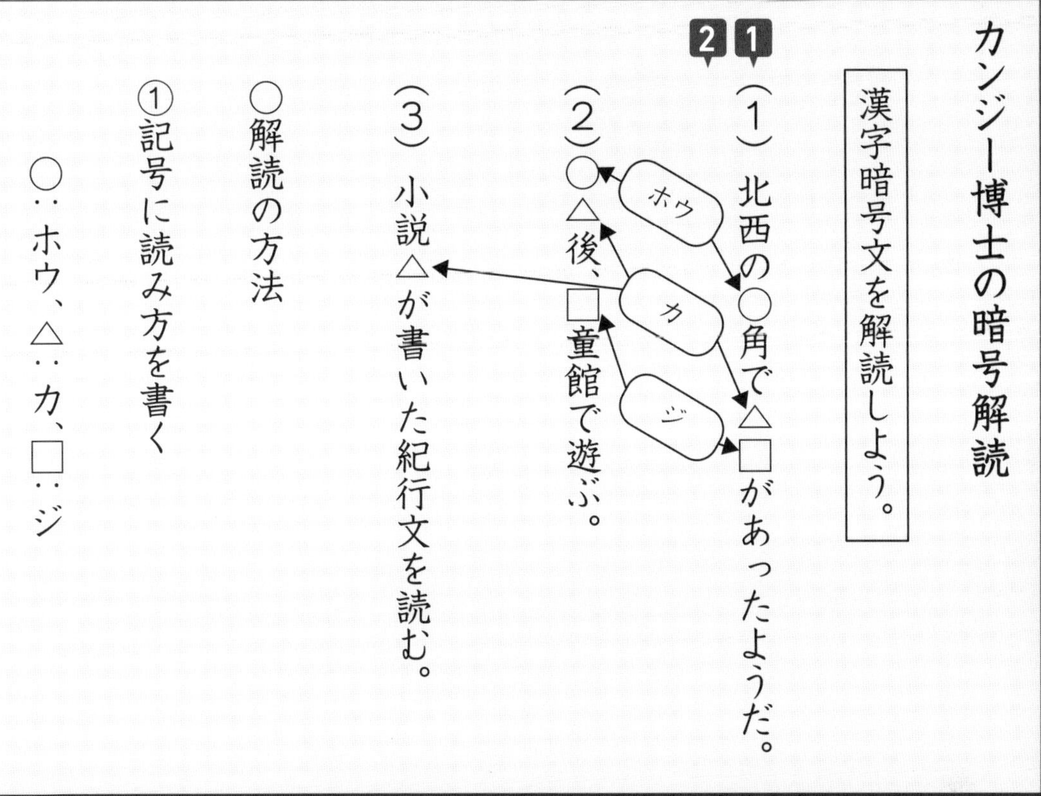

ICT 等活用アイデア

3 暗号文で注目した部分を話し合い、解読方法をまとめる 〈20分〉

○暗号文を解読するとき、どの部分に注目したのか。教科書 p.166の流れを示し、個人やグループの考えとの共通点や相違点を見つける。

T　同じグループの人に答えの見つけ方を説明できると、ほかの暗号で思いつかないときに、自分へのヒントとして役立ちそうですね。

・同じグループで解き方を聞いたら、教科書の説明より分かりやすかった。

T　では、教科書 p.167の1～3の問題を解いて、学習支援ソフトで送信してください。

ICT 端末の活用ポイント

暗号文を個人で解き、学習支援ソフトで送信することで、同じ課題であっても、素早さや粘り強さなど子供がそれぞれのよさを発揮しやすくなる。

個別に学習支援ソフトで解答を送信する

グループや学級全体での指導を基に、子供がそれぞれどのように理解したり、考えたりしているのか、教師が把握することができる。

本時のように、暗号の解き方は理解していても、実際に問題を解く段階で課題を抱える場合がある。教師が、解答を一人一人から受信することで、そのような子供の存在に気付き、適切な助言など支援できる状況が生まれやすくなる。可能なら、さらに挑戦したくなるような課題を用意しておきたい。

本時案

カンジー博士の暗号解読

本時の目標

・アンゴー教授として漢字について考えようとする。

本時の主な評価

❷進んで漢字の読み方に関心をもち、これまでの学習を生かして漸次書こうとしている。【態度】

資料等の準備

・国語辞典
・漢字辞典

2
○解読の方法
①記号に読み方を書く
②同じ読み方に漢字を入れる
③漢字辞典や国語辞典で調べる

3
○解いた問題で調べた漢字をまとめよう

授業の流れ ▷▷▷

1 暗号文の解き方を振り返る 〈5分〉

○カンジー博士としてどのように暗号を解くのか流れを確認する。

T 教科書 p.167の2(4)、(5)の問題を使って暗号解読の方法を確認しましょう。

・「ブン」という読み方が「○」の記号には共通して入りそうです。

・「成文」「新聞」と「文章」という言葉で漢字が入ります。

T そうですね。今答えてもらった内容で黒板にまとめます。

○前時の学習内容を簡潔に板書する。

ICT 端末の活用ポイント

暗号文の解き方のポイントを、ICT 端末に各児が打ち込むことで、前時の内容を振り返ることもできる。

2 暗号文を作る立場と解く立場に分かれる 〈30分〉

T これから、「漢字暗号文」を作る立場と解く立場に分かれて活動します。学習支援ソフトで、作成チームか、解答チームどちらかのフォルダを選んで活動しましょう。途中で立場を変更してもいいですよ。

・作るのは苦手だから、暗号解読をしっかりがんばろう。

○暗号文を解くことはできても、作ることは苦手な子供がいる。そのため、作成と解答チームはどちらを選んでもよいと伝える。途中移動も自由とする。

ICT 端末の活用ポイント

作成チームは、解答チームがそれぞれ解いて送信した答えに返信する。このことで、作成チームは解答チームの反応を知ることができる。

カンジー博士の暗号解読

1 暗号文を作って、解読しよう。

・血中成○について。

・百科△□で調べる。

辞典（ジテン）

・学級新○に○章を書く。

→ブン→

成分

新聞

文章

ICT 等活用アイデア

3 暗号解読の学習を振り返る 〈10分〉

○解いた問題で、調べた漢字をまとめる取り組みを通して、新たに気が付いたことを振り返る。

T では、暗号文を解くときに辞典を使って調べた問題をまとめてみましょう。

・辞典を使って調べると、なんとなく知っていた言葉の意味に気付くことができました。

・漢字を書くことはできないけれど、ICT 端末で変換したら、漢字の候補が出てきて思い出すことができました。

○前時と本時で扱った漢字暗号文の答えの漢字は、ICT 端末を通して確認できるようにする。

ICT 端末の活用ポイント

漢字を手書きすることが得意ではない子供に、漢字を ICT 端末で変換し同音異義語に触れる機会を設けたい。

オンラインでの言語活動

暗号文を作る立場と解く立場に分かれ、ICT 端末を使用して活動する展開では、立場ごとの座席配置をできるだけ近づけたい。文字の入力を ICT 端末で行うが、入力前に手書きでノートやプリントに実際に書き、仲間と相談する機会を確保したい。

ICT 端末で同音異義語を変換し、候補を示し、その画面をそのまま黒板に提示しやすくなった。そのため、黒板（または ICT 端末）を見ながら表示された漢字の中で、理解できていない文字を手書きする機会を設けたい。

声に出して楽しもう

古典の世界（二） （1時間扱い）

単元の目標

知識及び技能	・親しみやすい古文を音読するなどして、言葉の響きやリズムに親しむことができる。((3)ア) ・古典について解説した文章を読んだり作品の内容の大体を知ったりすることを通して、昔の人のものの見方や感じ方を知ることができる。((3)イ)
学びに向かう力、人間性等	・言葉がもつよさを認識するとともに、進んで読書をし、国語の大切さを自覚して思いや考えを伝え合おうとする。

評価規準

知識・技能	❶親しみやすい古文を音読するなどして、言葉の響きやリズムに親しんでいる。(〔知識及び技能〕(3)ア) ❷古典について解説した文章を読んだり作品の内容の大体を知ったりすることを通して、昔の人のものの見方や感じ方を知っている。(〔知識及び技能〕(3)イ)
主体的に学習に取り組む態度	❸進んで言葉の響きやリズムに親しみ、学習課題に沿って古文を音読したり、昔の人のものの見方や感じ方を知ったりしようとしている。

単元の流れ

次	時	主な学習活動	評価
一	1	『論語』を音読し、言葉の響きやリズムに親しむ。 孔子や『論語』について知る。 『春暁』を音読し、言葉の響きやリズムに親しむ。 『春暁』の作品背景や日本での親しまれ方を知る。 感じたことや考えたことについて話し合う。 『論語』と『春暁』のうち、気に入った古典を選んで再読し、繰り返し音読したり暗唱したりして、言葉の響きやリズムを味わう。 選んだ作品について、感じたことや考えたことをノートに書く。	❶ ❷ ❸

授業づくりのポイント

〈単元で育てたい資質・能力〉

本単元のねらいは、漢文を音読したり暗唱したりするなかで、文語調の言葉の響きに親しむとともに、内容の大体をつかむことである。そのために、繰り返し音読をして言葉の響きやリズムに慣れ親しむことが大切である。また、『論語』や『春暁』で示されている考え方や生き方には現代にも通じるものがあることを知り、昔の人も現代の私たちと同じように様々な思いを抱いて生きていたことに気付けるようにする。

〈教材・題材の特徴〉

本教材は、中国に原典がある文語調の文章に触れる第一歩となる。古代の日本は、中国からたくさんのことを学んでいたと知ることができる教材でもある。特に『論語』は、現代社会でも十分通用する内容が数多く盛り込まれている。現代でも通用する教えが2000年以上も前に書かれたものであると知ることで、人々の行いや思考の傾向は時代を超えて普遍的なものがあると気付くことができる。また、150年前までの日本では、『論語』は武士の基礎教養だった理由を考えることもできる教材である。

〈言語活動の工夫〉

子供が主体的、対話的に学習に取り組めるよう、子供向けの『論語』の本や ICT 機器を活用して、『論語』の他の教えと解説を提示する。子供が興味をもったり納得したりした教えや、その理由について伝え合う活動を取り入れることで、同じ教えに興味をもっていても理由が違ったり、違う教えを選んでいても理由が同じだったりと、自分の感じ方と友達の感じ方との共通点や相違点にも気付くことができる。また、なぜ自分がその教えを選んだのかを考えさせることで、特別の教科　道徳との関連も図ることができる。

[具体例]

○教師作成の資料や、子供用に書かれた『論語』の本、ICT 機器等を活用して、『論語』から好きな教えを見つける。子供が気に入った『論語』の教えについて、教えとその意味、選んだ理由や自分の考えなどを書き、全員分を集めて「5年○組推し『論語』集」とする。1日に一人ずつ、自分が選んだ教えとその意味、選んだ理由を朝の会などでの帯時間を使って発表することで、5年生としての自分の姿を見つめ直し、6年生に向かうための心構えをもたせることもできる。

〈ICT の効果的な活用〉

表現：「推し『論語』集」を作るために、プレゼンテーションアプリや文書作成アプリを活用して、教えと解説、子供がその教えを選んだ理由を書けるように書式を整えたものを配布する。そうすることで、授業時間外にも各々のペースで「推し『論語』」を選び、納得のいくようにまとめることができる。また、子供が発表を終えたものは、プリントアウトして日めくりカレンダーのような形の「5年○組推し論語集」としてまとめることもできる。そうすることで、発表を終えた後も学級に掲示でき、何度もめくり直して言葉の響きやリズムに親しんだり「推し『論語』」について話し合ったりと、何度でも『論語』に親しむことができる。ひいては、1時間の学びを生活へと大きく広げることができる。

本時案

古典の世界（二）

本時の目標

・言葉の響きやリズムを味わい、感じたり考えたりしたことを書くことができる。

本時の主な評価

❶親しみやすい古文を音読するなどして、言葉の響きやリズムに親しむことができる。【知・技】

❷古典について解説した文章を読んだり作品の内容の大体を知ったりすることを通して、昔の人のものの見方や感じ方を知ることができる。【知・技】

資料等の準備

・『論語』と『春暁』の本文の拡大
・『論語』の子供向けの本
・「漢詩」の子供向けの本
・「推し『論語』」の書式の拡大

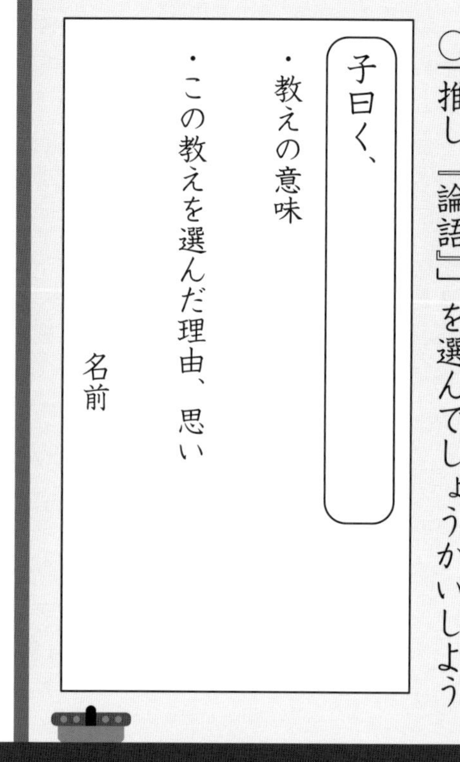

授業の流れ ▷▷▷

1 『論語』を音読し、気付いたことを話し合う 〈15分〉

T　中国の思想家孔子の教えを、弟子との問答の形で記録した書物が『論語』です。言葉の響きやリズムを感じ、孔子が弟子に何を説いているのか考えながら音読しましょう。

○１つずつ解説をすることで、子供が自由に感想や思いを述べられるようにする。

・自分がされたくないことを相手にしないって、今と同じこと言っているよ。
・間違ったことをして、それを改善しないのが本当の間違いだって。正論だね。
・どっちも「子曰く」って「孔子は言った」、から始まるんだね。他のもそうかな。

○子供の興味に応じて、他にも子供が共感しそうな教えを提示できるよう、資料を準備しておくとよい。

2 『春暁』を音読し、気付いたことを話し合う 〈15分〉

T　日本は古くから中国と交流があり、中国の詩である「漢詩」にも親しんでいました。その中から、日本でよく知られた『春暁』を読んでみましょう。

・「春眠」で春の眠りなんだね。そのままだよ。
・「暁」は、清少納言が言っていた「あけぼの」と同じことだよね。国が違っても同じ早朝のことを書いているんだね。
・春の眠りは気持ちいいって、分かるなあ。
・昨日の雨や風で花がどのくらい散ったのか心配しているって、自然が好きなんだね。

○子供が興味をもちそうであれば、『春暁』の中国語の音読文や、中国語で書いた『春暁』を提示するのもよい。

古典の世界（二）

1 めあて

古典を読み、自分が感じたことや考えたことを伝え合おう。

『論語』孔子が弟子に教えを説いたもの

子曰く、「己の欲せざる所は、人に施すこと勿れ」

子曰く、「過ちて改めざる、是を過ちと謂う」

教科書p.168
『論語』本文

・昔も今も考えは同じ
・今でも通じる
・正論を言っている
・他のも知りたい
・他にはどんな教えがある？

2 『春暁』孟浩然 漢詩

春眠　暁を覚えず
処処啼鳥を聞く
夜来　風雨の声
花落つること　知る多少

教科書p.169
『春暁』本文

・暁＝あけぼの
・春が眠いのは今も同じ
・自然が好き
・花を心配している
・中国語で聞いてみたい

3 古典を音読して、感じたことや考えたことを書く〈15分〉

T　２つの作品のどちらが気に入りましたか。気に入った作品を、リズムを意識してもう一度音読してみましょう。また、気に入った理由や、作品を読んで感じたことや考えたことを文章にしてみましょう。

・『論語』の、今でも通じる感じが好き。
・他の『論語』も調べてみたいな。
・『春暁』の、春は眠い感じが共感できる。
・中国語で『春暁』を読んでみたいなあ。

○繰り返し音読することで、リズムや文語調の文章に慣れさせる。終末に、なぜその作品を選んだのか理由を問い、感じたことや考えたことをノートに書かせる。配慮が必要な子供には、教科書掲載の二次元コードを活用して音声に声を合わせるようにするとよい。

よりよい授業へのステップアップ

『論語』は、現代にも通じる教えが多数ある。子供が興味をもっていれば、自分の好きな教えを調べて、「推し『論語』」を紹介し合う活動を行う。プレゼンテーションソフト等で形式を指定し、子供が自分のペースで「推し」を探してまとめられるようにする。

【子供向けの本】

・『絵で見てわかるはじめての漢文②漢詩』加藤徹（監）、学研
・『ドラえもん　はじめての論語』安岡定子、小学館
・『声に出して、わかって、おぼえる！小学生のための論語』齋藤孝、PHP 出版

4年生で習った漢字

漢字の広場④　1時間扱い

単元の目標

知識及び技能	・第5学年及び第6学年の各学年においては、学年別漢字配当表の当該学年までに配当されている漢字を読むことができる。また、当該学年の前の学年までに配当されている漢字を書き、文や文章の中で使うとともに、当該学年に配当されている漢字を漸次書き、文や文章の中で使うことができる。((1)エ)
学びに向かう力、人間性等	・言葉がもつよさを認識するとともに、進んで課題となる漢字を使った文章を書き、思いや考えを伝え合おうとする。

評価

知識・技能	❶第4学年までに配当されている漢字を読んだり書いたりでき、文や文章の中で使っている。(〔知識及び技能〕(1)エ)
主体的に学習に取り組む態度	❷第4学年までに配当されている漢字を使いながら、これまでの学習を生かして積極的に文や文章を書こうとしている。

単元の流れ

時	主な学習活動	評価
1	学習の見通しをもつ 学習の見通しをもち、学習課題を設定する。 4年生の漢字を使って文章を書き、作った都道府県すごろくで遊ぼう 自分が選んだ都道府県の文章を書く。 完成したすごろくでゲームを楽しむ。	 ❶ ❷

授業づくりのポイント

〈単元で育てたい資質・能力〉

本単元のねらいは、第４学年までに配当されている漢字を文や文章の中で使い、漢字の定着を図ることである。漢字学習は反復練習が多いため、機械的になりやすく、創意工夫が生まれづらい。本単元を通して、漢字に慣れ親しみ、漢字学習に、より前向きに取り組む姿勢を育みたい。

〈教材・題材の特徴〉

本教材は、既習である都道府県の漢字を使って文章を書き、作った文章を用いてすごろくを完成させるという設定となっている。「自分たちで作ったすごろくで遊ぶ」という学習は、子供にとって大変魅力的で、主体的に学習に取り組めることであろう。また、都道府県に関する情報を調べて文章を作るといった、教科横断的な学びの姿も期待できる。この単元は、漢字を用いて文章を書き、すごろくを完成させることと同時に、自分たちで作成したすごろくで遊ぶことにも意義があると考える。しかし時数は１時間扱いのため、45分のタイムマネジメントが非常に重要となる。場合によっては、１時間の中ではすごろく作成にのみ注力し、遊びは朝学活やすき間時間で実施するといった手立ても必要となろう。

〈言語活動の工夫〉

１時間の中ですごろくの作成と遊びとを完結させるには、辞典や ICT 端末といった自分に合った方法で情報を集めながら文章を作る個別最適な学びと、友達同士で分担したり教え合ったりするといった協働的な学びが必要となる。「作ってよかった」「楽しかった」と子供が思えるような学習活動にしたい。

［具体例］

子供は、自分が選んだ都道府県について文章を作る。作った文章は適宜黒板に貼っていく。全ての都道府県が貼られたら、都道府県すごろくの完成である。すごろくはグループで行う。グループの代表者が教科書 p.170を開き、１人ずつさいころを振る。出た目の数だけ進み、止まった都道府県のマスについて、黒板に貼られた文章を確認する。このように、黒板と教科書とを組み合わせることで、１時間の中でも作成と遊びを両立させることができると考える。

〈ICT の効果的な活用〉

調査：ウェブブラウザを用いて自分の担当する都道府県の情報を収集することで、文章の作成に役立てることができる。

共有：黒板の都道府県すごろくを撮影し、学習支援ソフトを用いて子供に共有する。そうすることで、時間内に遊びが完結しなかった場合でも、別の時間に共有された画像を基に遊びの続きを楽しむことができる。

記録：黒板に貼られた子供の文章を撮影しておくことで、評価の材料として活用できる。

本時案

漢字の広場④

本時の目標

・都道府県の漢字を読んだり書いたりでき、文や文章の中で使うことができる。

本時の主な評価

❶都道府県の漢字を読んだり書いたりでき、文や文章の中で使っている。【知・技】
❷都道府県の漢字を使って積極的に文や文章を書こうとしている。【態度】

資料等の準備

・都道府県の文章を書くための短冊（47枚）
・さいころ（グループ数）

秋田県
石川県
奈良県
佐賀県

4
○学習感想
・わすれていた字を思い出せてよかった。
・文章作りが楽しかった。
・都道府県の名産や名所を知ることができた。

授業の流れ ▷▷▷

1 学習課題を共有し、役割分担をする 〈5分〉

T　すごろくで遊んだことがありますか。
・あります。友達と家で遊びました。
・お正月に家族みんなで遊びました。
T　今日は都道府県すごろくを作ってみんなで遊びましょう。
○学習課題を確認する。
T　どの都道府県を担当するか決めましょう。
○子供に決めさせてもよいが、時間内に授業を完結させることを考えると、出席番号や座席位置などを利用して便宜的に役割を決めるほうがよいかもしれない。また、それでも授業時間を超える懸念がある場合には、すき間時間を利用して役割分担までは決めておくとよい。そうすることで、2の活動から学習をスタートさせることができる。

2 担当になった都道府県の文章を書く 〈15分〉

T　自分が担当する都道府県の文章を、短冊に書きましょう。
・北海道とじゃがいもかあ。どんな文章にしようかな。
・東京都にあるイラストは何だろう。友達に聞いてみよう。
○教科書には宮城県の例が提示されている。子供に紹介し、書き方を確認する。
○文章と一緒に、「2マス進む」「1回休み」といった指示を書く必要がある。極端な指示だとゲーム性が損なわれるため、学級の実態に応じて適宜指導を入れる。指示だけを教師が事前に短冊に書いておくという手立ても考えられる。
○完成した短冊は黒板に貼っていく。

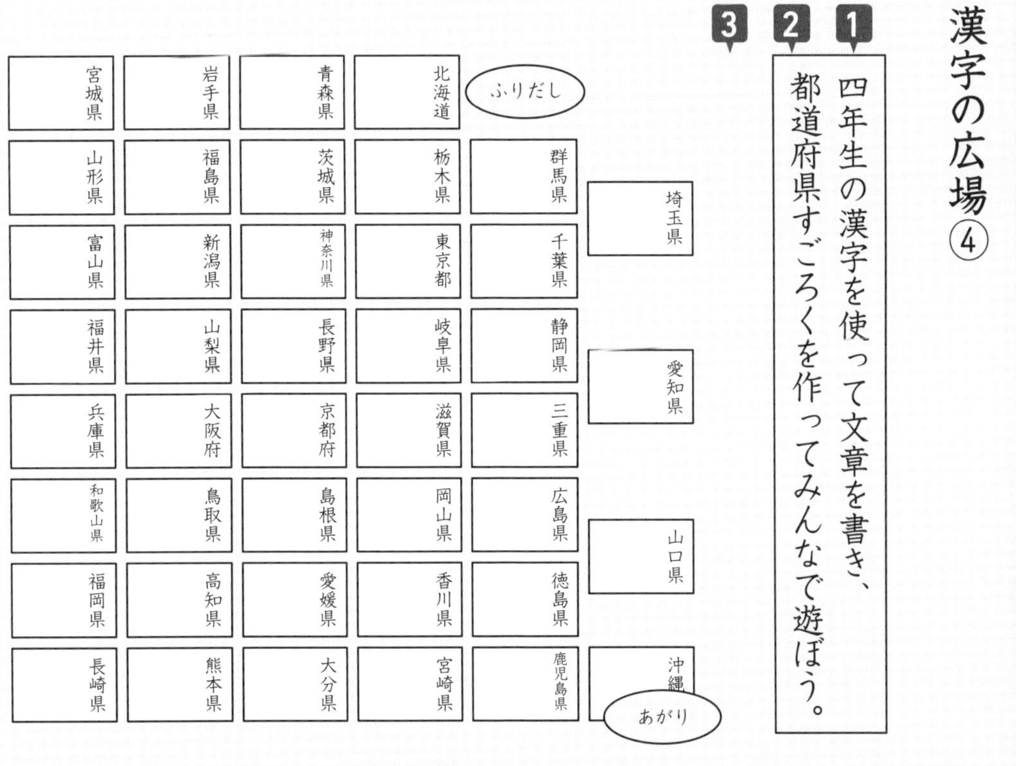

3 完成したすごろくで遊ぶ 〈20分〉

T　世界に１つだけの都道府県すごろくが完成しましたね。このすごろくを使って、ゲームを楽しみましょう。

○グループの代表者の教科書を使用する。１人ずつさいころをふり、止まる都道府県のマスが分かったら、黒板に貼られた文章を確認し、その指示に従う。

○子供の実態に応じて「止まったマスの文章は声に出して読む」「イラストが何か答えられないときは１回休み」などのルールを追加する。

ICT 端末の活用ポイント

黒板の都道府県すごろくを撮影し、学習支援ソフトを用いて子供に共有することで、別の時間にゲームの続きを楽しむことができる。

4 学習感想を交流する 〈５分〉

T　今回の学習を終えての感想を、隣の人同士で伝え合いましょう。

T　感想を発表してください。

・４年生で習っていたけれど、忘れていた漢字があったから、思い出せてよかったです。

・都道府県の漢字を使って文章を作るのが楽しかったです。

・イラストから、その都道府県の名産や名所が何なのか知ることができました。

T　これからも学習した漢字を積極的に使っていきましょうね。

ICT 端末の活用ポイント

学習支援ソフトを用いてクラウド上に意見を書かせることで、発表と交流を同時に行うことができる。

伝記を読み、自分の生き方について考えよう

やなせたかし——アンパンマンの勇気

5時間扱い

単元の目標

知識及び技能	・日常的に読書に親しみ、読書が、自分の考えを広げることに役立つことに気付くことができる。((3)オ)
思考力、判断力、表現力等	・登場人物の相互関係や心情などについて、描写を基に捉えることができる。(C イ) ・文章を読んで理解したことに基づいて、自分の考えをまとめることができる。(C オ)
学びに向かう力、人間性等	・言葉がもつよさを認識するとともに、進んで読書をし、国語の大切さを自覚して思いや考えを伝え合おうとする。

評価規準

知識・技能	❶日常的に読書に親しみ、読書が、自分の考えを広げることに役立つことに気付いている。(〔知識および技能〕(3)オ)
思考・判断・表現	❷「読むこと」において、登場人物の相互関係や心情などについて、描写を基に捉えている。(〔思考力、判断力、表現力等〕C イ) ❸「読むこと」において、文章を読んで理解したことに基づいて、自分の考えをまとめている。(〔思考力、判断力、表現力等〕C オ)
主体的に学習に取り組む態度	❹文章を粘り強く読み、人物の考え方や生き方を知ることで、生き方について思いや考えを広げ、伝記を読むよさについて考えようとしている。

単元の流れ

次	時	主な学習活動	評価
一	1	学習の見通しをもつ 伝記を読んだ経験や感想、伝記を読んで学んだことや参考になったことを発表する。 題名やリード文からこれから学習する文章についてイメージをもつ。 範読を聞き、初発の感想を書く。 学習課題を設定し、学習計画を立てる。	
二	2	伝記に取り上げられている出来事と、それぞれのときに「たかし」がしたことや考えたことを確かめる。 「たかし」の考え方に着目して、「たかし」がどういう人物なのかをまとめる。	❷
	3	「たかし」の行動や考え方について自分の考えを書く。	❸
三	4	並行読書の本から1冊選び、考えたことをポップにまとめる。	❶
	5	書いた文章を読み合い、感想を伝え合う。 学習を振り返る	❹

授業づくりのポイント

〈単元で育てたい資質・能力〉

本単元のねらいは、伝記を読んで理解したことに基づいて、自分の考えをまとめることである。伝記は、物語や詩のように行動や会話、心情などを基軸とした描写と、事実の記述や説明の表現が用いられている。そのような伝記の特色を理解した上で、人物の生き方や考え方を捉える力が必要である。

それぞれの出来事の際に、人物がしたことや考えたことを整理し、その出来事が人物の人生においてどのような意味があったかを押さえる。その上で、今の自分と関わらせながら自分の考えを書いてまとめ、その交流を通して自分の生き方や考え方を広げたり深めたりすることができるようにする。

〈教材・題材の特徴〉

「やなせたかし　――アンパンマンの勇気」は、子供になじみのある「アンパンマン」を生み出したやなせたかしさんの一生を描いた伝記である。

冒頭には、2011年３月11日の東日本大震災のときに、92歳だったやなせたかしさんの様子が描かれている。そこから過去へ遡り、誕生から亡くなるまでを時系列で描いた構成になっている。本文には、出来事とその時のやなせさんの考えや取った行動が描かれているだけで、はっきりと筆者の考えは書かれていない。構成や題名に目を向けさせることで、筆者が何を伝えたかったのかを考えることができる。

〈言語活動の工夫〉

描かれた人物の行動や考え方、生き方について、①自分の経験や考え方などとの接点を見いだし、②共通点や相違点を明らかにしながら、③共感するところ、取り入れたいところなどを中心に考えをまとめるようにする。本単元では、「やなせたかし　――アンパンマンの勇気」の学習と並行し、各自が伝記を選んで読む。なぜ、その人物の伝記を読もうとしたのかを考えるところから始まり、第２、３時を通じて伝記を読んで考えたことを１枚のポップにまとめることで、自らの考え方などを見つめ直すとともに、完成したポップと本を展示し、友達と共有して、その後の読書生活の広がりにつなげられるようにする。

〈ICT の効果的な活用〉

記録：文書作成ソフトを活用し、単元での学びを１枚の振り返りシートにまとめる。振り返りシートには、第１時に立てた学習計画を書き、その課題に対しての振り返りを毎時間記録していく。その時間にできたことや学んだこと、次の学習に向けた課題は何かを明確にすることで、学習を調整しながら計画的に学んでいくことができるようにする。

本時案

やなせたかし ―アンパンマンの勇気

本時の目標

・これまでの自分の生き方や考え方を振り返るとともに、学習の見通しをもつことができる。

資料等の準備

・国語辞典
・ポップの見本

3

〈学習計画〉
①「やなせたかし―アンパンマンの勇気」を読む。
※並行読書をする。
②出来事を確かめる。
③自分の考えをまとめる。
④自分が選んだ伝記について、考えをまとめる。
⑤考えたことを交流し、学習をふり返る。

授業の流れ ▷▷▷

1 伝記を読んだ感想を想起する 〈10分〉

T　みなさんは「こんなふうになりたいな」と憧れたり、尊敬したりする人はいますか。
・好きなサッカー選手のようなプレーができるようになりたいです。
T　これまでに、どんな伝記を読んだことがありますか。また、伝記を読んで、感じたことや学んだことはありますか。
・『エジソン』を読んだことがあります。いろいろなものを発明したひらめきに驚きました。
○伝記を読むことの意義・価値を教科書 p.181の「この本、読もう」や教科書 p.183の「たいせつ」を活用して押さえる。
T　伝記を読んで、自分の生き方を考える学習をしていきましょう。

2 大まかな内容をつかみ、感想を書く 〈20分〉

T　「やなせたかし――アンパンマンの勇気」という題名から、どんなことを想像しましたか。
・「勇気」という言葉が気になります。
・アンパンマンに、やなせさんは自分の思いを込めたのではないかと思います。
T　今から、先生が音読します。このあと、心に残ったことをノートにまとめます。
○感想を書くことを伝えておく。
T　「やなせたかし――アンパンマンの勇気』」を初めて読んで、どんなことを感じましたか。心に残ったことをノートに書きましょう。

やなせたかし―アンパンマンの勇気

学習課題を設定し、学習計画を立てよう。

1

学習課題
伝記を読んで、自分の生き方について考えたことをポップにまとめよう。

○伝記とは
・実在の人物の人生をえがいた読み物

○伝記を読むことで
・目標が見つかる。
・見方が広がる。
・自分の生き方や考え方の参考になる。

2

○感想を書こう。

3 学習課題を設定し、学習計画を立てる 〈15分〉

T 感想を交流し、学習課題を決めていきましょう。
・やなせさんは、強い意思をもった人だと思いました。
・いろいろな伝記を読んでみたいです。
○子供の言葉を引用しながら、学習課題を設定する。単元の終末をイメージできるようにポップの教師見本を見せ、学習計画を子供たちとともに立てる。

ICT 端末の活用ポイント

文書作成ソフトで学習計画が一目で分かる振り返りシートを作成する。それを子供たちに配布し、毎時間の振り返りを記録していくことで、計画的に学ぶことができるようにする。

よりよい授業へのステップアップ

並行読書の取り組み

教室に「伝記コーナー」を設置し、子供が興味をもてそうな伝記を用意して並行読書をする。

朝読書や授業の終わりに5分程度時間を設けるなど、並行読書ができるようにする。全員が本を手にすることができるよう、学級の人数より多めに準備できるとよい。公共図書館の団体貸し出しを利用することも考えられる。

読書記録をつけておくと、このあとの学習に生かすことができる。なかなか読書が進まないことが予想される子供には、興味のもてそうな伝記をすすめる。

本時案

やなせたかし——アンパンマンの勇気 2/5

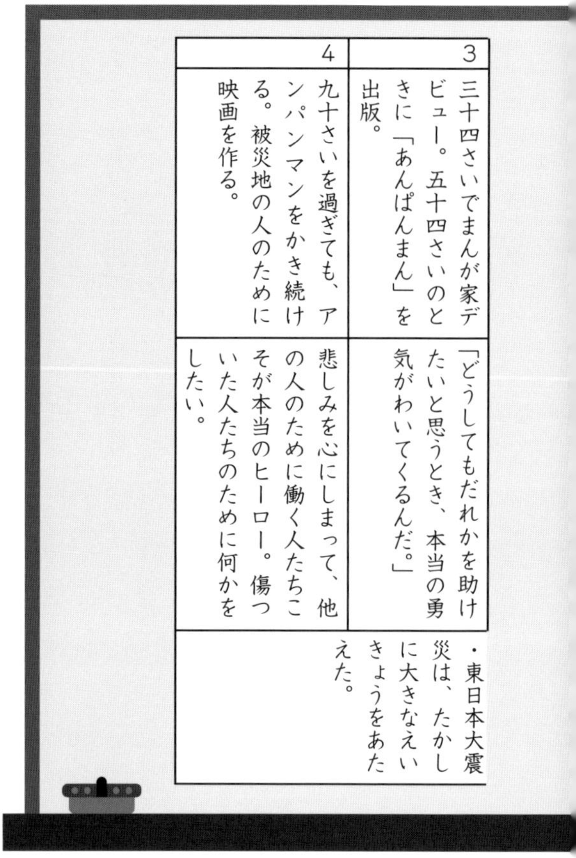

本時の目標

・文章構成に気を付けながら、「たかし」がしたこととその考え方についてまとめることができる。

本時の主な評価

❷伝記に描かれた出来事を確かめながら、人物の考えや心情を捉えている。【思・判・表】

資料等の準備

・ポップの見本
・「人物のしたこと・筆者の考え」を書くワークシート 11-01
・ポップワークシート 11-02

授業の流れ ▷▷▷

1 本時のめあてを確かめる 〈5分〉

T 今日のめあてを確かめましょう。

○前時に立てた学習計画を教室に掲示したり、ICT 端末の文書作成ソフトで配布したりして、いつでも学習計画を確認できるようにしておく。

T まず、伝記の特色を確認しましょう。

○教科書 p.182下段「伝記の表現」を活用し、伝記の特色を押さえる。

T 伝記は、「人物の行動や会話、心情が、物語のように書かれている部分」と「事実の説明や、その人物に対する、筆者の考えが書かれている部分」があります。その点を意識しながら文章構成を確認していきましょう。

2 文章構成を確認する 〈15分〉

T この伝記は「1」から「4」に分けて書かれていますね。それぞれ、どんなことが書かれていますか。

・「1」…東日本大震災と「アンパンマンマーチ」
・「2」…「たかし」の生い立ち、戦争と正義
・「3」…「アンパンマン」の誕生
・「4」…最後まで描き続けた「たかし」

やなせたかし―アンパンマンの勇気

伝記に取り上げられている出来事を確かめよう。

1 ○伝記

・人物の行動や会話、心情が、物語のように書かれている部分がある。

・事実の説明や、その人物に対する筆者の考えが書かれている部分がある。

2 ○文章構成

1 東日本大震災と「アンパンマンマーチ」
2 「たかし」の生い立ち、戦争と正義
3 「アンパンマン」の誕生
4 最後までかき続けた「たかし」

3 ○「たかし」のしたこと、考え方

	したこと	考え方	たかしの人物像
1	東日本大震災の被災地で子どもたちが歌う「アンパンマンマーチ」を聞いて、心を動かされる。	そろそろ仕事をやめようと思っていたが、何かできることしなければと、力をふるい起こす。	・戦争の経験が、アンパンマンの正義や勇気につながっている。
2	まんが家を目指すが、戦争で戦場へ。弟を戦争で亡くし、自分は何をすればよいのかと考える。	「本当の正義とは、おなかがすいている人に、食べ物を分けてあげることだ。」	

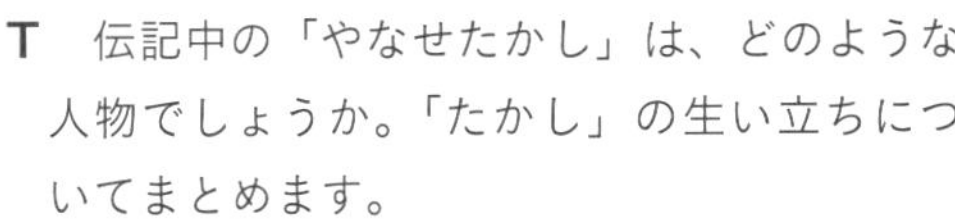

3 人物のしたことを読み取る 〈10分〉

T　伝記中の「やなせたかし」は、どのような人物でしょうか。「たかし」の生い立ちについてまとめます。

　前時に書いた、自分の心に残ったことにつながる、「たかし」のしたことや考えたことは、何でしたか。心に響いた「たかし」のしたこと・考え方に、サイドラインを引きましょう。

○年号などの時を表す言葉や、「たかしは」という主語に着目して読み取らせるようにする。

○読み取ったことをワークシートにまとめる。

4 「たかし」がどんな人物なのかをまとめる 〈15分〉

T　あなたは、「たかし」をどのような人物だと考えますか。

・「たかし」は戦争の経験から、本当の正義について考えた人だと思います。

・東日本大震災が「たかし」に大きな影響を与えました。

T　人物像を「〜な人」と一文で、「人物のしたこと」を100字程度にまとめ、ポップシートに書きましょう。

○進捗状況や本時で学んだことを振り返る。

本時案

やなせたかし——アンパンマンの勇気

本時の目標

・「たかし」の考え方や、筆者が「たかし」をどんな人物だと考えているかについてまとめることができる。

本時の主な評価

❸読み取ったことを基に、自分の考えをまとめている。【思・判・表】

資料等の準備

・ポップの見本
・「人物のしたこと・筆者の考え」を書くワークシート 11-01
・ポップワークシート 11-02

・自分の考えと友達の考えを関連させ、生き方について考える。
・自分の考えに取り入れられそうなところ、参考にできそうなところを見つける。

授業の流れ ▷▷▷

1 本時のめあてを確かめる 〈5分〉

T　前時は、どんな学習をしましたか。
・「たかし」の生い立ちと、筆者の考えについてまとめました。
○学習計画を見ながら、進捗状況を子供とともに確認する。
T　今日は、自分の考えをまとめます。
・「たかし」の行動や考え方で、自分もこうありたいと思ったところはありますか。また、筆者の考えを読み取って、なるほどと思うところはありますか。自分の考えを書きましょう。

2 自分の考えをまとめる 〈25分〉

T　まとめるときの観点を確認しましょう。
○なかなか書きまとめられない子供に対しては、前時までの学習を想起させながら、個別に問いかけ、対話の中で考えを引き出していく。
T　すごいなあ、偉いなあと思ったところはありますか。
○自分の考えを200字程度にまとめ、ポップを完成させる。
・私は、アンパンマンが自分の顔をちぎってあげる行動に、やなせさんの戦争経験が大きく関わっているとは思いませんでした。もし、大きな災害が起こったら、私たち一人一人が誰かのために行動するという意識をもつことが大切だと思いました。

やなせたかし―アンパンマンの勇気

「たかし」の生き方について、自分の考えを書こう。

1 ○自分の考えをまとめる。

2 〈まとめるときの観点〉

・自分もこうなりたいと思うところはあるか。

・「たかし」に学びたいと思ったところはどんなところか。

・自分のものの見方や考え方が変わったことはあったか。

3 ○グループで交流する

〈話し合いの留意点〉

・自分の考えと比べて聞く。

(似ているところ、ちがうところ)

3 書きまとめたものを交流する 〈15分〉

T　でき上がったポップを見せながら、グループで交流しましょう。

○話し合いの進め方を確認する。「一人一人が順番に自分の考えを話す」「似ている考えと違う考えに分けて、整理する」「友達の考えを聞き合い、考えたことを交流する」

T　グループで話し合ったことを基に、自分の考えに新たに付け加えたり、考えを書き直したりしましょう。

T　次の時間は、みなさんが選んだ伝記について、まとめていきます。

○進捗状況や本時で学んだことを振り返る。

よりよい授業へのステップアップ

ペアやグループでの交流

文章の読み取りや書くことが苦手な子供も安心して学習に取り組めるように、ペアやグループでの交流を適切に取り入れるとよい。交流することで、どの子供も自分の考えを話すことができるとともに、内容を確認しながらポップづくりを進めることができる。

また、一人一人の毎時間の進捗状況を確認し、丁寧に個別指導をすることで、全員が満足できるポップの完成を目指す。

本時案

やなせたかし ——アンパンマンの勇気

本時の目標

・選んだ伝記を読み、考えたことをポップにまとめることができる。

本時の主な評価

❶自分の選んだ伝記を読み、自分の考えを広げることに役立つことに気付いている。【知・技】

資料等の準備

・ポップの見本
・ポップワークシート 11-02
・国語辞典

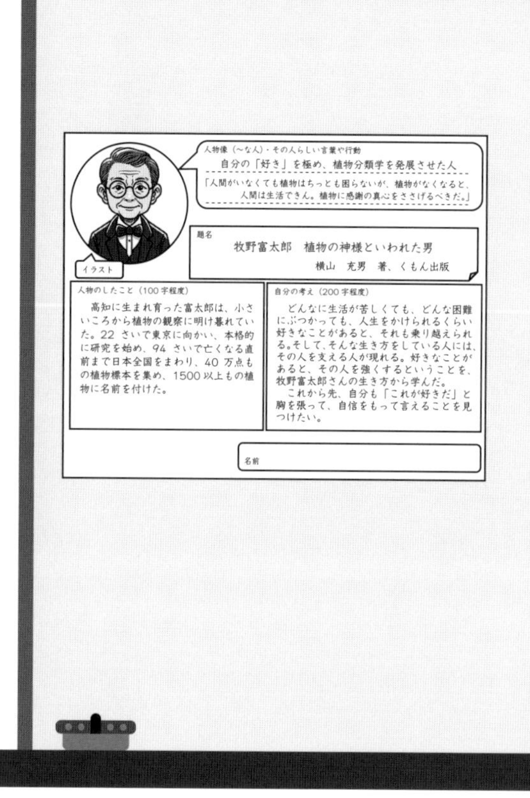

授業の流れ ▷▷▷

1 本時のめあてを確かめる 〈10分〉

T 今日は、自分の選んだ伝記を読んで、自分の生き方について考えていきます。「やなせたかし—アンパンマンの勇気」で学習した伝記を読むときの観点を確認しましょう。

○教科書 p.182、183を参考に、確認する。

○本時までに、自分の選んだ伝記を前もって読んでおき、本時は読み直して考えをまとめる時間とする。

・私は、「猿橋勝子」の伝記を読みました。

・「マザー・テレサ」の生き方をぜひみんなに紹介したい。

2 自分の選んだ伝記についてまとめる 〈20分〉

T 自分が選んだ伝記を読んで「人物がしたこと」「自分の考え」について、まとめましょう。

○ノートに読み取ったことを記述させ、整理しながらワークシートにまとめる。

・前時で作ったポップを見ながら、同じように書いていこう。

・この人物にとって、影響の大きかった出来事は何かな。そのことをポップに書こう。

ICT 端末の活用ポイント

直接ワークシートに書くことに不安を感じる子供は、文書作成ソフトで下書きをするとよい。書き直しが容易で、安心して取り組むことができる。

やなせたかし―アンパンマンの勇気

1 伝記を読んで、自分の生き方について考えたことをまとめよう。

2 ○「人物がしたこと・考え方」
「筆者の考え」……百字程度

3 ○今の自分と関わらせて、伝記を読んで考えたこと……二百字程度
※引用するときは、「　」を用いる。

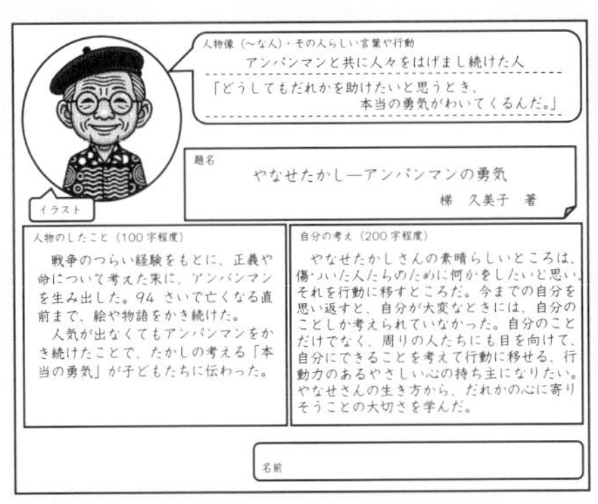

人物像（～な人）・その人らしい言葉や行動
アンパンマンと共に人々をはげまし続けた人
「どうしてもだれかを助けたいと思うとき、本当の勇気がわいてくるんだ。」

イラスト

題名
やなせたかし―アンパンマンの勇気
梯　久美子　著

人物のしたこと（100字程度）
戦争のつらい経験をもとに、正義や命について考えた末に、アンパンマンを生み出した。94さいで亡くなる直前まで、絵や物語をかき続けた。
人気が出なくてもアンパンマンをかき続けたことで、たかしの考える「本当の勇気」が子どもたちに伝わった。

自分の考え（200字程度）
やなせたかしさんの素晴らしいところは、傷ついた人たちのために何かをしたいと思い、それを行動に移すところだ。今までの自分を思い返すと、自分が大変なときには、自分のことしか考えられていなかった。自分のことだけでなく、周りの人たちにも目を向けて、自分にできることを考えて行動に移せる、行動力のあるやさしい心の持ち主になりたい。やなせさんの生き方から、だれかの心に寄りそうことの大切さを学んだ。

名前

3 伝記を読んで考えたことを書く〈15分〉

T　今の自分と関わらせながら、伝記を読んで考えたことを書きましょう。

○教師が子供の選んだ伝記を事前に把握しておくと、個別に発問や助言がしやすくなる。個に応じた問いかけをするとよい。

T　見習いたいと思ったところはありますか。自分の生活に生かせることはありますか。

・自分にも夢があるので、この人のように努力を続けることを忘れないようにしたいと思いました。

T　次時は、今日作ったポップを友達に紹介しましょう。

○進捗状況や本時で学んだことを振り返る。

よりよい授業へのステップアップ

個別の支援・指導

読みたい伝記がまだ選べていない子供には、その子供の興味や能力を考慮し、教師が数冊選び、簡単に内容を紹介して、その中から選ばせる方法がある。

また、子供が選んだ伝記を事前に把握しておくことも、適切な指導をするためには必要である。さらに、子供が選んだ伝記を読んだり、その伝記で取り上げている人物について簡単に調べたりしておくことも、指導に有効である。

本時案

やなせたかし
――アンパンマンの勇気

本時の目標

・書いた文章を読み合い、感想を伝え合うとともに、単元のまとめようとする。

本時の主な評価

❹自分の考えを発表し合い、自分の生き方についての考えを広げたり深めたりするとともに、単元の学習を振り返っている。【態度】

資料等の準備

・ポップの見本
・ポップワークシート 11-02

4

○この単元で学んだこと
・伝記の読み方。
・自分の生き方を考える。
・友達の考えを聞いて、自分の考えを広げたり深めたりする学び方。

※子供の意見を板書する

授業の流れ ▷▷▷

1 本時のめあてを確かめる 〈5分〉

T 今日のめあてを確かめましょう。いよいよ、今日の学習が単元の最後となります。友達の考えを聞いて、さらに自分の考えを深められるようにしましょう。
・自分と同じ人物の伝記を読んだ友達は、どんなことを考えたのかな。
・みんなは、どんなところに注目したのかな。

ICT 端末の活用ポイント

ワークシートを写真やスキャナーで取り込み、学習支援ソフトを活用することで、学級全体での交流が容易にできる。

2 グループで交流する 〈15分〉

T 最初に、読んだ伝記の簡単な紹介をしてから、書いたものを発表しましょう。
○交流の観点を示す。
伝記から読み取ったことと、自分の考えを区別してまとめているか。
自分の考えが明確に表現されているか。
自分の考えと友達の考えを比べてどうか。
○グループは、テーマ別や作品別など、編成を工夫することも考えられる。
・マザー・テレサは、貧しい人のための活動に一生をささげた人です。私は、正直彼女のような立派なことができる自信はありません。しかし、少しでも誰かの役に立てるように、自分にできることを見つけていきたいと思いました。

やなせたかし―アンパンマンの勇気

1 伝記を読んで考えたことを発表し合い、自分の生き方について考えを深めよう。

2 ○グループで交流する

〈交流の観点〉
・伝記から読み取ったことと、自分の考えを区別してまとめているか。
・自分の考えが明確に表現されているか。
・自分の考えと友達の考えを比べてどうか。

3 ○新たに気付いたこと
・人生は人それぞれ
・こんなんにぶつかったときにどうするか

3 新たに気付いたことを書く 〈10分〉

T 交流を通して、自分の考えが広がったり深まったりしたことはありますか。新たに気付いたことをノートに書きましょう。

・全く同じ人生を送る人は世の中に一人もいないので、自分の夢を大切にしようと思いました。
・困難にぶつかったとき、そこから逃げてはいけないと思いました。

4 単元の学習を振り返る 〈15分〉

T この単元で学習してきたことを振り返りましょう。伝記には、どんな特色がありましたか。

・伝記は、出来事を物語的に書いている部分と、筆者が人物について解説している部分がありました。

T 伝記を数冊読んでみて、気付いたことはありますか。

・取り上げられている出来事に、筆者の伝えたい思いや願いが込められていると思いました。
・様々な人生に触れて、自分の生き方について考えるきっかけになりました。

T これからも、伝記を読んで自分の生き方を考える参考にしていきましょう。

資料

11 第2、3時資料 ワークシート 11-01

やなせたかし―アンパンマンの勇気

五年　　組　名前（　　　　　　　　　　）

めあて　伝記に取り上げられている出来事を確かめよう。

◎「たかし」のしたこと、考え方

	したこと	考え方	たかしの人物像
1			
2			
3			
4			

11 第２、３、４、５時資料　ワークシート 11-02

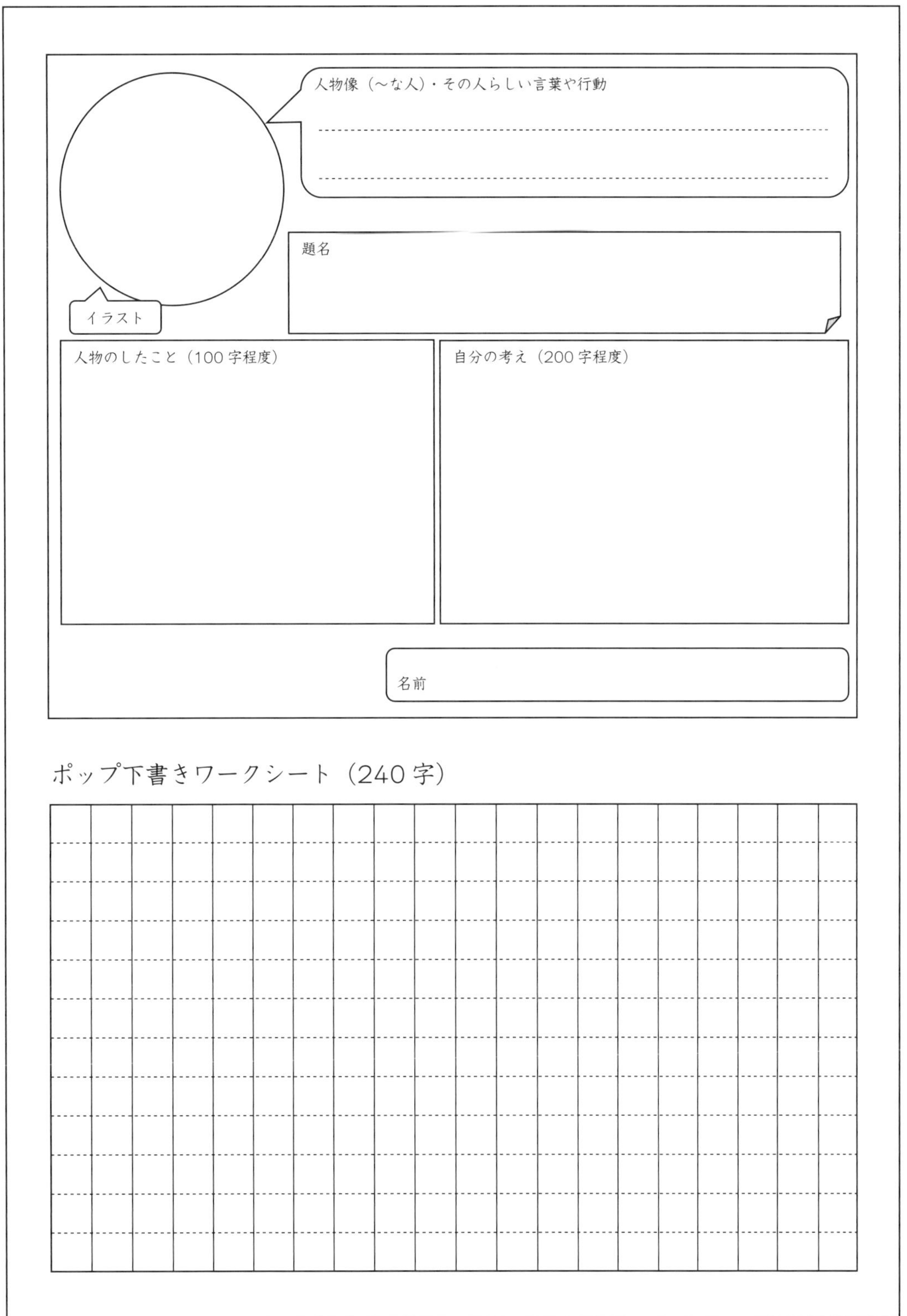

意見文を書いて読み合い、よいところを見つけよう

あなたは、どう考える　6時間扱い

単元の目標

知識及び技能	・語感や言葉の使い方に対する感覚を意識して、語や語句を使うことができる。((1)オ) ・文章の構成や展開、文章の種類とその特徴について理解することができる。((1)カ)
思考力、判断力、表現力等	・目的や意図に応じて、事実と感想、意見とを区別して書くことで、自分の考えが伝わるように書き表し方を工夫できる。(B ウ) ・文章全体の構成や展開が明確になっているかなど、文章に対する感想や意見を伝え合い、自分の文章のよいところを見付けることができる。(B カ)
学びに向かう力、人間性等	・積極的に文章に対する感想や意見を伝え合い、学習の見通しをもって意見文を書こうとしている。

評価規準

知識・技能	❶語感や言葉の使い方に対する感覚を意識して、語や語句を使っている。(〔知識及び技能〕(1)オ) ❷文章の構成や展開、文章の種類とその特徴について理解している。(〔知識及び技能〕(1)カ)
思考・判断・表現	❸「書くこと」において、目的や意図に応じて、事実と感想、意見とを区別して書くことで、自分の考えが伝わるように書き表し方を工夫している。(〔思考力、判断力、表現力等〕B ウ) ❹「書くこと」において、文章全体の構成や展開が明確になっているかなど、文章に対する感想や意見を伝え合い、自分の文章のよいところを見付けている。(〔思考力、判断力、表現力等〕B カ)
主体的に学習に取り組む態度	❺積極的に文章に対する感想や意見を伝え合い、学習の見通しをもって意見文を書こうとしている。

単元の流れ

次	時	主な学習活動	評価
一	1	学習の見通しをもつ 他の人の意見を聞いたり読んだりしたときに、どのような発見や気付きがあるのか、自分の経験について発表し、交流する。 「目標」「見通しをもとう」を確認し、学習計画を立てる。 「倉田さんが読んだ投書」を読み、感想を伝え合う。 「倉田さんが読んだ投書」や「題材の例」を参考にして、題材を集める。	❺
二	2	教科書 p.186を読み、文章の構成を知る。その際、「主張をはっきりさせるには」や「文章に説得力をもたせるには」と関連付ける。	

		「倉田さんが読んだ投書」や「題材の例」を参考にして集めた題材から、自分が意見文を書く題材を決める。	
	3	自分の主張を決める。「倉田さんの例」を参考にして情報を集める。必要に応じて、実際にあった出来事を思い出したり、図書館やインターネットで情報を調べたりする。集めた情報から、何をどの順に根拠として取り上げるかを決める。 「主張をはっきりさせるには」を参考にして、主張と根拠を結び付ける。 「文章に説得力をもたせるには」を参考にして、予想される反論と反論に対する考えを書き出す。 文章の構成を考える。自分が考えた構成について、友達と交流しながら見直す。	❷
	4	「学びをいかそう」を参考に、説得力を意識した文章構成になっているか確かめる。	❶
	5	「倉田さんの意見文」や「考えを表す言葉」を参考にして、意見文の下書きを書く。 書いた文章を読み返し、推敲する。目的に応じて清書する	❸
三	6	**学習を振り返る** 「感想の例」「質問の例」「感想や質問を伝え合うときは」を参考にして、感想を伝えたり、質問をしたりする。 自分や友達が書いた文章のよさについて考え、発表する。 「たいせつ」「いかそう」を参考に、文章のよさを見つけることについて振り返る。	❹

授業づくりのポイント

〈単元で育てたい資質・能力〉

本単元のねらいは、文章の構成や展開を明確にしながら文章を書く力を育むことである。また、書いた文章のよさを見つけ、感想や意見を伝え合う力を育むことも求めている。こうした力を育むためには、文章の構成や展開を理解すること、必要な情報を集めること、主張と根拠を明確にして書くこと、「考えを表す言葉」を用いて書くこと、観点に沿って感想や質問を伝え合うことをできるようにする必要がある。

〈教材・題材の特徴〉

本教材・題材の特徴は、新聞の投書を基にしていることである。実際の新聞の投書を読むと、年齢や性別、題材を問わず、一人一人自分の意見を筋道立てて表現していることに気付くだろう。新聞の投書を題材選びの参考にするとともに、各投書の構成や展開のよさにも気付かせたい。

また、本教材で例示している教科書 p.187の意見文は、「主張」「根拠」「予想される反論」「反論に対する考え」「まとめ・主張」と文章の構成が明確である。実際の意見文には、例示している構成以外の意見文も考えられるだろう。しかし、本単元において上記の〈育てたい資質・能力〉を育むためには、多少窮屈であっても、例示している構成に沿って意見文を書かせることが望ましい。

〈言語活動の工夫〉

意見文の題材は、他教科の学習と関連させて選定することもできる。例えば、５年生の社会科では、自動車産業や工業生産、貿易、運輸などについて学習する。こうした単元のまとめとして、本単元と関連させながら意見文を書く言語活動を設定することもできるだろう。また、「予想される反論」は、読み手がどのような反論をするのか想定しながら書く必要がある。そのため、自分とは異なる考えについて学ぶ学習が関連させやすい。例えば、モラル・ジレンマを扱った特別の教科　道徳の学習では、学習者が様々な立場から認識の対立・葛藤を理解し、自らの考えを形成していく。自分とは異なる考えについて学ぶ経験は、意見文を書くときに「予想される反論」を形成していく基になるだろう。

本時案

あなたは、どう考える

本時の目標

・意見文を書く見通しをもとうとする。

本時の主な評価

❺積極的に文章に対する感想や意見を伝え合い、学習の見通しをもって意見文を書こうとしている。【態度】

資料等の準備

・新聞の投書

・給食の配ぜんの仕方
・ゴミの分別
・放課後の遊び方

他教科
・社会科……自動車工業、水産業など
・道　徳……公正公平、正義など
・学　活……話し合いの仕方

授業の流れ ▷▷▷

1 投書を読み、感想や意見を交流する 〈15分〉

○用意した新聞の投書を配布する。

T　意見文を読んで、どんな感想や意見をもちましたか。

・なるほどと納得した。

・違う考え方もできるかなと思った。

T　人の意見を聞いたとき、どんな感想や意見をもちましたか。

・６年生がしっかり自分の意見を言っていた場面があってすごいと思った。

・説得力がある意見だなと思ったことがある。

○子供が意見文を読んだ経験はそう多くはないだろう。この場面では、意見文だけではなく、人の意見を聞いた経験も想起させたい。例えば、学級会や委員会活動などの話し合い場面を想起させるとよい。

2 学習計画を立てる 〈15分〉

T　これからみなさんも意見文を書きます。教科書の目標と見通しを確認して、学習計画を立てましょう。

○教科書 p.184「見通しをもとう」、p185「目標」を確認する。

○対話を通して学習計画を板書していくとよい。

T　「倉田さんが読んだ投書」を読み、どのような感想をもちましたか。

・私も同じようなことを考えたことがある。

・自分の経験を基に書いていて説得力がある。

・いくつかの段落に分かれている。

・身近なことが題材になっている。

○意見内容に対する感想、文章構成に関する感想、表現に関する感想など、ここでは幅広く感想を出させる。

あなたは、どう考える

意見文を書く見通しをもとう。

1
○新聞の投書を読んで、感想や意見を交流しよう
・なるほどと納得した。
・違う考え方もできるかなと思った。
・意見が分かりやすく伝わってきた。

2
○学習計画を立てよう
1．題材を決め、主張を考える。
2．文章の構成を考える。
3．意見文を書く。
4．感想を伝え合い、文章のよさを見つける。

3
○題材を集めよう
学校生活
・登下校でのあいさつ
・ろう下の歩き方

3 題材を集める 〈15分〉

T 「倉田さんが読んだ投書」や「題材の例」を基に、意見文の題材を集めてみましょう。
・登下校でのあいさつ
・廊下の歩き方
・給食の配ぜんの仕方
・ごみの分別
・放課後の遊び方
○この段階では、広い視野から題材を挙げられるとよい。学校生活や他教科の学習など関連するテーマから想起させてもよい。

ICT 端末の活用ポイント

題材を選ぶ際に、情報が必要な子供もいるだろう。ウェブサイト等を見ながら考えることもできる。また、集めた題材は、ICT 端末を用いることで共有することができる。

よりよい授業へのステップアップ

「書きたい」「書けそう」という思いを大切にする

意見文を書く学習では、「私も書いてみたい」という意欲が重要である。書くことが苦手な学習者には、安心して学習できる見通しが必要である。学習者と対話を重ね、学習者が安心して学習に臨むことができる計画を作成するとよい。

端末を用いて書くことによって、意欲が高まったり、安心したりする子もいるだろう。学習者の実態に即した学習支援を整えるようにすることが重要である。

本時案

あなたは、どう考える

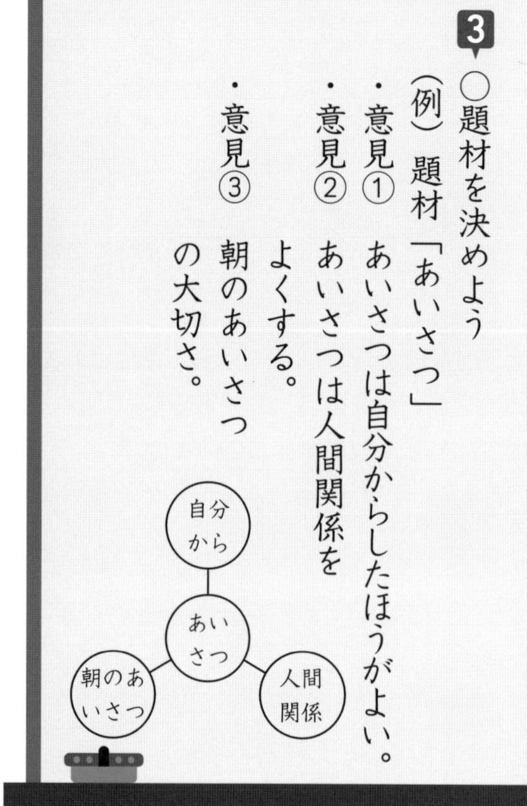

本時の目標

・意見文の構成について理解できる。

本時の主な評価

・意見文の構成について理解している。

資料等の準備

・教科書 p.187の倉田さんの書いた意見文
・教科書 p.186の「倉田さんが考えた構成」の拡大紙

授業の流れ ▷▷▷

1 意見文の構成について理解する〈10分〉

T　意見文を書く前に構成を考えましょう。まず、教科書 p.186の「倉田さんが考えた構成」について見てみましょう。倉田さんはどのように意見文の構成を考えたのでしょう。
・「初め」「中」「終わり」の順番になっている。
・「初め」に主張を書いている。
・「中」には、主張の根拠、予想される反論、その反論に対する考えを書いている。
・根拠が 2 つある。
・「終わり」には、まとめ、主張を書いている。
○倉田さんがなぜこの順番で構成したのか考えさせてもよい。場合によっては、異なる構成を組み立てることもできる。
○倉田さんの構成が短い文でまとめられていることにも注目させたい。

2 意見文と構成を見比べる〈15分〉

T　教科書 p.187の倉田さんの書いた意見文と p.186の「倉田さんが考えた構成」を照らし合わせてみましょう。
・この部分が根拠だと思う。
・予想される反論に対する考えもしっかり書いているから、説得力が増す。
・「優先席が必要だ」という題名だと押し付けているように感じる人もいる。だから題名が「安心できる人がいる」になっているのではないか。
○教科書 p.185「主張をはっきりさせるには」や p.110「文章に説得力をもたせるには」と関連付けるとよい。
○意見文を「主張」「根拠」「予想される反論」「反論に対する考え」「まとめ・主張」と色分けすると構成が分かりやすくなる。

あなたは、どう考える

意見文の構成について理解しよう。

1 ○意見文の構成を理解しよう

2 ○意見文と構成を見比べよう

教科書 P.186 の倉田さんが考えた構成の拡大紙

教科書 P.187 の倉田さんが書いた意見文の拡大紙

意見文と構成を照らし合わせて分かりやすく示す

3 題材を決める 〈20分〉

T　前回、集めた題材を参考にして、これから書く意見文の題材を決めましょう。

○漠然とした題材を選んでしまうと、その後の主張や根拠について書きにくくなる。できる限り、題材は具体的で焦点化したものがよい。例えば、「あいさつ」を題材に選んだ場合、誰が誰に、どのような状況で、どのように、あいさつすることに対しての意見文なのか、具体的に焦点化したほうが書きやすくなる。

ICT 端末の活用ポイント

題材を選ぶ際に、情報が必要な子供もいるだろう。端末を用いて、ウェブサイト等を見ながら考えることもできる。

よりよい授業へのステップアップ

意見文の題材について対話する

意見文を書く本人が「この題材で書ける」と思っても、いざ書いてみると主張がまとまらず書き出せないことがある。その場合、題材選びの段階で本人の 題材の捉えが広すぎることが多い。

題材を決める際に「どんなことについて意見文を書こうと思うの」「どうしてその意見を思いついたの」など、対話を通して題材について考えを広げていくことが有効である。対話をすることで、意見が明確になっていくこともあるし、また、この題材では書けないだろうと見切りがつくこともある。

本時案

あなたは、どう考える

本時の目標

・意見文の構成を考えることができる。

本時の主な評価

❷意見文の構成や展開について理解している。【知・技】

・意見文の全体の構成や展開が明確になっているかなど、文章に対する感想や意見を伝え合い、自分の文章のよいところを見つけている。

資料等の準備

・付箋

・「私の主張への意見」疑問アンケート 12-01

・反論にも根きょがあるとよい

・反論したことについてのみ、反論に対する考えとして書くこと

4 ○まとめ・主張を考えよう

気を付けること

・予想される反論に対する考えが、まとめ・主張とつながっていること

授業の流れ ▷▷▷

1 意見文の主張を考える 〈15分〉

T 前回、自分が決めた題材について、自分の主張をノートに書きましょう。

○主張を決めるためには、その題材に対する知識や様々な立場からの意見を知る必要がある。必要に応じて、実際にあった出来事を思い出したり、書籍で情報を調べたりするとよい。

ICT 端末の活用ポイント

主張を決める前に、ICT 端末を活用してオンライン上の様々な情報を得ることも有効である。ただ、１つのウェブサイトの情報だけで判断することは意見文の主張として適切ではない。複数の情報を集めること、出典を明記しておくことなど、ICT 端末を用いて情報を集める際にはいくつか事前に指導する必要がある。

2 主張の根拠を考える 〈10分〉

T 集めた情報から、何をどの順に根拠として取り上げるかを考えましょう。

T 教科書 p.185「主張をはっきりさせるには」を参考にして、主張と根拠を結び付けて、ノートに根拠を書いてみましょう。

○付箋紙に根拠を書いていくと、整理しやすい。

○根拠を書く際には、情報元となる出典を明記させる。

○主張と根拠が整合しているか、教師や友達と確認する。

ICT 端末の活用ポイント

学習支援ソフトに付箋機能がある場合には、オンライン上の操作も可能である。

あなたは、どう考える

意見文の構成を書こう。

1 ○主張を考えよう
気を付けること
・主張は具体的に、しぼって、書くこと

2 ○主張の根きょを考えよう
気を付けること
・一つの情報だけで判断しないこと
・出典を明記しておくこと
・正しく引用すること
・主張と根きょを結び付けること

3 ○予想される反論、反論に対する考えを考えよう
気を付けること
・主張したことについてのみ予想される反論を書くこと

3 予想される反論、反論に対する考えを考える 〈15分〉

T 教科書 p.110「文章に説得力をもたせるには」を参考にして、予想される反論と反論に対する考えをノートに書いてみましょう。

○予想される反論や反論に対する考えが思いつかない子供もいる。その場合には、教師や他の子供との対話を通して一緒に考えてもらうとよい。そうした対話によって、１つの意見に対して多角的、批判的に考えることができるようになる。

○反論に対する考えは、反論に対する批判的な意見にとどまらず、「終わり」のまとめにおいて自分の主張をさらに強調する働きをもつ。そのため、自分の主張と反論に対する考えがつながっているか、確認させるとよい。

4 まとめ・主張を考える 〈５分〉

T 「初め」の主張から順番に読み直した上で、「終わり」のまとめ・主張をノートに書いてみましょう。

○いったん書き終えたら、自分でもう一度読み直し、文章の構成に齟齬がないか、確認させる。

○「初め」と「終わり」が同じ内容になってしまう場合には、教科書 p.187の「倉田さんの意見文」を参照して工夫する。

○他の学習者に読んでもらい、修正点を指摘してもらうことも有効である。

○この段階では、あくまで構成を組み立てたものであり、下書きに近い。文言の加除訂正というよりも、内容的な整合性を確認させるようにする。

本時案

あなたは、どう考える

本時の目標

・意見文を書き、推敲することができる。

本時の主な評価

❶言葉の使い方を意識して、語や語句を使っている。【知・技】
❸文章に説得力をもたせる書き方の工夫をしている。【思・判・表】

資料等の準備

・原稿用紙
・下書き用作文用紙 12-02

・句読点にまちがいがないか。
・「だ・である」調の常体で統一されているか。
文章レベル
・「考えを表す言葉」を使っているか。
・主張と根きょがつながっているか。
・引用の出典が明らかになっているか。
段落レベル
・段落のまとまりがあるか。
・意見文の展開に筋道が通っているか。
○清書を書こう

授業の流れ ▷▷▷

1 文章構成を見直す 〈10分〉

T　前の時間に書いた文章構成を読み直して、確認しましょう。
○教科書 p.186の「学びをいかそう」を参考にして、説得力を意識した文章構成になっているか確かめる。
○「初め」「中」「終わり」のまとまりになっていることを確認する。
○「主張」「根拠」「予想される反論」「反論に対する考え」「まとめ・主張」が１つの意見文の筋道として整合しているか確認する。
○情報を引用する場合には、出典を明記しているか、確認する。
○他の子供と一緒に確認し合ってもよい。

2 文章構成をもとに下書きを書く 〈40分〉

T　文章構成を生かして、意見文を書きましょう。
○より説得力のある意見文を書くためには、「考えを表す言葉」を用いることが有効である。「考えを表す言葉」を用いると、主張と根拠を明確にして書くことができる。
○それぞれの子供が困っていることは異なるだろう。全体で困っていることを共有し、教師や他の子供で解決のアイデアを出していくとよい。

ICT 端末の活用ポイント

手書きが苦手な子供もいるだろう。文書作成ソフトを用いて意見文を書くこともできる。

あなたは、どう考える

意見文を書こう。

1

○構成を見直そう

確認するポイント

・「初め」「中」「終わり」のまとまりになっている。

・「主張」「根きょ」「予想される反論」「反論に対する考え」「まとめ・主張」の筋が通っている。

2

○意見文の下書きを書こう

困ったときは

書き出しが分からない。 ↓段落のはじめに言い切ってみよう。「～は、…である。」など	書いているうちに構成からずれてしまう。 ↓段落ごとに構成を読み返して、その段落で書きたかったことが表現されているか確にんしよう。	一文が長くなってしまう。 ↓句点（。）をつけて、一文を短くしよう。

3

○推敲しよう

文字レベル

・字のまちがいがないか。

3 推敲し、清書する 〈40分〉

T　書いた文章を読み直して、推敲しましょう。

○推敲する観点は、「文字レベル」「文章レベル」「段落レベル」に区分して提示する。

○自分で声に出したり、文字を指し示したりすると、文章の間違いに気付きやすくなる。

○他の友達に音読してもらうことも有効である。その際には、文章構成メモも一緒に見てもらうことで、確認・修正がしやすくなる。

○意見文の全てを書き直すというよりは、部分的に書き直したり、書き加えたりするようにさせる。

T　推敲を終えたら、清書をしましょう。

○掲示したり、文集にしたりするなど、目的に応じて清書をさせるとよい。

よりよい授業へのステップアップ

段落ごとに少しずつ書いて推敲する

一見、子供が文章をすらすら書いているように見えても、実際にできあがった文章を読んでみると、段落構成や話の筋が不明瞭なことがある。一旦書き終えた作品を大幅に手直しすることは教師・学習者にとって負担の大きい学習になる。そうした事態を避けるためには、各段落を書き終えた段階で、自分で読み返したり、教師が確認・助言したり、友達同士で読み合ったりすることが有効である。段階的に書いていくことで学習者の推敲への負担感を軽減することができる。

本時案

あなたは、どう考える

本時の目標

・感想を伝え合い、文章のよさを見つけることができる。

本時の主な評価

・意見文の構成や展開、特徴について理解している。
❹文章全体の構成や展開が明確になっているかなど、文章に対する感想や意見を伝え合い、自分の文章のよいところを見つけている。【思・判・表】

資料等の準備

・コメントカード 12-03

・段落のまとまりがあるか。
・意見文の展開に筋道が通っているか。
○感想・質問を伝え合おう
3 ○意見文のよさについて発表しよう

自分が最初に言いたかった意見をちゃんと筋道立てて書くことできた。

〜さんの意見文は、根きょや反論に対する意見がしっかり書けていて、読んでいて納得した。

授業の流れ ▷▷▷

1 感想の伝え方や質問の仕方を知る 〈10分〉

T　これから、書いた意見文を読み合います。読んだあとには感想を伝えたり、質問をしたりします。そのときに、どのような伝え方をすればよいでしょうか。
・意見文の内容について感想を伝える。
・学習してきたことについて伝える。
○教科書 p.188の「感想の例」「質問の例」「感想や質問を伝え合うときは」を参考にする。
○学習過程を振り返って感想・質問を引き出したい。そのため、文章構成との照合、推敲の観点、「考えを表す言葉」の使用など、学習したことを振り返りながら観点を集めたい。

2 意見文を読み、感想・質問をする 〈20分〉

T　意見文を読み、感想を伝えたり、質問をしたりしましょう。
○初めは２人ペアで、次は少人数のグループで行うなど、交流がしやすいように環境を設定することが重要である。感想や質問をカードに書いて、書き手に渡してもよい。
T　感想や質問を伝えてもらって、よかったことはありますか。
・自分が考えた反論以外の反論も見つけてもらえた。
・説得力があったとほめてもらえた。

ICT 端末の活用ポイント

端末の学習支援ソフトで感想を交流してもよい。

あなたは、どう考える

感想を伝え合い、文章のよさを見つけよう。

1 ○感想・質問の伝え方を知ろう
・意見文の内容について伝える。
・学習してきたことについて伝える。
・文章構成
・「考えを表す言葉」
2 ・推敲
文字レベル
・字のまちがいがないか。
・句読点にまちがいがないか。
・「だ・である」調の常体で統一されているか。
文章レベル
・「考えを表す言葉」を使っているか。
・主張と根きょがつながっているか。
・引用の出典が明らかになっているか。
段落レベル

3 意見文のよさについて発表する〈15分〉

T　自分の文章のよさを見つけられましたか。
・自分が最初に言いたかった意見を、ちゃんと筋道立てて書くことができた。
T　友達の文章のよさを見つけられましたか。
・〜さんの意見文は、根拠や反論に対する意見がしっかり書けていて、読んでいて納得した。
○教科書 p.189「たいせつ」「いかそう」を参考にして、文章のよさを見つけることについて振り返る。
T　次に意見文を書くときには、どのようなことに気を付けて書きますか。
・根拠を明確にする。
・題材をもっと焦点化する。
・段落のまとまりを意識して書く。

ICT 等活用アイデア

振り返りを蓄積する

ICT 端末は、書くことの学習活動の過程において効果的に活用できる。具体的に情報の収集、文章の構成、文章の作成、文章の推敲、文章の共有・交流などが挙げられる。

また、そうした学習過程を振り返り、書くことの方法知として蓄積してくことも ICT 端末の有効な活用である。今後、他教科の学習や特別活動の場面において、子供が意見文を書きたいと思う機会も出てくるだろう。そのときに ICT 端末に蓄積しておいた方法知を活用してほしい。

資料

1 第3時資料 ワークシート 12-01

「あなたは、どう考える」私の主張への予想される反論とそれに対する考え

年　組　番号　名前（　　　　　　　　　　　　）

①題材

②わたしの主張

③わたしの主張の根きょ

④わたしの主張に対して、予想される反論と、その反論に対する自分の考え

名前	わたしの主張に対する反論	その反論に対する自分の考え

2 第4、5時資料　作文用紙 12-02

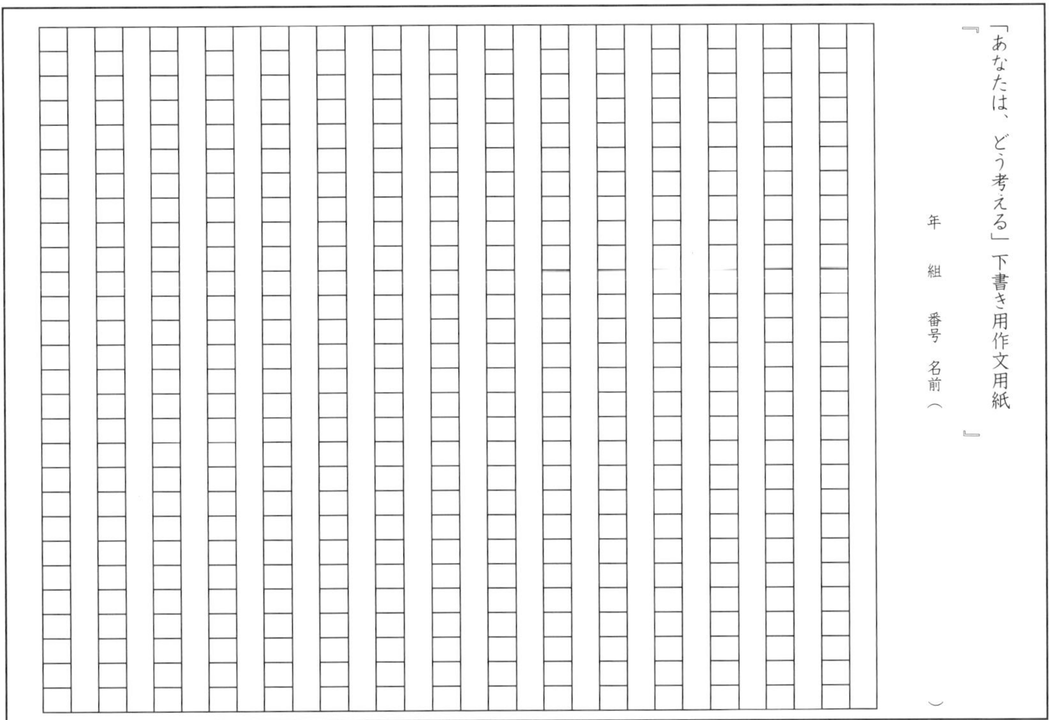

3 第6時資料　コメントカード 12-03

季節の言葉4

冬の朝 （1時間扱い）

単元の目標

知識及び技能	・親しみやすい古文や漢文、近代以降の文語調の文章を音読するなどして、言葉の響きやリズムに親しむことができる。((3)ア) ・語感や言葉の使い方に対する感覚を意識して、語や語句を使うことができる。((1)オ)
思考力、判断力、表現力等	・目的や意図に応じて、感じたことや考えたことなどから書くことを選ぶことができる。(B ア)
学びに向かう力、人間性等	・言葉がもつよさを認識するとともに、進んで読書をし、国語の大切さを自覚して思いや考えを伝え合おうとする態度を養う。

評価規準

知識・技能	❶親しみやすい古文や漢文、近代以降の文語調の文章を音読するなどして、言葉の響きやリズムに親しんでいる。(〔知識及び技能〕(3)ア) ❷語感や言葉の使い方に対する感覚を意識して、語や語句を使っている。(〔知識及び技能〕(1)オ)
思考・判断・表現	❸「書くこと」において、目的や意図に応じて、感じたことや考えたことなどから書くことを選んでいる。(〔思考力、判断力、表現力等〕B ア)
主体的に学習に取り組む態度	❹進んで文語調の文章や言葉の響きに親しみ、語感や言葉の使い方に対する感覚を意識しながら、学習の見通しをもって、事実や経験を基に感じたり考えたりしたことについて文章に書こうとしている。

単元の流れ

時	主な学習活動	評価
1	冬の思い出について想起する。 『枕草子』の冬の範読を聞き、清少納言の冬についての感じ方を知り、音読をして、言葉の響きやリズムに親しむ。 教科書を読んだり冬の言葉を出し合ったりして、新しい冬の言葉について知る。 自分の冬の思い出を基に、「自分流の『枕草子』冬版」や短歌・俳句を書く。 互いの「自分流の『枕草子』冬版」や短歌・俳句を読み合い、感じ方を知る。	 ❶ ❷ ❸ ❹

授業づくりのポイント

〈単元で育てたい資質・能力〉

季節の言葉を扱う単元の最終回である。過去の3回の学習を生かして、冬を表す言葉やその語感、言葉の使い方に気付く力を高め、言葉はおもしろい、新たに知った言葉を使ってみたいという思いを育むことが重要である。また、古い言い回しに慣れた、言葉への興味・関心が高まった、昔の人のものの見方や感じ方への感覚が鋭くなった、自分の感じていることを表現する力が向上したなど、子供が春からの自分の成長を感じられるようなまとめ方、共有の仕方を考えることも大切である。

〈言語活動の工夫〉

子供は、これまでの各季節の学習で、春は語彙を増やし、夏は「自分流の『枕草子』夏版」を作り、秋は自分の思いを短歌や俳句を含めた文章にまとめてきている。また、他の単元で、詩も学習してきている。冬は集大成としていちばん表現しやすい形式で自分の思いをまとめさせる。自分が経験した冬の様子や思いを自由にまとめさせることで、冬を表す言葉やその語感、使い方に気付かせる。また、時間が許すのであれば、配当時間をもう1時間増やし、作品をじっくり共有し合うことで、自他の感じ方の共通点や相違点、昔の人のものの見方や感じ方、自分のものの見方や感じ方の特徴に気付けるようにしたい。

[具体例]

○新しい冬の言葉について知った後、「雪化粧」「寒稽古」「氷柱」など、「雪」「寒」「氷」が付く冬の言葉で、子供が思い出を想起できそうな言葉を教師からいくつか提示するとともに、教師の思い出をまとめたものを、短歌や俳句、「『枕草子』冬版」や詩の形で提示し、「自分にも同じような思い出がある、書ける」と思わせる。その上で、自分が経験をした冬の様子や思いをまとめさせる。

○詩の形にまとめたいという子供のために、三好達治の「雪」や「冬が来た」、金子みすゞの「積もった雪」などを提示し、詩の形にまとめるイメージをもたせるとよい。

〈ICT の効果的な活用〉

共有：これまでの3回の季節の言葉の学習で子供が集めてきた季節の言葉は、冬の学習をすることで四季が揃う。生活（行事、出来事、二十四節気・七十二候、道具）、自然（植物、生き物）、食べ物、天気・気候とジャンルごとに分類してホワイトボードアプリ等に集めたものは、来年度も活用できるよう、子供はもちろん、校内で共有できる形で保存するとよい。5年生で集めたものに、さらに6年生で言葉を加えることにより、語彙が豊かになったことを子供自身が実感することができる。

記録：語彙の豊かさについては数値で表すことが難しく、子供も実感しにくい部分がある。そこで、子供が季節ごとに書いてきた作品について、春からのものを見返すことで、季節の言葉の学びにおける1年間の自身の成長を実感することができるようにする。見返すことで、今の自分ならばこの言葉を使う、こういう表現にするというように、よりよい表現方法や言葉にこだわって考える力の高まりを実感させたりすることもできる。

本時案

冬の朝

本時の目標

・文語調の文章を音読して、言葉の響きやリズムに親しみ、自分が感じた秋について文章にまとめることができる。

本時の主な評価

❸目的や意図に応じて、感じたことや考えたことなどから書くことを選ぶことができる。【思・判・表】

資料等の準備

・教科書の文と写真の拡大コピー
・子供向けの季語の本、国語辞典

ねことぼく
こたつで
いっしょに
まるくなる

霜柱
土をどっさり
持ち上げて
力を見せても
子どもにふまれ

冬は温泉。雪の降りたるは言ふべきにもあらず。ゆかたの襟を合わせて肩をすぼめて露天風呂に行くもいとつきづきし。柚子や林檎などが浮きし湯に入るはいとよろし。

たったったったっ
選手が一人走り去った
たったったったっ
また一人走り去った
はっはっはっはっ
息が白い
たったったったっ
汗が光る
ぼくも手に汗握る
思わずさけんだ大声で
いけー!

授業の流れ ▷▷▷

1 自分が経験した冬の思い出を想起する 〈5分〉

T　今日は、冬について考えてみましょう。冬といえば、何をイメージしますか。どんな思い出がありますか。
・冬休み！お正月にお年玉がもらえる！
・去年、初めてスキーに行って、滑れるようになって楽しかった。
・霜柱を踏んで歩くのが楽しいんだよね。
・冬はお鍋でしょ。
・寒いから、こたつでみかんを食べる。
・お正月遊びだと、たこ揚げとかこま回し、福笑いとかを1年生の頃にやったよ。
○このあとの活動で、冬の思い出を「自分流『枕草子』冬版」、短歌や俳句等にまとめるので、自分の冬はこれ、という思い出を子供が想起できるような導入にしたい。

2 清少納言の感じ方、リズムや言葉の響きに親しむ 〈10分〉

T　秋までと同じように、清少納言の『枕草子』の冬を読んで、冬の何がよいと思っていたのか、探ってみましょう。
・「つとめて」って何？勤めるとは違うよね。「火をおこす」って言っているから朝かな。
・「言ふべきにあらず」って秋にもあったね。雪が降っているのは言いようもなくよいって、昔も今と同じように感じていたんだね。
・「わろし」は、悪いってことだね。気持ちを表すのに「をかし」とか「○○し」っていう言い方をしていたんだね。
○大体の内容が押さえられればよいので、多様な音読の仕方を通して、語感や言葉の使い方に気付かせる。また、リズムのよさや今と昔の言葉の違いなどにも気付かせる。

冬の朝

2 言葉のひびきやリズムに親しみ、自分が感じる冬について文章にまとめよう。

『枕草子』　清少納言

冬はつとめて。
冬は早朝がよい。
雪の降りたるは言ふべきにもあらず、霜のいと白きも、
雪が降っているのは言うまでもない。霜が真っ白なのも、
またさらでもいと寒きに、火などいそぎおこして、
またそうでなくても、とても寒いときに、火などを急いでおこして、
炭もて渡るもいとつきづきし。
炭を持ち運ぶ様子も、たいへん冬らしい。
昼になりて、ぬるくゆるびもていけば、
昼になって、寒さがやわらいでくると、
火桶の火も白き灰がちになりてわろし。
火桶の中の火も白い灰が多くなってきて、よくない。

3 ○冬の思い出を文章にまとめる

3 冬の思い出を「自分流『枕草子』」等にまとめ、共有する　〈30分〉

○子供の制作の前に、教師の作例を提示する。教師の作例は、子供が書かないような内容で書いたほうが、子供の考えと重ならない。

T　先生は、冬の思い出をいろいろな形にまとめてみました。みなさんも、冬の思い出を「自分流『枕草子』冬版」、短歌や俳句、詩などにまとめてみましょう。

・冬でいいのは、雪が降ることと、スキーとスケートができることだな。よくないのは、雪が解けることにすると書けそうだな。
・冬は寒いから好きじゃないんだよ。朝布団から出たくないことなら俳句にできるかな。
・おじいちゃんたちと、りんごの浮かんだ温泉に入ったことを詩にしたらどうかなあ。
・箱根駅伝を見に行ったことでもいいのかな。

ICT 等活用アイデア

子供の作品を共有し、言葉の使い方や表現を鑑賞し合う

　季節の言葉の最終回となる冬は、自分の選んだ形式で思い出をまとめる。そこで、時数を1時間増やし、作品を文書作成ソフト等で作成し、鑑賞し合う時間を設けるとよい。句会形式にして好きな作品を選ぶことで、言葉の使い方や表現の工夫に着目させることができる。季節の言葉や表現の工夫、語順等について意見交換をすることは、4回にわたる1年間の学びを振り返ることにもなる。共有して見合うことで、言葉への新たな気付きが生まれることが大切である。

詩の楽しみ方を見つけよう

好きな詩のよさを伝えよう （2時間扱い）

単元の目標

知識及び技能	・比喩や反復などの表現の工夫に気付くことができる。((1)ク)
思考力、判断力、表現力等	・文章を読んでまとめた意見や感想を共有し、自分の考えを広げることができる。(C カ)
学びに向かう力、人間性等	・言葉がもつよさを認識するとともに、進んで読書をし、国語の大切さを自覚して思いや考えを伝え合おうとする。

評価規準

知識・技能	❶比喩や反復などの表現の工夫に気付いている。(〔知識及び技能〕(1)ク)
思考・判断・表現	❷「読むこと」において、文章を読んでまとめた意見や感想を共有し、自分の考えを広げようとしている。(〔思考力、判断力、表現力等〕C カ)
主体的に学習に取り組む態度	❸学習の見通しをもって、進んで詩を読んでまとめた意見や感想を共有し、自分の考えを広げようとしている。

単元の流れ

時	主な学習活動	評価
1	詩を読み、それぞれの感想を交流する。 ・教科書に掲載されている6編の詩を読み味わう上で、詩に書かれている言葉を予想したり、表現の工夫のおもしろさを話し合ったりする。 これまで学習した詩を読んだり、気に入った作者の詩を見つけたりする。 【お気に入りの詩をプレゼントしよう】という学習のゴールを確認する。	❶ ❷
2	お気に入りの詩を選び、その詩のよさを紹介する。 ・詩をプレゼントするという目的意識、相手意識をもちながら取り組む。 ・その詩の表現のよさは何かを考える。 ・どんな人に、どのようなときに読んでほしい詩なのか考える。 ・紹介の仕方を考える。 例：色紙などに書く。絵手紙として書く。紹介カードを作成する。プレゼンテーションソフトを用いて表現するなど。	❸

授業づくりのポイント

〈単元で育てたい資質・能力〉

本単元では詩に親しみ、生活の中で詩を楽しむ方法を考えることがねらいである。教科書に掲載されている詩に加えて、これまで学習してきた詩や子供にすすめたい詩など様々な詩に触れさせる。たくさんの詩と出合わせ、子供がお気に入りの詩を見つけることができたら、それぞれの詩の表現のよさについて考えさせたい。言葉に着目させながら、詩の題材に対してどのような印象が生まれているのか、自分の考えを広げさせていきたい。

〈教材・題材の特徴〉

本教材では６編の詩が掲載されている。いずれも短い詩であり、想像を膨らませやすい。また、それぞれの詩には比喩や反復、体言止めといった、子供がこれまでに学習してきた表現の工夫がなされているため、興味をもちやすいと考えられる。掲載されている詩をきっかけに、気に入った作者の詩集を読んだり、音読を楽しんだりと多様な学習活動を行うことができる。また、単に詩を読んで楽しむだけにとどまらず、紙に書いたり、絵に表したりしながら、お気に入りの詩を紹介する活動に取り組むことで、詩への興味・関心を高めていくことができる教材といえる。

〈言語活動の工夫〉

本単元では、【お気に入りの詩をプレゼントしよう】として相手意識や目的意識をもたせた言語活動を設定した。どんな人に、どのような詩をプレゼントするのか、どうしてその詩を選んだのか、その詩のよさは何かといった視点から、自分が選んだ詩についてじっくりと考えさせていきたい。詩をプレゼントする際には様々な表現の仕方が考えられる。例として、色紙に書く、手紙に添える、紹介カードを書く、ICT 端末のソフトを活用するといった表現活動が考えられる。詩をプレゼントしようとする相手に応じて、表現方法を選択する姿が期待できる。

ほかにも、テーマを決めて詩集を作る、しおり、絵手紙、メッセージカードなどを作るといった言語活動が考えられるだろう。子供自らが考え、主体的に取り組むことができる言語活動を取り入れていくとよい。

[具体例]

○詩をプレゼントする相手を決め、自分が贈りたい詩を選ばせる。どうしてその詩を選んだのか、理由を明確に表現させるとよい。

○詩をプレゼントする際に、どのように表現すればよいかを考える。できあがった作品を友達と交流し合い、感想やコメントを交流する。

〈ICT の効果的な活用〉

調査：教科書に掲載されている詩の言葉の意味を検索したり、多様な解釈に触れたりしながら、詩への理解を深める。

共有：詩の感想を共有し合うことで、自分の考えを広げたり、深めたりする。

表現：お気に入りの詩を表現する際に、プレゼンテーションソフト等を活用して、詩のイメージを視覚的に表すといった方法もよいだろう。

本時案

好きな詩のよさを伝えよう 1/2

本時の目標

・詩を読んで感想を交流することができる。

本時の主な評価

❶比喩や反復などの表現の工夫に気付くことができる。【知・技】
❷詩を読んで、意見や感想を共有し、自分の考えを広げようとしている。【思・判・表】

資料等の準備

・ワークシート① 14-01
・詩を拡大したもの

授業の流れ ▷▷▷

1 詩を読んだ経験について交流し、学習のゴールを知る 〈10分〉

T　これまでに詩を読んだ経験を振り返りましょう。印象に残っている詩はありますか。
・教科書の扉の詩が印象に残っている。
・図書室で読んだことがある。
・「のはらうた」や「からたちの花」を学習したことがある。
T　詩のどんなところがおもしろいと感じますか。
T　みなさんのお気に入りの詩を友達や家族にプレゼントしましょう。
○実際に教師がモデルとなる作品を１つ作成しておき、子供に示すとよい。

ICT 端末の活用ポイント

詩のプレゼントの方法の１つとして、ICT 端末のプレゼンテーションソフトを活用することもできる。

2 詩を味わい、感想を交流する 〈15分〉

○教科書に掲載されている６編の詩を扱う。スクリーンに投影するなどして、１編ずつ掲示していくと子供の好奇心を刺激することができる。
T　最初は「蛇」という詩です。この詩はたった一行の詩です。予想してみましょう。
○続きを予想させたり、空欄に入る言葉を考えさせたりするとよい。
T　６つの詩の中で気に入った詩を視写しましょう。好きなところや気付いたことをまとめましょう。

ICT 端末の活用ポイント

詩の視写について、書くことが苦手な子供は ICT 端末の文書作成ソフトなどを活用して打ち込むようにするとよい。

好きな詩のよさを伝えよう

自分のお気に入りの詩を見つけよう。

2

○○にはどんな言葉が入るでしょうか。

蛇

○○すぎる。

・こわすぎる。
・長すぎる。
・おそろしすぎる。
・美しすぎる

答え→ ながすぎる。

土

蟻が
蝶の羽をひいて行く
ああ
○○のやうだ

・トラックのやうだ。
・人間のやうだ。

詩の好きなところや、気づいたこと

・言葉の選び方がおもしろい。
・リズムの心地よさ。
・メッセージ性がある。
・場面の様子が想像できる。
・心に残る言葉がある。

3 お気に入りの詩を見つける〈20分〉

T　みなさんのお気に入りの詩を1つ見つけましょう。友達や家族にプレゼントしたいと思う詩を探しましょう。

・詩のリズムがおもしろい。
・詩のメッセージにとても共感した。
・有名な詩だから知っているかな。

○ここでは、図書室を活用したり、事前に教師が詩集を用意したりして、できるだけたくさんの詩に触れさせるようにしたい。

○この時間内に選びきれないことも想定される。家庭学習等で選ぶようにするとよい。

ICT 端末の活用ポイント

ICT 端末の検索機能を用いて、他者のおすすめの詩集や詩人についての情報を得ることも、学習を深めるうえで有効である。

よりよい授業へのステップアップ

学習の見通しをもたせる工夫
図書室の活用

子供が主体的に学習に取り組むためには、学習の目的が明確であることが重要である。ここでは「お気に入りの詩をプレゼントしよう」という単元のゴールを設定した。事前に教師が成果物を作成し、モデルとして示すことで、子供たちが学習のゴールをイメージすることができる。

図書室には様々な詩集が用意されている。図書室を活用し、できるだけ多くの詩に触れさせたい。

本時案

好きな詩のよさを伝えよう 2/2

本時の目標

・お気に入りの詩を選び、様々な楽しみ方を体験しようとする。

本時の主な評価

❸詩に関心をもち、好きな詩のよさを進んで紹介しようとしている。【態度】

資料等の準備

・自分が選んだ好きな詩
・ワークシート② 14-02

2
・色紙に書く。
・手紙にそえる。
・絵手紙にする。
など

3
○作品を交流し、感想を伝え合おう

授業の流れ ▷▷▷

1 詩の紹介の仕方について知る 〈5分〉

T　詩にはいろいろな紹介の仕方があります。プレゼントのアイデアを探しましょう。
・詩の書き方を工夫してみよう。
・飛び出すカードにしてみたい。
・筆で書いてみようかな。
・４コママンガ風にしてみようかな。
・プレゼンテーションソフトを使ってみようかな。
○前時で教師が示した成果物に加えて、絵手紙なども紹介すると、子供のイメージが膨らむであろう。

ICT端末の活用ポイント

端末の検索機能を用いて、詩の紹介の仕方について情報を集め、参考にするとよい。

2 プレゼントづくりを行う 〈30分〉

T　自分なりにアイデアを出しながら、詩のプレゼントづくりに挑戦しましょう。
○作業がなかなか進まない子供には、教師からアイデアを示すようにする。また、友達の作品からアイデアをもらうように声をかけるとよい。
○作業の途中にも、子供たち同士の交流を行わせることで、アイデアに広がりが生まれる。積極的に時間を確保したい。
○早く完成した子は、別の表し方を考えさせたり、友達にアドバイスをさせるなどするとよい。

好きな詩のよさを伝えよう

詩の紹介のしかたを知り、プレゼントを作ろう。

1 ○詩のしょうかいのしかた

作品の例を掲示

作品の例を掲示

作品の例を掲示

作品の例を掲示

3 作品を交流し、感想を伝え合う〈10分〉

T　作成した詩のプレゼントを交流し合いましょう。付箋紙にコメントを書いて伝え合いましょう。

・書き方が工夫してあってよかった。

・詩の内容にとても共感した。

○作品が完成したら、それぞれ鑑賞し合う時間を確保する。付箋紙を用意し、コメントを書いて伝え合うことで、子供の意欲が高まる。

○コメントを書く際にも、よかった点に加えて、詩の内容に関するコメントも加えるように声をかけるとよい。

ICT 端末の活用ポイント

作成した作品を撮影し、ICT 端末のプレゼンテーションソフト等に記録する。そしてコメント機能を用いて交流することも可能である。

よりよい授業へのステップアップ

感想交流の機会の設定

成果物を作成した際には、感想を交流する時間を確保したい。友達からの感想をもらうことで、学習に対する成就感・達成感を味わうことができるのみならず、学級の人間関係を形成するうえでも非常に有効である。

感想の交流には付箋紙を活用するとよい。文字として残ることで、読み直すことができる利点がある。

また、ICT 端末のアプリケーションで作品を共有し、コメント機能を用いて交流するなどしてもいいだろう。

資料

1 第1時資料　ワークシート① 14-01

生活の中で詩を楽しもう

名前（　　　　　　　）

○お気に入りの詩を視写しよう。

☆詩の好きなところや気づいたことを書こう。

2 第2時資料　ワークシート② 14-02

資料　おすすめの作家と詩集

①谷川俊太郎　「すてきなひとりぼっち」「すき」「みみをすます」「どきん」
②工藤直子　「新編　あいたくて」「のはらうたシリーズ」
③灰谷健次郎　「子どもの詩集　たいようのおなら」
④新美南吉　「花をうかべて」
⑤金子みすゞ　「わたしと小鳥とすずと」
⑥かこさとし　「ありちゃん　あいうえお」
⑦まど・みちお「まど・みちお詩集」
⑧宮沢賢治　「新編　宮沢賢治詩集」
⑨川口晴美　「名詩の絵本」

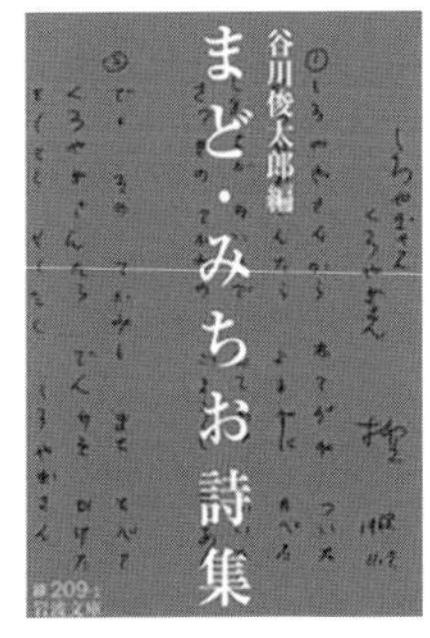

書くときに使おう

言葉でスケッチ　2時間扱い

単元の目標

知識及び技能	・比喩や反復などの表現の工夫に気付くことができる。((1)ク)
思考力、判断力、表現力等	・目的や意図に応じて事実と感想とを区別して書くなど、自分の考えが伝わるように書き表し方を工夫することができる。(B ウ)
学びに向かう力、人間性等	・言葉がもつよさを認識するとともに、進んで読書をし、国語の大切さを自覚して思いや考えを伝え合おうとする。

評価規準

知識・技能	❶比喩や反復などの表現の工夫に気付いている。(〔知識及び技能〕(1)ク)
思考・判断・表現	❷「書くこと」において、目的や意図に応じて事実と感想とを区別して書くなど、自分の考えが伝わるように書き表し方を工夫している。(〔思考力、判断力、表現力等〕B ウ)
主体的に学習に取り組む態度	❸粘り強く自分の考えが伝わるように書き表し方を工夫し、学習課題に沿って、情景が伝わるように書こうとしている。

単元の流れ

時	主な学習活動	評価
1	・メモの書き方をつかむ。 ・「例」のよいところを見つけて、情景が伝わってくる表現の工夫の仕方を確かめる。	❶
2	・自分が選んだ写真を、言葉で表現する。 ・完成した文章を読み合い、よいところを伝え合う。 ・「たいせつ」を読んで確かめ、学習を振り返る。	❷ ❸

授業づくりのポイント

〈単元で育てたい資質・能力〉

本単元のねらいは、詩や物語を書くときに情景が伝わるように、表現を工夫する力を付けることである。

そのためには、人物の行動や会話、場面の様子（色や音、においなど）を想像して、その情景が伝わる言葉で書き表すことが重要である。また、例えやオノマトペを使うなど、表現を工夫することもできる。

そして、実際に書いてみて、より情景が伝わるように書けているか友達と意見交換をすることで、情景が伝わる表現についての理解が深まる。

〈教材・題材の特徴〉

本単元では、写真から「見て分かること」「想像したこと」「人物の様子」「周りの様子」の４つの視点をイメージすることで、想像を広げながら、より詳しく言葉で表現する活動につなげている。子供は、「見て分かること」や「人物の様子」などは普段から意識して書くことができるが、「想像したこと」や「周りの様子」といったことには、あまり意識を向けていないことに気付かせていきたい。

そのために、メモの書き出しをしっかりと行うことで、これまで使っていなかったような表現の工夫につなげていきたい。そして、「想像したこと」や「周りの様子」などの観点を生かすことで、奥行きのある表現につながることに気付かせていきたい。

〈言語活動の工夫〉

教科書の例文では、「初め」「中」「終わり」の３段落構成になっている。第２時における書く活動でも、３段落構成を意識させることで、「中」の部分でより詳しい表現を使うという視点をもたせるとよい。

また、子供の写真選びの一助として、授業者が用意した写真で文を作る練習をするのも効果的である。授業の時期は、１月の初旬に行われることが想定される。冬休みが明けてすぐの授業だけに、いろいろな行事を子供も授業者も経験している。クリスマスやお正月、冬休み中の旅行などのイベントの中から、写真を授業者が例として出すことで、子供が写真に興味をもって、意欲的に授業に取り組めるようになる。

[具体例]

○「初め」では、５Ｗ１Ｈの概要を書く。「中」では、その写真から分かることを「想像したこと」も交えてより詳しく書き表す。その際に、写真では分からない、会話や場面の様子（音やにおい、触覚など）も書き加えられるとよりよい。「終わり」では、文のまとめや著者の思いなどを書く。

○授業者が用意した写真を例にして、子供とともにメモや文を考える活動を行うことで、より子供の語彙を耕せる。写真は、上記の冬休みに限らず、家族の写真、飼っているペットの写真、育てている植物の写真などでもよい。生きているもののほうが心情などを想像しやすく、情景をイメージしやすい。

〈ICT の効果的な活用〉

調査：検索、または写真機能を用いて、自分の表現してみたい題材を探させる。自分の興味のある写真、イメージしやすい写真を用いることで、意欲的に活動に取り組めるようになる。

共有：友達同士で共有する際に、書いた文章だけでなく、自分の選んだ写真を見せることで、そこから何を読み取ったか共有することができる。

本時案

言葉でスケッチ

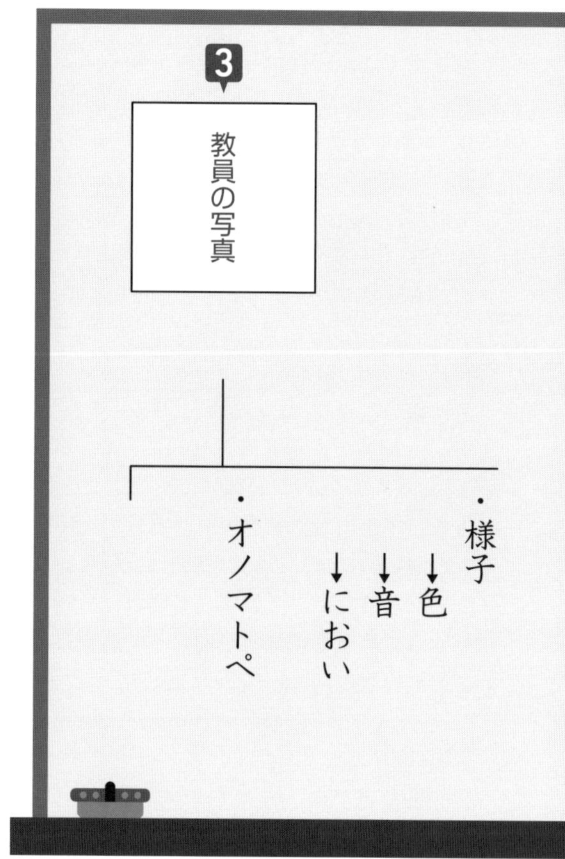

本時の目標

・メモの書き方をつかむことができる。

本時の主な評価

❶本単元の見通しを知り、メモの書き方を理解することができている。【知・技】

資料等の準備

・教科書 p.194　ねこの写真（拡大）
・教科書 p.194　観点メモ（拡大図）
・教科書 p.195　文例（拡大）
・授業者が用意した写真（拡大）

授業の流れ ▷▷▷

1 学習の見通しをもつ 〈10分〉

○ねこの拡大写真を見せて（黒板に貼り）、気づいたことを発表させる。

T　この写真を見て、気づいたことはありますか。

・かわいい。

・気持ちよさそう。

○教科書 p.194を読み、本単元のめあてを確認する。

○拡大写真を（黒板から）取り、子供の発言だけで元の写真のイメージがわくか考えさせる。

・どうかわいいか分からない。

・どんなねこなのか伝わらない。

T　写真を見ていない人には、どんな情景なのか伝わらないね。どうすれば伝わりやすくなるか学習していきましょう。

2 観点を理解し、メモから文章に直す方法を知る 〈15分〉

○教科書に出てくる4つの観点を確認し、それぞれが重要なことを押さえる。

T　普段伝えているのはどこかな。

・「人物の様子」「見て分かること」です。

T　情景を伝えるためには、「周りの様子」や「想像したこと」も大切です。

○情景を伝えるためには、メモの右上のエリアだけでなく、ほかの3つのエリアも大切であることを押さえる。

○メモと文例を照らし合わせ、メモで書いたものが、文例のどこに生かされているのかを確認する。

○「初め」では、5W1Hの概要を書く。「中」では、写真から「想像したこと」も交えて、より詳しく書くことを押さえる。

言葉でスケッチ

メモの書き方を理解しよう。

1

ねこの写真

・かわいい。
・気持ちよさそう。
・なでてみたい。

○観点にそってメモを書き出そう

〈観点〉
・人物の様子 ⇔ ・周りの様子
・見て分かること ⇔ ・想像したこと
・人物の行動
・人物の会話

2

観点メモ
拡大図

文例
拡大

3 メモを取る練習をする 〈20分〉

○冬休み等で撮った授業者の写真を用意し、子供のメモ練習に活用する。

T 先生の写真で、メモをとる練習をしてみましょう。

・どこに行った写真ですか。
・先生はどんな会話をしているのだろう。

○観点メモの拡大図の 4 つのエリアに画用紙を貼り、先生の写真から考えた子供の発言をメモしていく。

○メモを基に、文を考える。

ICT 端末の活用ポイント

ICT 端末に、授業者の写真と十字に区切ったワークシートを用意しておき、子供に記入させてもよい。また、黒板ではなく、授業者が電子黒板に映して記入していってもよい。

よりよい授業へのステップアップ

授業者の写真の工夫

教科書の写真例だけでなく、授業者が用意した写真を例にして、子供とともにメモや文を考える活動を行うことで、語彙をより耕し、教科書にない表現の工夫を補うことができる。

取材期間の工夫

この単元は、写真選びがとても重要な要素を担っている。愛着のある写真や子供の得意分野に関連した写真などを見つけることが、書く意欲につながる。そこで、写真を選ぶ（持ち寄る）期間をしっかりと確保することで、子供の意欲的な活動が期待できる。

本時案

言葉でスケッチ

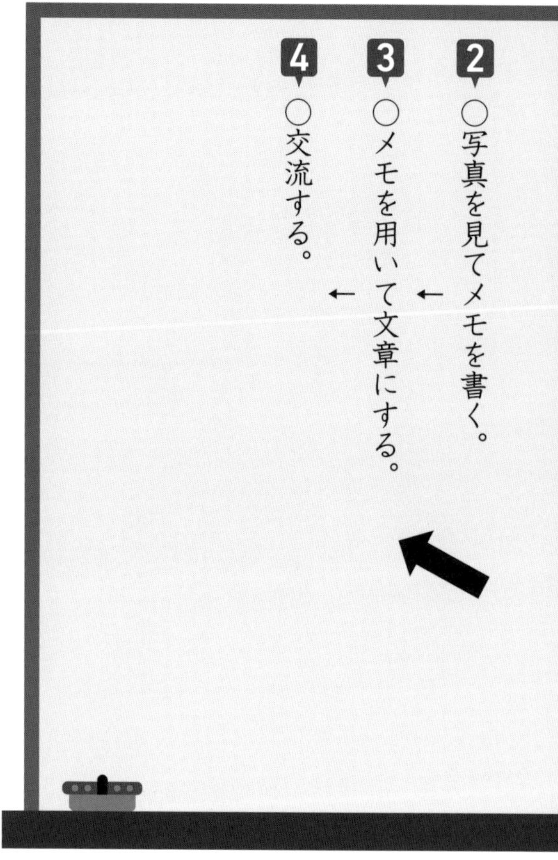

本時の目標

・自分が選んだ写真を、言葉で表現することができる。

本時の主な評価

❷自分が選んだ写真を、言葉で表現することができている。【思・判・表】
❸粘り強く自分の考えが伝わるように書き表し方を工夫し、学習課題に沿って、情景が伝わるように書こうとしている。【態度】

資料等の準備

・前時の教員写真の観点メモ（拡大図）
・前時の教員写真の文例
・「矢十字（二軸四象限）のワークシート
・原稿用紙

授業の流れ ▷▷▷

1 メモから文章の仕方を確認する〈10分〉

○前時の教師の写真とそのメモを黒板に貼る。
T　前時の学習を覚えていますか。
・「想像したこと」をメモしました。
・「周りの様子」も考えました。
T　メモを使って文章を考えたことを覚えていますか。
・「初め」に、「いつ・どこで・誰が」を書きます。
・「中」では、「想像したこと」も交えてより詳しく書きます。
○もし、前時でメモから文章までできていなければここで扱う。
○「初め」「中」「終わり」の3段落で書くことが望ましい。また、メモで書き出したもの全てを使う必要がないことも伝える。

2 自分の写真からメモを書き出す〈10分〉

○写真を机上に（ICT 端末に）出させる。
T　写真を見ながら、相手にその情景が伝わるように、メモを取りましょう。
・ぼくの写真の背景には……。
・私の写真には、ウキウキしている子が……。
○机間指導をし、「想像したこと」が書けない子供には、登場人物の気持ちや音、においなどを考えるようアドバイスする。

ICT 端末の活用ポイント

ICT 端末に「矢十字（二軸四象限）」のシートを用意しておくことで、ワークシートの代わりになる。ICT 端末で作業することで、写真をシートに貼ることができ、全体で共有することもできる。

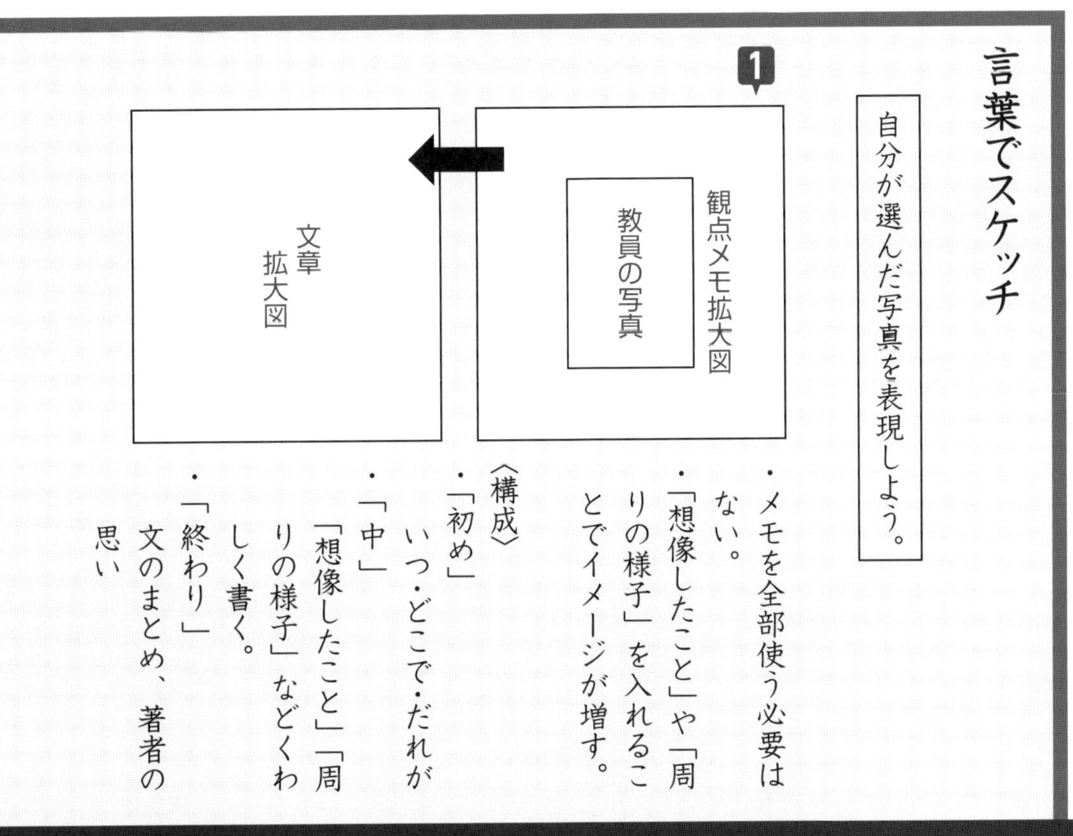

3 メモから文章を書く 〈15分〉

T　メモを十分に取れたら、それを用いて文章を書きましょう。

・どのメモを使おうかな。
・まずは登場人物の紹介をしよう。

○メモから文章にするのが苦手な子供には、メモ１つに１文作ることで文章化を促すとよい。

○文章量は、300字程度でよい。子供へは、「原稿用紙におさまる程度」や「原稿用紙半分以上」などと言いかえてもよい。

○学級の実態に合わせて、「メモ」「文章」「共有」を、時間を区切って行っても、子供のペースのままに活動させてもよい。

○子供のペースのままに活動させる場合、共有する場所を確保することで、終わった子供が自分のタイミングで共有できるようにする。

4 文章を共有する 〈10分〉

T　文章が書けたら、その文章を友達と読み合い、お互いの写真を想像してみましょう。

・友達はどんなふうに書いたかな。
・こんな表現方法もあるんだな。

○交流していくなかで、友達の感想を聞いて書き足したくなったら、その都度書き足していくことを奨励したい。

○交流が終わったら、教科書 p.195の「たいせつ」を読み、書くときの工夫を確認する。

ICT 端末の活用ポイント

ICT 端末でメモを取っていた場合、文章を読んだあとに写真の貼られたメモを見せ合うことで、どんな写真だったのか確認し合うとともに、メモの内容についても確認し合える。

言葉

熟語の読み方 （2時間扱い）

単元の目標

知識及び技能	・第5学年までに配当されている漢字を読むことができる。((1)エ)
学びに向かう力、人間性等	・言葉がもつよさを認識するとともに、進んで読書をし、国語の大切さを自覚して思いや考えを伝え合おうとする。

評価規準

知識・技能	❶第5学年までに配当されている漢字を読んでいる。(〔知識及び技能〕(1)エ)
主体的に学習に取り組む態度	❷進んで熟語の読み方に関心をもち、学習課題に沿ってそれらを理解しようとしている。

単元の流れ

時	主な学習活動	評価
1	漢字の読み方（音読みと訓読み）を復習する。 教科書 p.196上段の熟語の漢字は、音読みと訓読みのどちらで読んでいるかを考える。 重箱読みと湯桶読みの熟語について理解する。 設問1に沿って、音読みと訓読みの組み合わせになっている熟語を探す。 集めた熟語を重箱読みと湯桶読みに分ける。	❶
2	教科書 p.197を読んで、特別な読み方をする熟語があることを知る。 設問2に沿って、熟語の読み方を考える。 特別な読み方をする熟語を探す。 特別な読み方をする熟語のクイズを作り、紹介し合う。	❷

授業づくりのポイント

〈単元で育てたい資質・能力〉

本単元は熟語の読み方に着目し、まとまった知識として整理しながら理解する単元である。漢字の学習を通して語彙を豊かにするためには、漢字の読み書きに加え、熟語の構成や読み方の変化に対する理解を深めていく必要がある。

高学年になると、読書活動や他教科の学習の場面において、初めて出合う熟語も少なくない。そのようなときに、本単元での学習を想起しながらその熟語の読み方について考えてみると、初めて出合う熟語に対しても読み方をある程度推測できるようになる。また、本単元での学習を通じて、熟語を構成した際に生じる漢字の読み方の変化（例えば、「綿＋毛」は「ワタゲ」、「花＋畑」は「ハナバタケ」など）にも気付かせたい。

〈教材・題材の特徴〉

本単元では、まず7つの熟語の読み方に着目させ、音読み・訓読みの組み合わせ方が異なることに着目させている。その組み合わせ方は、「音読み＋訓読み」のパターンの重箱読み、「訓読み＋音読み」のパターンの湯桶読み、「音読み＋音読み」のパターン、「訓読み＋訓読み」のパターンの4種類である。本単元では、重箱読みと湯桶読みの例が示されている。

また、教科書 p.197には「七夕」をはじめ、熟語の特別な読み方も掲載されている。これらの特別な読み方は「熟字訓」といい、漢字一字を単位とするのではなく熟語単位で訓読みをする。「熟字訓」には教科書 p.197に掲載されている以外にも、数多くある。例題をきっかけとして、他の熟語の特別な読み方にも目を向けてほしい。

〈言語活動の工夫〉

熟語の読み方の分類（重箱読みや湯桶読み）を理解したのち、子供は目についた熟語の読み方を分類してみたくなるだろう。漢字辞典を活用して、漢字の読み方を調べ、様々な熟語の読み方について理解を深めさせたい。そうした学習過程において、子供は第5学年までに習っていない漢字とも出合うことになるだろう。その場合は、漢字について必要に応じた弾力的な扱いが求められる。また、調べたことを基に友達とクイズを出し合うと、子供は楽しみながら、熟語の構成をより理解できる。その他の言語活動としては以下の例が考えられる。

[具体例]

○「熟語ババ抜き」…「音読み＋音読み」「訓読み＋訓読み」「重箱読み」「湯桶読み」「特別な読み方」の熟語を各10枚ずつカードに書き、「ババ」も入れる。3～4人で「ババ抜き」と同じように同じ読み方に分類できるカードが揃ったら、場に捨てる。手元にカードがなくなった人が勝ち。

○「特別な読み方の由来」…特別な読み方には、由来がある。ICT 端末や書籍を活用して、「特別な読み方」の由来を探して、分かったことを交流する。

〈ICT の効果的な活用〉

調査：本単元では、熟語の読み方を調べるときに ICT 端末を用いると有効である。また、同じ熟語の読み方に分類できる熟語を調査する場合にも有効である。ただし、調査する場合には出典を明らかにした上で、複数の情報源から判断する必要がある。

共有：子供が熟語を集めたら、ICT 端末を活用して熟語を共有すると、短時間でより多くの熟語を読み方によって分類することができる。また、そうした学習を通して、「調査→共有」という学習過程では ICT 端末を活用することが有効であるという実感をもたせることも大切である。

本時案

熟語の読み方 1/2

本時の目標

・第５学年までに配当されている漢字を読む。

本時の主な評価

❶第５学年までに配当されている漢字を読んでいる。【知・技】
・進んで熟語の読み方に関心をもち、学習課題に沿ってそれらを理解しようとしている。

資料等の準備

・カード状に切った白画用紙

・湯桶読み（訓読み＋音読み）
梅酒：うめ・シュ　太字：ふと・ジ
見本：み・ホン

2 ○音読みと訓読みを組み合わせた熟語を探してみよう

3 ○集めた熟語を分類してみよう

授業の流れ ▷▷▷

1 重箱読みと湯桶読みの熟語について理解する 〈10分〉

○漢字の読み方を復習する。
T　漢字には、２つの読み方がありました。音読みと訓読みです。では、次の熟語は、それぞれどちらの読み方で読んでいるでしょうか。
○教科書 p.196上段の熟語の読み方を確認する。
○熟語には、音読みと音読み、訓読みと訓読みを組み合わせたものが多くありますが、音読みと訓読みを組み合わせた読み方もあります。
○教科書 p.196下段の熟語の読み方を確認する。
T　上が音読み、下が訓読みの熟語を「重箱読み」、上が訓読み、下が音読みの熟語を「湯桶読み」といいます。
○他の熟語例を示してもよい。

2 音読みと訓読みを組み合わせた熟語を探す 〈15分〉

T　音読みと訓読みを組み合わせた熟語は、ほかにどのようなものがあるか、探してみましょう。
○教科書の巻末に掲載されている漢字一覧や漢字ドリルから探してもよい。
○読み方がはっきりしない場合には、漢字辞典を活用するとよい。
○１つの熟語につき、１枚のカードに書く。
○グループで協力して探してもよい。

ICT 端末の活用ポイント

ICT 端末で検索してもよい。また、学習支援ソフトを用いて、集めた熟語を共有してもよい。

熟語の読み方

音読みと訓読みを組み合わせた熟語を探してみよう。

1

○音読みと訓読みの読み方を理解しよう

・音読みと訓読み

音読み：中国から入ってきた発音をもとにした読み方

訓読み：元々日本にあった漢字を当てた読み方

・音読みと訓読みの組み合わせ

態度：音読み＋音読み　見物：音読み＋音読み

飼育：音読み＋音読み　王様：訓読み＋訓読み

綿毛：訓読み－訓読み　雨具：訓読み＋音読み

居間：訓読み＋音読み

・重箱読みと湯桶読み

重箱読み（音読み＋訓読み）

役目：ヤク・め　毎年：マイ・とし

本屋：ホン・ヤ

3 集めた熟語を分類する 〈20分〉

T　集めた熟語を音読みと訓読みの組み合わせで分類してみましょう。

○１つずつ読み方を確認した上で、「重箱読み」と「湯桶読み」に分類する。

○集めた熟語をカードに書き、「熟語ババ抜き」など、発展的な言語活動を展開することもできる。

T　漢字の読み方が分からなかった経験はありますか。今日の学習を生かすと、初めて出合う熟語であっても、ある程度読み方を推測できるようになります。

T　「綿＋毛」は「ワタゲ」、「花＋畑」は「ハナバタケ」などのように、熟語は読み方が変化するものもあります。

ICT 等活用アイデア

熟語を集めて、共有し、分類する

学習支援ソフトを用いると、子供一人一人が集めた熟語を瞬時に学級全体で共有することができる。また、オンライン上で相談しながら読み方で熟語を分類していくことも可能である。

ウェブサイトによっては、重箱読み・湯桶読みとして一覧になっているものがある。子供自身で読み方の分類を考えさせたい場合には、熟語を探す段階ではあえて ICT 端末などは活用せず、身の回りにある熟語の読み方から考えさせることも重要である。

本時案

熟語の読み方

本時の目標

・第５学年までに配当されている漢字を読む。

本時の主な評価

・第５学年までに配当されている漢字を読んでいる。
❷進んで熟語の読み方に関心をもち、学習課題に沿ってそれらを理解しようとしている。【態度】

資料等の準備

・カード状の白い画用紙

「曲者」

「行方」

「芝生」

3 ○集めた熟語からクイズを作ろう

表
七夕

うら
読み方　たなばた
由来　中国の「しちせき」

授業の流れ ▷▷▷

1 特別な読み方の熟語について理解する 〈10分〉

T　特別な読み方をする熟語があります。「たなばた」は「七夕」と書きます。中国に由来する漢語では７月７日の夕のことを「七夕」と書いて「シチセキ」と読んでいました。ここから、和語の「たなばた（棚機）」を「七夕」と書くようになりました。ですから、「七」が「たな」、「夕」が「ばた」と分けて読むことはありません。「七夕」は全体をひとまとめにした特別な読み方です。
○教科書 p.197上段の「七夕」の読み方を確認する。
○教科書 p.197下段の「今年」「時計」「上手」の読み方も確認する。
○教科書 p.197下段の設問の読み方も確認する。

2 特別な読み方をする熟語を探す 〈15分〉

T　特別な読み方をする熟語は、ほかにどのようなものがあるか、探してみましょう。
○読み方がはっきりしない場合には、漢字辞典を活用するとよい。
○熟語を集めるだけではなく、「七夕」のように、特別な読み方になった由来を調べる。
・場合によっては、三字以上の熟語を探してくる子もいるだろう。柔軟に扱うとよい。

ICT 端末の活用ポイント

ICT 端末で検索してもよい。また、学習支援ソフトを用いて、集めた熟語を共有してもよい。

熟語の読み方

特別な読み方をする熟語をさがしてみよう。

1

○特別な読み方について理解しよう

七夕＜読み方：たなばた
由来：漢語の「シチセキ（七夕）」と和語の「タナバタ（棚機）」

今年＜読み方：ことし
由来：「この年（此の年）」

時計＜読み方：とけい
由来：中国の方角や日かげを測る磁針「土圭」

上手＜読み方：じょうず
由来：おしばいのぶ台のよび方

2

○特別な読み方をする熟語をさがしてみよう

「大人」「小豆」「竹刀」

「紅葉」「流石」「百足」

3 集めた熟語からクイズを作る〈20分〉

T　集めた熟語のクイズを作りましょう。

○カードの表面に熟語、裏面に読み方と由来を書く。

○カードをいくつか作り終えたのち、ペアやグループで熟語の読み方をクイズにして出し合う。（例「大人」「小豆」「竹刀」「紅葉」「流石」「百足」「曲者」「行方」「芝生」）

○作り終えたカードは、掲示物として展示することもできる。

ICT 端末の活用ポイント

クイズを端末で作成してもよい。また、学習支援ソフトを用いて、作成したクイズを共有してもよい。

ICT 等活用アイデア

熟語を探して共有し、クイズにする

第１時同様に、学習支援ソフトを用いると、子供一人一人が集めた熟語を容易に学級全体で共有することができる。

また、集めた熟語を難易度やジャンルによって分類していくこともできる。例えば、「花の名前」や日本の伝統色である「大和色」などは特別な読み方も多い。ICT 端末の場合、実際の花や色と適合させて特別な読み方を学ぶことができる。

4年生で習った漢字

漢字の広場⑤ （1時間扱い）

単元の目標

知識及び技能	・第4学年までに配当されている漢字を書き、文や文章の中で使うことができる。((1)エ)
思考力、判断力、表現力等	・文章全体の構成や書き表し方などに着目して、文や文章を整えることができる。(B オ)
学びに向かう力、人間性等	・言葉がもつよさを認識するとともに、進んで読書をし、国語の大切さを自覚して思いや考えを伝え合おうとする。

評価規準

知識・技能	❶第4学年までに配当されている漢字を書き、文や文章の中で使っている。(〔知識及び技能〕(1)エ)
思考・判断・表現	❷「書くこと」において、文章全体の構成や書き表し方などに着目して、文や文章を整えている。(〔思考力、判断力、表現力等〕B オ)
主体的に学習に取り組む態度	❸これまでの学習を生かして与えられた語を用いて進んで文を書き、よりよい文となるよう整えることで、第4学年までに配当されている漢字に習熟しようとしている。

単元の流れ

時	主な学習活動	評価
1	教科書 p.198に提示された言葉やつなぎ言葉を使いながら、駅からおばあちゃんの家までの道順を案内する文章を書く。 書いた文章を読み返し、構成などを整える。 書いた文章を見せ合い、交流するとともに、示された漢字に触れる。	❶ ❷ ❸

授業づくりのポイント

〈単元で育てたい資質・能力〉

本単元は、絵で表現された場面と言葉を結びつけることで、語彙を豊かに広げ、言語力を育むことをねらいとしている。このねらいを達成するために、駅からおばあちゃんの家までの道順について説明する文章を書く。

道案内は、順序が重要となるため、「まず」「それから」などのつなぎ言葉を使って文章を書くことが必要となる。どのつなぎ言葉をどの順で使うと、分かりやすく伝わるかを考えながら、文章を整えていくことが大切である。

[具体例]

○文章を書く活動に入る前に、子供が間違えやすいと思われる漢字を取り上げて、一緒に復習する。「浅」「博」などの点が付く漢字、「競」のはねの違いなど、ポイントを確認する。

○つなぎ言葉のフラッシュカードを準備し、黒板に掲示したり、例文を示したりすることで、適切なつなぎ言葉を選ぶことができるようにする。

〈教材・題材の特徴〉

教科書に描かれている絵地図では、駅からおばあちゃんの家までの道順を複数通り考えることができる。どの道順を案内するか、目印となる建物を何にするかなどを選ぶ楽しみもあり、子供たちにとって意欲的に取り組むことができる教材である。

道案内では、駅から出発して順序よく説明をしなければならない。そのためには、つなぎ言葉を適切に使うことが求められる。第４学年で学習したつなぎ言葉の復習もしながら、どのように説明すれば分かりやすいのかを考え、文章を整えていくことができるとよい。

[具体例]

○近道を選ぶことを目的とせず、どの道を通るか、何を目印とするかなど、選び方によって何通りもの文章を考えることができることを伝え、なるべく多くの漢字を使いながら文章を書くことができるようにする。

〈ICT の効果的な活用〉

表現：教科書 p.198の地図を学習支援ソフトで配付する。子供は、地図に自分が選んだ道順を書き込んだり、目印となる建物に丸を付けたりすることで、文章を書く手掛かりとする。データで配付することで、書き直しが容易であり、また、コピーすることで複数の文章を書くことができる。

共有：文書作成ソフトで入力したファイルを、学習支援ソフトで共有する。子供一人一人の文章が見られるようにすることで、友達の説明のよさに気付いたり、自分の文章と比べたりすることができる。また、どう書いてよいかを考える際に、友達の文を参考にすることができる。

本時案

漢字の広場⑤

本時の目標

・第４学年までに配当されている漢字を書き、文や文章の中で使うとともに、よりよい文となるよう整えることができる。

本時の目標

❶第４学年までに配当されている漢字を書き、文章の中で使っている。【知・技】
❷文章全体の構成や書き表し方などに注目して、文や文章を整えている。【思・判・表】
❸提示された言葉を用いて進んで文を書き、これまでの学習を生かそうとしている。【態度】

資料等の準備

・国語辞典

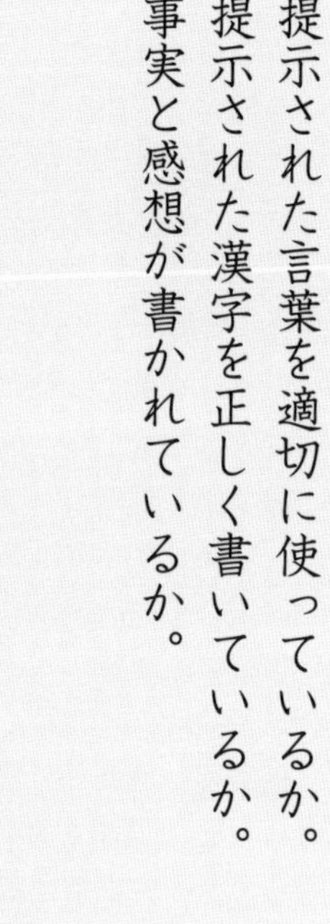

授業の流れ ▷▷▷

1 本時の課題を確認する 〈５分〉

T　みなさんは、道順を案内をしたことがありますか。そのとき、どんなことに気を付けて伝えましたか。
・目印になる建物などを伝えました。
・順序に気を付けました。
T　教科書 p.198のリード文を読みましょう。今日は、教科書の言葉を使って、駅からおばあちゃんの家までの道順を案内する文を書きましょう。

ICT 端末の活用ポイント

教科書 p.198の地図を学習支援ソフトで配布し、道順を書き込んだり目印に丸を付けたりできるようにすることで、文を書く手掛かりとする。

2 間違えやすい漢字やつなぎ言葉について、正しい書き方や使い方を確認する〈10分〉

T　教科書にある言葉を、全部読んでみましょう。間違いやすい漢字はありませんか。
・「浅」「博」の点を忘れてしまうことがあります。
・「競」のはねの違いをよく忘れます。
○子供に考えさせることによって、漢字を正しく捉える習慣を身に付けられるようにする。
○子供から出なかった漢字で、注意を要するものは、教師が提示する。
T　どんなつなぎ言葉を使うとよいか、一緒に確認しましょう。
○どのつなぎ言葉をどの順で使うと分かりやすく伝わるかを考えられるように、フラッシュカードを提示しながら確認する。

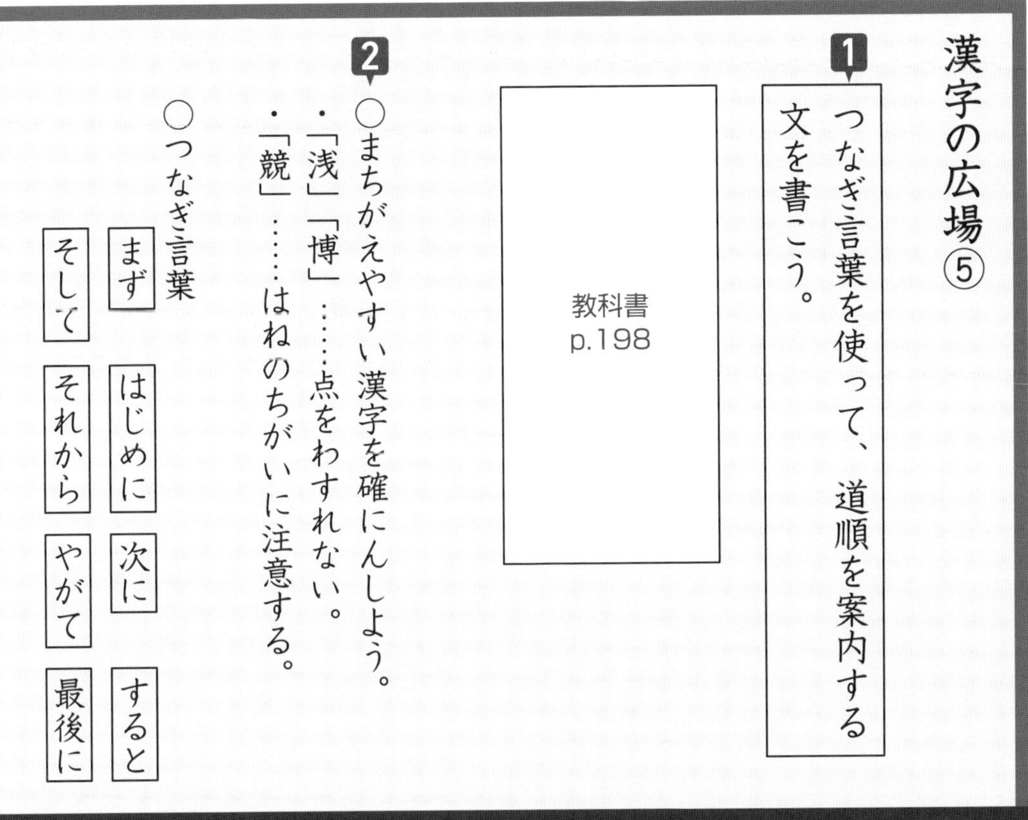

3 提示されている言葉を使って文章を書き、推敲する 〈20分〉

T 教科書の言葉を使い、文章を書きましょう。

○自分で書くことが難しい子供には、道順を選ばせ、何が目印になるか、どのつなぎ言葉を使ったらよいかを一緒に考える。

T 書いたら読み返して、間違いを正したり、よりよい表現にしたりしましょう。

○推敲の観点を示す。

①提示された漢字を正しく書いているか。

②つなぎ言葉を適切に使っているか。

ICT 端末の活用ポイント

文書作成ソフトで入力し、学習支援ソフトで共有することで、友達の説明によさに気付いたり、自分の文と比べたりすることができる。また、どう書いてよいかを考える際も、友達の文を参考にすることができる。

4 友達と交流して感想を伝え合う 〈10分〉

T 友達とお互いに道順を案内しましょう。そして、感想を伝え合いましょう。

○推敲の観点を意識しながら、友達の案内を聞くようにする。

・同じ道順だけど、使ったつなぎ言葉や目印にしたものが違っているね。

・文が短くすっきりしていて、分かりやすかったよ。

T 4年生で習った漢字を正しく使って、文章を書くことができましたね。これからも、習った漢字を正しく使うようにしましょう。

事例と意見の関係をおさえて読み、考えたことを伝え合おう

想像力のスイッチを入れよう （6時間扱い）

単元の目標

知識及び技能	・文の中での語句の係り方や語順、文と文との接続の関係、話や文章の構成や展開、話や文章の種類とその特徴について理解することができる。((1)カ)
思考力、判断力、表現力等	・事実と感想、意見などとの関係を叙述を基に押さえ、文章全体の構成を捉えて要旨を把握することができる。(C ア) ・文章を読んで理解したことに基づいて、自分の考えをまとめることができる。(C オ) ・文章を読んでまとめた意見や感想を共有し、自分の考えを広げることができる。(C カ)
学びに向かう力、人間性等	・言葉がもつよさを認識するとともに、進んで読書をし、国語の大切さを自覚して、思いや考えを伝え合おうとする。

評価規準

知識・技能	❶文の中での語句の係り方や語順、文と文との接続の関係、話や文章の構成や展開、話や文章の種類とその特徴について理解している。(〔知識及び技能〕(1)カ)
思考・判断・表現	❷「読むこと」において、事実と感想、意見などとの関係を叙述を基に押さえ、文章全体の構成を捉えて要旨を把握している。(〔思考力、判断力、表現力等〕C ア) ❸「読むこと」において、文章を読んで理解したことに基づいて、自分の考えをまとめている。(〔思考力、判断力、表現力等〕C オ) ❹「読むこと」において、文章を読んでまとめた意見や感想を共有し、自分の考えを広げている。(〔思考力、判断力、表現力等〕C カ)
主体的に学習に取り組む態度	❺積極的に文章を読んで理解したことに基づいて自分の考えをまとめ、学習の見通しをもって、メディアとの関わり方について話し合おうとしている。

単元の流れ

次	時	主な学習活動	評価
一	1	学習の見通しをもつ 全文を読み、共感したことや疑問に思ったことを発表し合う。 学習課題を設定し、学習計画を立てる。 「メディアとの関わりについて、友達と考えを伝え合おう」	
二	2 3	文章全体を3つのまとまりに分け、文章構成を捉える。事例とそれに対する筆者の考えを整理し、筆者が複数の事例を挙げて説明したことによる効果を考える。	❶ ❷

	4	・筆者が考える「想像力のスイッチ」とは何か、また、筆者が「想像力のスイッチ」という表現をしたのはなぜかを考え、筆者の考えに対する自分の考えをまとめる。	❸
三	5	・「もっと読もう」や他の資料を参考にしながら、自分の経験を想起し、メディアとの関わりについて、自分の考えを文章に書く。	❺
	6	・考えの類似点や相違点を意識しながら、書いたものを友達と読み合い、考えたことや感想を話し合う。 **学習を振り返る** ・友達との共有を通して自分の考えを再度見直し、考えが広がったり深まったりしたことについてまとめる。	❹

授業づくりのポイント

〈単元で育てたい資質・能力〉

本単元のねらいは、文章を読むことを通して考えたメディアとの関わりについて、友達と考えを伝え合うことで、自分の考えを広げたり深めたりすることである。そのために、筆者の考えとそれを支えている事例とのつながりを意識しながら読み、筆者の主張を正しく捉える必要がある。筆者が挙げる複数の事例を基に、自分の知識や経験と結び付けて読み、自分の考えをまとめることができるようにしていく。事例とそれに対する筆者の考えを整理する際は、「文頭や文末の表現に気を付けて読む」などの具体的な読みの方法に気付かせたい。

友達との共有場面では、①考えが似ているところや違うところ②共感したことや疑問に思ったこと③今後自分が取り入れたい考えなど、共有の観点を明確に提示する。その観点に沿って互いの考えを読み合うことで、自分の考えの広がりや深まりを実感することができるようにしたい。

［具体例］
・『10代からの情報キャッチボール入門　使えるメディア・リテラシー』下村健一 著、岩波書店
・『答えはひとつじゃない！想像力スイッチ』シリーズ　下村健一 編著、汐文社
・『想像力のスイッチを入れよう　世の中への扉』下村健一 著、講談社
・『10歳からの 図解でわかるメディア・リテラシー』中橋雄 監、メイツ出版

〈ICT の効果的な活用〉

共有：第４、５時で自分の考えを文章にまとめる場面では、ICT 端末の文書作成ソフトを活用して考えをまとめさせる。さらに、学習支援ソフトを活用して、それぞれが書いた文章を互いに自由に閲覧することができるようにしておくことで、短時間で多くの友達の文章を読むことができる。互いにコメントを入れられる設定にすると、友達からの反応も見ることができる。

本時案

想像力のスイッチを入れよう 1/6

本時の目標

・メディアとの関わりに関心をもって文章を読み、学習の見通しをもつことができる。

本時の主な評価

・筆者の考えに共感したり疑問をもったりしながら文章を読み、メディアとの関わりに関心をもっている。

資料等の準備

・学習課題を書くための模造紙（次時から常に黒板や壁面に掲示する）
・学習計画を書くための模造紙（次時から常に黒板や壁面に掲示する）

○学習計画
★①学習課題の設定・学習計画
②③文章の構成を考える。筆者の考えを整理し、まとめる。
④「想像力のスイッチ」について考える。
⑤メディアとの関わり方について考えを書く。
⑥書いたものを読み合い、考えを交流する。

学習課題と学習計画を模造紙に書き、次回から常に黒板や壁面に掲示する

授業の流れ ▷▷▷

1 メディアやメディアとの関わりについて話し合う 〈10分〉

T　みなさんは、普段どのようにして情報を得ていますか。
・インターネット　・テレビ　・新聞
・ラジオ　・本　・雑誌
T　みなさんから出されたもののように、世の中の情報を得るための手段のことを「メディア」といいます。
○文章を読む前にメディアに目を向けさせる。
T　メディアとの関わりをもつなかで、よかったことや困ったことはありますか。
・テレビは新しい情報をすぐに知ることができて便利です。
・インターネットは便利だけど、サイトによって同じ出来事でも伝え方が違って、どれが本当の情報なのか分からないことがありました。

2 全文を読み、共感したことや疑問点を発表し合う 〈20分〉

T　筆者の考えに共感することや疑問に思うことを考えながら、全文を読みましょう。自分の経験と結び付けて考えられるといいですね。
○文章を読む視点を明確にしてから、全文を読ませる。
T　共感したことや疑問に思ったことを発表しましょう。
・私も間違った情報を信じて友達に伝えてしまったことがあるので、メディアが伝えた情報を冷静に見直すことが必要だという考えに共感しました。
・「想像力のスイッチ」って何だろう。
・メディアの情報について、全てを疑う必要があるのかな、と思いました。

想像力のスイッチを入れよう

1
○メディア……世の中の情報を得る手段
・インターネット・テレビ・新聞
・ラジオ・本・雑誌　など
◎よかったこと
・すぐに新しい情報を得られる。
・知りたいことを調べることができる。
△こまったこと
・どの情報が正しいのか分からないことがある。

2
○「想像力のスイッチを入れよう」
◎共感・情報を冷静に見直すことが必要。
△疑問・「想像力のスイッチ」って何だろう。
・情報を全て疑うことはないのではないか。

3
○学習課題
「想像力のスイッチ」についてくわしく読み、メディアとの関わりについて、考えを伝え合おう。

3　学習課題を設定し、学習計画を立てる　〈15分〉

T　この単元ではどんなことをみんなで学習したいですか。

・メディアとの関わり方について話し合いたいです。

・「想像力のスイッチ」について詳しく知りたいです。

T　では、「『想像力のスイッチ』について詳しく読み、メディアとの関わりについて考えを伝え合おう」を学習課題として、学習計画を立てましょう。

・筆者が最も伝えたいことを考えたいです。

・「想像力のスイッチ」とはどのようなものなのかを考えたいです。

○関連図書を紹介し、子供がいつでも手に取れるように教室に置いておく。

よりよい授業へのステップアップ

主体的に学習するための工夫

子供が単元の学習課題を設定したり、学習計画を立てたりすることで、子供自身が見通しをもち、主体的に学習を進めることができる。学習課題に迫るためには、どのようなことを学習し、どのような力を身に付けていくことが必要なのかを教師とともに考えていけるとよい。教科書では、教材文の後の「学習」のページに、単元の目標や身に付けさせたい力が明示され、単元の見通しをもつことができるようになっているので、参考にすることができる。

本時案

想像力のスイッチを入れよう 2・3/6

本時の目標

・文章構成を捉え、事例と筆者の考えを関連付けながら整理することができる。

本時の主な評価

❶筆者が事例を基に考えを述べていることを理解している。【知・技】
❷文章が3つのまとまりで構成されていることを捉え、事例と筆者の考えとの関係を押さえている。【思・判・表】

資料等の準備

・学習課題（常に黒板や壁面に掲示）
・学習計画（常に黒板や壁面に掲示）
・文章構成表を拡大したもの

4
○事例を挙げることの効果
・具体的にイメージできる。
・説得力が増す。

子供と段落分けをしながら書き込んでいく

子供の考えを全体で確認しながら、書き込んでいく

授業の流れ▷▷▷

1 文章全体の構成を考える 〈20分〉

○形式段落番号（①～⑯）を付けておく。
T　文章全体を大きく分けると、どのように分けられますか。
・「初め」「中」「終わり」に分けられます。
・①から⑥までが「初め」です。事例を挙げて「想像力のスイッチ」という言葉を出しています。これがキーワードになりそう。
・⑦から⑭までが「中」です。「想像力のスイッチ」について、具体的な事例を挙げて説明しています。
・主張が書かれている⑮⑯が「終わり」です。
○段落番号を黒板の文章構成表に書き込む。
○文章全体の構成を考えながら、事例が多く挙げられていることや筆者の主張を捉えられるようにする。

2 事例と筆者の考えを見つけ、サイドラインを引く 〈25分〉

○事例と筆者の考えとの関連に気付かせる。
T　筆者はなぜ事例を多く挙げたのでしょう。
・筆者の主張を読み手に分かってほしいからじゃないかな。
T　では、事例と筆者の考えとの関係を整理してみましょう。どのような言葉や表現に着目すると、分かりやすいですか。
・「例えば」は事例を表すときに使います。
・「～してほしい」という読者への呼びかけは、筆者の考えだと思います。
T　文頭や文末の表現に着目するのですね。
○事例と筆者の考えとで色を分けてサイドラインを引かせる。
T　次の時間には、みなさんが見つけた事例と筆者の考えを整理していきましょう。

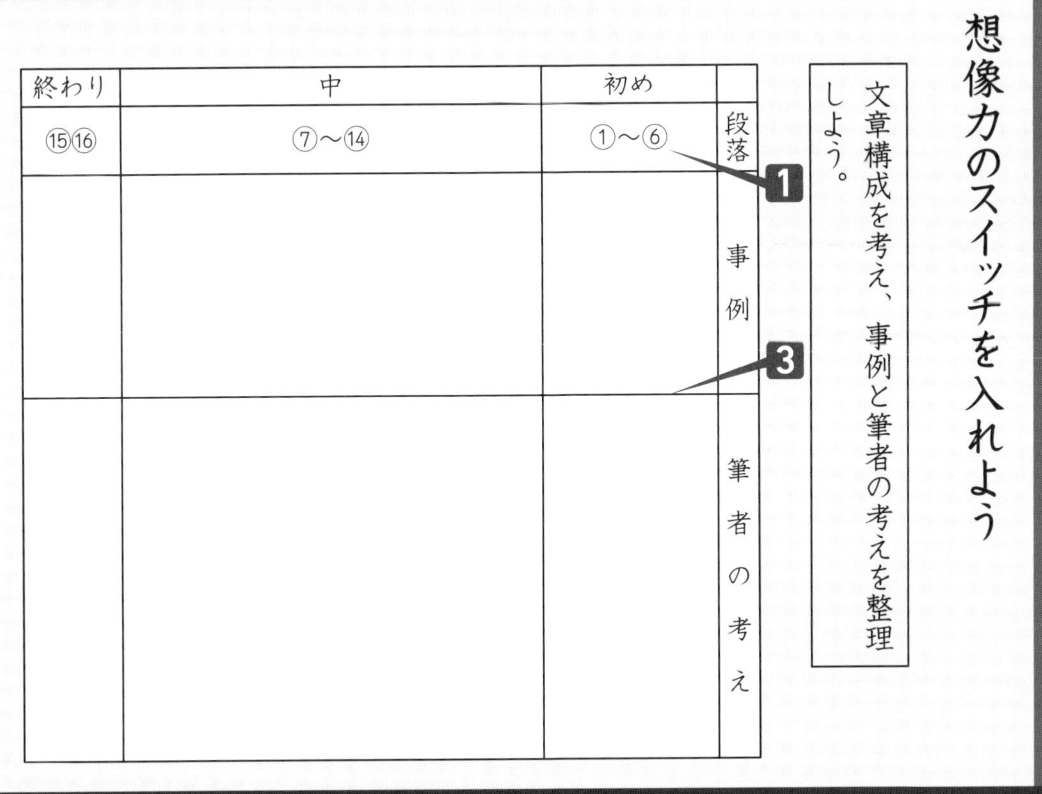

3 事例と筆者の考えを関連付けて整理する 〈25分〉

T　前の時間にみなさんが見つけた事例と筆者の考えを表に整理していきましょう。

・①と②には、学校のマラソンの事例が挙げられています。それに対して筆者は、③に「同じ出来事でも、何を大事に思うかによって、発信する内容がずいぶんちがってくる」と考えを述べています。

・⑤には図形の事例が挙げられています。それに対する筆者の考えは、⑥に書かれている「あたえられた情報を事実の全てだと受け止めるのではなく、頭の中で『想像力のスイッチ』を入れてみることが大切」ということだと思います。

○子供の考えを全体で確認しながら、黒板の文章構成表に書き込んでいく。

4 筆者が複数の事例を挙げて説明した効果を考える 〈20分〉

T　いくつの事例が挙げられていましたか。

・「マラソン大会」「図形の見方」「サッカーチームの監督についての報道」の３つ。

T　前の時間にも予想しましたが、複数の事例があることでどんな効果がありましたか。

・事例があることで、筆者の言いたいことが具体的にイメージできて分かりやすいです。

・ただ筆者の考えだけが述べられているよりも、具体的な事例が挙げられているほうが説得力がありました。

・これから自分が意見文を書くときにも、説得力のある文章になるように、事例を挙げるようにしようと思います。

○今後の自分の言語活動に生かそうという思いにつなげていけるとよい。

本時案

想像力のスイッチを入れよう 4/6

本時の目標

・「想像力のスイッチ」という表現について考え、筆者の考えに対する自分の考えをまとめることができる。

本時の主な評価

❸「想像力のスイッチ」についての筆者の考えを読み取り、筆者の考えに対する自分の考えをまとめている。【思・判・表】

資料等の準備

・学習課題（常に黒板や壁面に掲示）
・学習計画（常に黒板や壁面に掲示）

←メディアの情報をそのまま受け取るのではなく、「想像力のスイッチ」を入れて、自分の考えをもってほしい。

授業の流れ ▷▷▷

1 「想像力のスイッチ」について考え、まとめる 〈20分〉

T 「想像力のスイッチ」とは具体的にどのようなものなのでしょう。どんなところに気を付けて文章を読めば、分かりそうですか。

・キーワードがありそう。

・「中」には、「想像」「想像力」「大切」という言葉が何度も出てくるので、これがキーワードになるのではないかと思います。

T では、「想像力のスイッチ」とはどのようなものか、まずは自分で文章を読んでまとめてみましょう。

○個人で考える時間を取り、一人一人が考えをまとめてから全体で共有する。

T 「想像力のスイッチ」はいくつにまとめられましたか。

・４つです。

2 筆者が伝えたいことについて読み取る 〈10分〉

T 筆者がこの文章を通して伝えたいことはどこに書かれていましたか。

・「終わり」の第15段落と第16段落です。

T 第16段落の「あたえられた小さいまどから小さい景色をながめるのでなく、自分の想像力でかべを破り、大きな景色をながめて判断できる人間になってほしい。」とは、どういうことでしょう。

・「あたえられた小さいまどから小さい景色をながめる」というのは、メディアの情報を何も考えずにそのまま受け取っているということではないかな。

・「自分の想像力でかべを破り」というのが、筆者の言う「『想像力のスイッチ』を入れる」ということだと思います。

想像力のスイッチを入れよう

「想像力のスイッチ」とは何かを考え、自分の考えをまとめよう。

1
○「想像力のスイッチ」を見つけるヒント
・キーワード……想像、想像力、大切
・『　』で書かれた言葉　四つ

個人読みに入る前に、全体で確認したヒントを示しておく

2
○「想像力のスイッチ」とは
①『まだ分からないよね。』と考えること。
②『事実かな、印象かな。』と考えること。
③『他の見方もないかな。』と想像すること。
④『何がかくれているかな。』と想像すること。

3
○筆者が伝えたいこと

あたえられた小さいまどから小さい景色をながめるのでなく、自分の想像力でかべを破り、大きな景色をながめて判断できる人間になってほしい。

3 筆者の考えに対する自分の考えをまとめる　〈15分〉

T　筆者はなぜ「想像力のスイッチ」という表現をしたのでしょう。また、そのことについて、あなたはどう考えますか。自分の考えをまとめましょう。

・与えられた情報を何も考えずに受け取るのではなく、自分で意識的に考えることが大切だという意味で「スイッチ」という表現をしたのだと思います。「スイッチ」は自動で入るものではなく、自分で入れるものだからです。

・自分もすぐに情報を信じてしまいがちなので、『他の見方もないかな。』のスイッチは常に意識したいです。

○書く時間に個人差がある場合、書き終わった子供から互いに読み合うとよい。

ICT 等活用アイデア

互いの考えを効果的に共有する

自分の考えを文章にまとめる際、時間に個人差が出てしまうことが多い。ICT 端末の文書作成ソフトを使って自分の考えをまとめさせ、学習支援ソフトで互いに自由に閲覧することができるようにしておくと、書き終わった子供から友達の文章を読み始めることができる。その際、互いにコメントを入れられる設定にしておくと、友達からの反応も見ることができるので、書く意欲がより高まる。友達からの感想や助言を受けて自分の文章を見直すこともでき、効果的な共有が期待できる。

本時案

想像力のスイッチを入れよう 5/6

本時の目標

・メディアとの関わり方について、自分の考えを文章にまとめることができる。

本時の主な評価

・「想像力のスイッチ」を読んで理解したことに基づき、メディアとの関わり方について、自分の考えをまとめている。

❺資料を読んだり、これまでの経験を思い出したりしながら、自分の考えを文章に書こうとしている。【態度】

資料等の準備

・学習課題（常に黒板や壁面に掲示）
・学習計画（常に黒板や壁面に掲示）

・これまでの私は〜と考えていた。しかし〜。
・私は「　　」という想像力のスイッチを使いたい。

苦手な子供の記述のヒントになるように、具体的な表現を提示する

授業の流れ ▷▷▷

1 「もっと読もう」を読み、メディアの特徴を確かめる 〈10分〉

T　教科書 p.206の「もっと読もう」を読みましょう。それぞれのメディアにはどのような特徴がありますか。

・インターネットは速く情報を伝えることができるけれど、誰もが手軽に発信できるので、不確かな情報も多いです。
・テレビやラジオは情報も速く、情報の信頼性が高いです。
・新聞は信頼性が高いですが、情報が伝わるまでに時間がかかってしまいます。
・ラジオはどこでも気軽に聞けます。持ち運びができたり、電池で作動させることができたりするので、災害の時に役に立ちます。

T　それぞれのメディアの特徴をよく知ったうえで上手に使うことが必要ですね。

2 メディアとの関わり方について考えをメモする 〈15分〉

T　これから、みなさんはこれまで以上に様々なメディアと深く関わるようになっていきます。今後、自分はどのようにメディアと関わっていったらよいのか、自分の考えをメモしましょう。まずは３つの観点で考えをメモしてみましょう。

①本文を読んで、共感したことや、疑問に思ったこと。
②自分の知識や経験を基にした考え。
③今後、メディアとどのように関わっていくか。

○文章に書く前に、それぞれの観点について、考えたことを箇条書きでメモをさせる。

T　さらに、関連図書を読んで分かったことや考えたことも入れられるといいですね。

想像力のスイッチを入れよう

メディアとの関わり方について、自分の考えを書こう。

2
○考えをまとめる観点
①本文を読んで、共感したことや、疑問に思ったこと。
②自分の知識や経験を基にした考え。
③今後、メディアとどのように関わっていくか。

○書き方のヒント

3
・筆者の～という考えに共感した（疑問をもった）。なぜなら～。
・私は次のような経験をしたことがある。それは～。
・「　」という本から、～ということを知った。
・○○から～と聞いたことがある。

3 自分の考えを文章にまとめる 〈20分〉

T　では、これから自分の考えを文章にまとめます。３つの観点をどのように使って書くと、分かりやすい文章になりますか。
・大きく３つのまとまりで書きます。
・③の観点がいちばん重要だと思うので、そこに重点を置いて書きます。
・②に書いた自分の経験を、③の根拠にすると説得力が出ると思います。
○表現のヒントを具体的に提示すると、記述が苦手な子供も、書くことへの抵抗が少なくなる。
T　書き終わった人は、学習支援ソフトを使って友達の文章を読みましょう。コメントに感想や助言を入れたり、それを受けて自分の文章を見直したりするのもいいですね。

よりよい授業へのステップアップ

個人差に対応するための工夫
○自分の考えがもてない子供
→「もっと読もう」や関連図書の事例、友達の経験を参考にして、自分にも似たような経験がなかったかを想起させる。
○どう書いたらよいか、分からない子供
→書き出しなど、具体的な表現を提示し、その中から使えそうな表現を選ばせる。
○速く書ける子供
→学習支援ソフトを活用して互いに読み合い、助言させる。その際読み合いの視点を示すとよい。

本時案

想像力のスイッチを入れよう 6/6

本時の目標

・メディアとの関わり方についてまとめた文章を友達と共有し、感想を伝え合ったり自分の考えを広げたりすることができる。

本時の主な評価

❹メディアとの関わり方についてまとめた文章を互いに読み合い、自分の考えを広げている。【思・判・表】

資料等の準備

・学習課題（常に黒板や壁面に掲示）
・学習計画（常に黒板や壁面に掲示）

3
○メディアとの関わりについての考え
・与えられた情報をそのまま信じるのではなく、いったん立ち止まって考えることを大切にしたい
・普段の人間関係でも「想像力のスイッチ」を入れることが大切

子供の振り返り（発表）を板書する

授業の流れ ▷▷▷

1 交流の方法を確かめる 〈5分〉

T　今日は、4人グループでお互いに文章を読み合い、感想を交流しましょう。まず、それぞれがグループの他の人の文章を読み、コメントを入力します。グループのみんながグループの全員分を読んだところで直接感想を交流します。

T　コメントを入れたり感想を交流したりするときに伝えるポイントを、確認します。
①似ているところや違うところ
②共感したことや疑問に思ったこと
③感想や考え（自分に取り入れたいこと等）

T　直接交流するときには、感想や意見を伝え合うだけでなく、疑問点についてさらに話し合うなどの交流ができるといいですね。

2 グループで文章を読みあい、感想を交流する 〈25分〉

T　では、お互いの文章を読み合うところから始めましょう。○時○分くらいにはグループ全員の文章に対して交流が終えられるように、時間を意識して進めましょう。

○各グループで見通しをもって活動できるように、終了時刻の目安を示しておく。

・○○さんの考えは、私の考えと似ていました。でも、根拠となる経験は違いました。
・僕は、□□さんの「情報が不確かだからインターネットはできるだけ使わない」という考えに疑問をもちました。インターネットには情報が速いというよさもあるので、使い方を工夫して使っていけばよいと思います。みんなはどう思いますか。
・信頼できるサイトを使ったらどうですか。

想像力のスイッチを入れよう

メディアとの関わり方について、考えを交流し、自分の考えを広げよう。

1
○交流のポイント
①似ているところや違うところ
②共感したことや疑問に思ったこと
③感想や考え（自分に取り入れたいことなど）

2
○交流の方法
①グループの全員の文章を読み、コメントを入れる。
②感想や考えを交流する。

○時○分まで

見通しがもてるように、交流終了時刻の目安を示しておく

3 全体で交流し、学習を振り返る〈15分〉

T　交流によって、自分の考えが広がったり深まったりしたことを発表しましょう。

・友達の文章を読んで、自分も同じような経験をしたことを思い出しました。筆者が主張していたように、与えられた情報をそのまま信じるのではなく、いったん立ち止まって考えることを大切にしていきます。

T　この単元の学習を通して、分かったことや身に付いた力について振り返りましょう。

・今日友達と交流したことで、「想像力のスイッチを入れる」というのは、メディアからの情報だけではなく、普段の人間関係でも同じだと気付きました。相手の言動の背景を想像することで、よりよい人間関係がつくれるのではないかと思います。

よりよい授業へのステップアップ

交流活動の工夫

学習支援ソフトの活用は、同時に多くの文章を読めるよさがあるが、コメントを書いて終わりにするのではなく、考えを広げたり深めたりするためにも、直接の交流は大切にしたい。

友達の考えに疑問をもった場合、それをはっきりと伝え、補足で説明したり、互いに意見を出し合ってよりよい考えをつくっていったりすることができるような交流活動を目指したい。

そのためには、グループの構成メンバーを考慮したり、交流の進行役を置いたりすることも考えられる。

言葉

複合語　（2時間扱い）

単元の目標

知識及び技能	・語句の構成や変化について理解し、語彙を豊かにすることができる。((1)オ)
学びに向かう力、人間性等	・言葉がもつよさを認識するとともに、進んで読書をし、国語の大切さを自覚して、思いや考えを伝え合おうとする。

評価規準

知識・技能	❶語句の構成や変化について理解し、語彙を豊かにしている。(〔知識及び技能〕(1)オ)
主体的に学習に取り組む態度	❷進んで複合語の構成や変化について関心をもち、学習課題に沿ってそれらを理解しようとしている。

単元の流れ

時	主な学習活動	評価
1	「和語・漢語・外来語」(教科書 p.146~) を復習する。 「飛び上がる」「飛ぶ」「上がる」この3つにはどのような違いがあるか、話し合い考える。 **学習の見通しをもつ** 2つの言葉をつなげ、複合語にする。(例：魚と市場は、魚市場) 複合語の組み合わせを考える。(例：粉ミルクは、和語と外来語) 複合語を6種類に分ける。(教科書 p.211①〜⑤、p.212⑥) 教科書の中から複合語を探し、集めた複合語を6種類に分ける。	❶
2	複合語の特徴について知る。 国語辞典で調べた言葉を、複合語の種類と特徴に分ける。 教科書 p.212　2(角笛、筆箱、雨雲) を解く。 国語辞典にない複合語は、分解して言葉の意味の見当を付ける。 **学習を振り返る** 「和語・漢語・外来語」で理解したことを複合語として、組み合わせて捉えることで、元の言葉と発音や音の高さがどのように変化したのか、気付いたことを書く。	❷

授業づくりのポイント

〈単元で育てたい資質・能力〉

本単元のねらいは、語句の構成や変化について理解し、語彙を豊かにすることである。そのために、２つ以上の言葉が結び付いた複合語をひとまとまりの言葉として捉え、その後、分けることでどのような違いがあるのか、考えることから始めたい。

〈教材・題材の特徴〉

これまで、敬語では「どのような使い方をするのがよいか、それはどうしてか」（教科書 p.64）、和語・漢語・外来語では「同じような意味を伝えるのに、違う言葉や言い方があるのはなぜか」（教科書 p.146）というように、言葉に関する問いを基に学びを積み重ねてきた。本教材では、「飛び上がる」「飛ぶ」「上がる」の３つにはどのような違いがあるかという問いを基に、言葉の違いについて考えることができる。和語・漢語・外来語を組み合わせることで、複合語を６つの種類に分類できることを子供が自然と理解できるような学習につなげることができる。さらに、複合語を４つの特徴に分け、船（ふね）と旅（たび）が船旅（ふなたび）になったり、「昼と休み」と「昼休み」は、音の高さが変わったりすることに気付くことができるだろう。

〈言語活動の工夫〉

まず、「和語・漢語・外来語」（教科書 p.146～）で、語の種類と使い分けで何を学んだのかを確認する。複合語を６種類に分けるためには、和語・漢語・外来語の違いを理解している必要がある。その上で、複合語の元の言葉の組み合わせで分けると、自然に６種類になることに気付くことができる。

和語・漢語・外来語を組み合わせることで、日常生活では複合語に囲まれた言語生活を送っていることが実感できる。「コーナー」や「タイム」などが多くの言葉と結び付いていることを、身の回りの言葉を集める活動によって、実感を伴った理解につなげることができる。

[具体例]
教科書 p.212には、国語の教科書から６種類の複合語を探す活動が示されている。可能であれば、理科や社会、算数など別の教科の教科書から複合語を探す活動につなげたい。表計算ソフトの共同編集を使用して、探した複合語を種類や特徴ごとに書き込むことで、同じグループの子供は、互いの状況を把握しながら言語活動に協力して取り組むことができる。

〈ICT の効果的な活用〉

調査：ウェブブラウザで「複合語 見分け方」や「複合語　具体例」で検索すると、どのように複合語を見分けるのか、多様な情報が集められる。インターネットでの検索は情報の正誤などの問題があるため、子供が検索すると、どのような言葉と出合うのか、事前に調査するとよい。

共有：まず、[カード]で複合語を和語・漢語・外来語に分解して、雪[和語]と合戦[漢語]のように色分けして示す。その後、カードをオンラインで分類するために、学習支援ソフトを使用することができる。視覚的に区別して表示すると、「複合語の組み合わせにパターンがあるのではないか」と気付きやすくなる。

記録：校外学習（または校内）でポスターや看板、各施設の掲示板や石碑など、生活の場面で見つけた複合語の写真を撮影して、プレゼンテーションソフトで、複合語の種類と特徴をまとめると、日常の言葉にどの程度複合語があるのか実感することができる。

本時案

複合語

本時の目標

・語句の構成や変化について理解し、語彙を豊かにすることができる。

本時の主な評価

❶語句の構成や変化について理解し、語彙を豊かにしている。【知・技】

資料等の準備

・次の言葉のカード（スクリーンに提示する場合は、カードを動かせるような学習支援ソフト）
和語、漢語、外来語、綿毛、消費税、リサイクルショップ、待ち時間、粉ミルク、平均タイム

3

③ リサイクル 外来語 ／ 外来語 ショップ
④ 待ち 和語 ／ 漢語 時間
⑤ 粉 和語 ／ 外来語 ミルク
⑥ 平均 漢語 ／ 外来語 タイム

授業の流れ ▷▷▷

1 複合語について、問いをもつ 〈10分〉

○「和語・漢語・外来語」（教科書 p.146~）を振り返り、複合語の種類を分ける準備をしてから学習を始めたい。

T 「飛び上がる」を分けると、どのような言葉になりますか。

・「飛ぶ」と「上がる」になります。どうして結び付けたのかな。違いがあるかな。

○「飛び上がる」を「飛ぶ」と「上がる」に分けたとき、複合語として表す動きにどのような違いがあるのか、自然に子供から問いが生み出される展開にしたい。

ICT 端末の活用ポイント

「飛び上がる」を「飛ぶ」と「上がる」に分けると、どのような動きの違いがあるか。ICT 端末で各自が回答することができる。

2 2つの言葉をつなげ、複合語を作る 〈10分〉

○複合語について、2つ以上の言葉が結び付いて、1つの言葉になったことをまとめる。

T では、黒板にある12枚のカード（綿～タイム）を貼ります。組み合わせて、複合語を作ってみましょう。

・「綿税」ってなんだろう。あっ、「綿毛」だ。

・組み合わせが決まってきそうだね。

○一つ一つの言葉を結び付けて、複合語を自然に作ることで、身の回りにある言葉として実感させたい。

ICT 端末の活用ポイント

黒板にある12枚のカード（綿～タイム）は、学習支援ソフトで、配付してグループで結び付ける活動につなげられる。

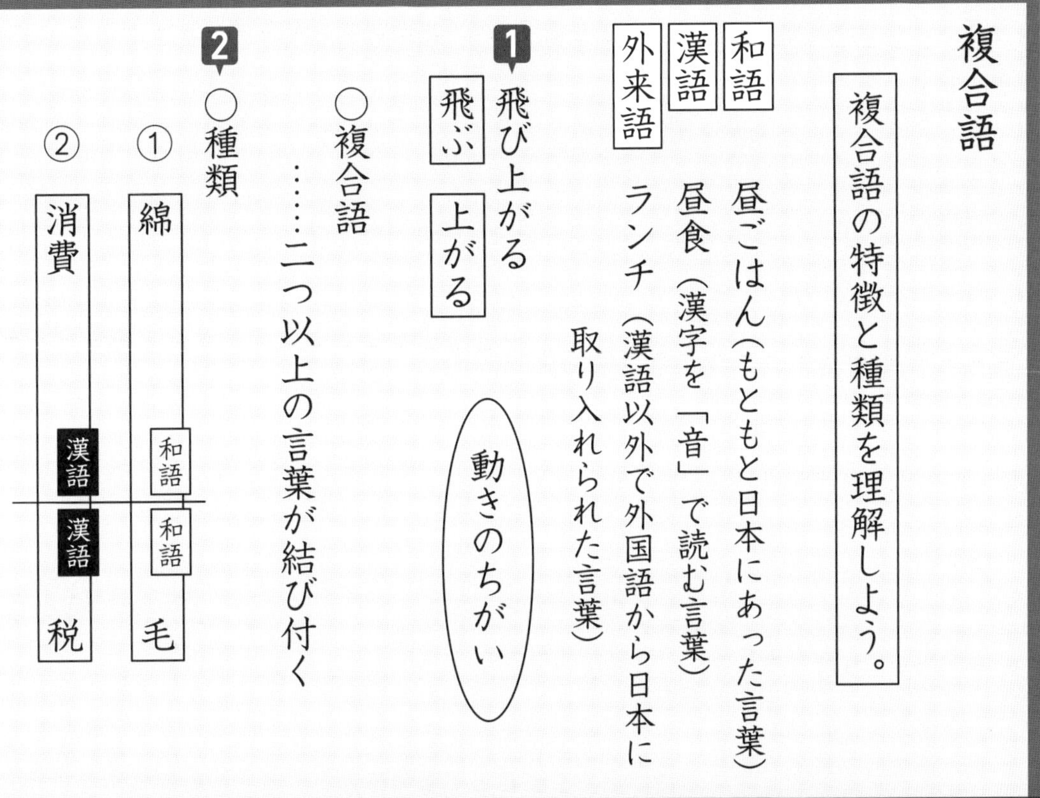

3 複合語を6種類に分ける 〈15分〉

T　複合語を完成させたら、和語、漢語、外来語のカードを横に貼り付けてみましょう。

・教科書 p.146を見ながら、分けられそうだ。

○本時の冒頭確認した知識を基に、和語、漢語、外来語のカードを動かしながら、考えさせたい。

○学級によっては、黒板の事例を増やして、複合語を分類すると何種類になりそうかを考える活動に取り組むこともできる。

T　和語、漢語、外来語のカードをつけると、組み合わせは何種類になりますか。

ICT 端末の活用ポイント

黒板の事例に加えて、学習支援ソフト使用してグループで複合語を作成したり、分類したりする活動で活用することができる。

4 複合語を探し、6種類に分ける 〈10分〉

T　教科書の中から複合語を探してみましょう。

・教科書の p.156には、「特別天然記念物」「固有種」「生息環境」ってあるよ。

・説明的な文章には、複合語が多いのかな。

○これまで学んできた教科書に複合語があることを実感し、語彙を豊かにしたい。

T　集めた複合語に、和語、漢語、外来語のカードをつけて、6種類に分類してみましょう。

・和語、漢語、外来語のカードをつけると、6種類に分けやすいね。

ICT 端末の活用ポイント

複合語を見つけて、言葉をカードで分類したり、移動したりできる学習支援ソフトを用いて活動を進めたい。

本時案

複合語

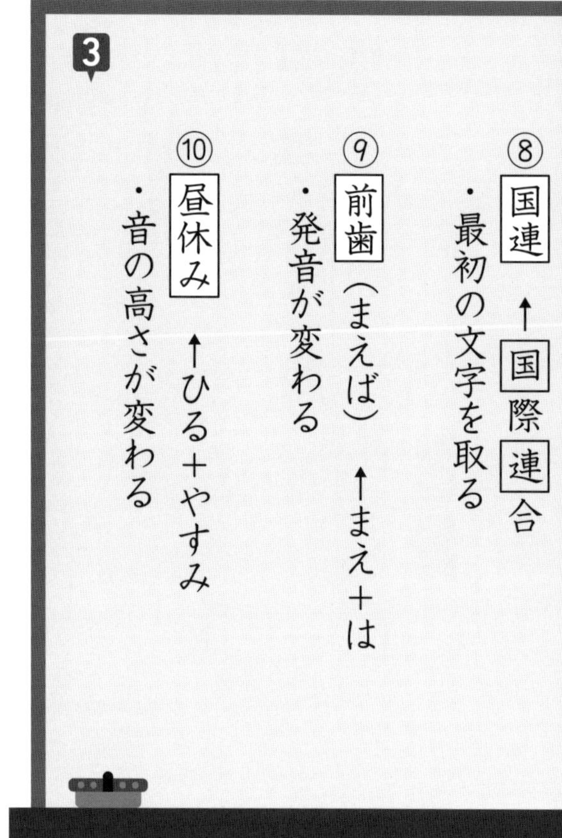

本時の目標

・進んで複合語の構成や変化について関心をもち、学習課題に沿ってそれらを理解しようとする。

本時の主な評価

❷進んで複合語の構成や変化について関心をもち、学習課題に沿ってそれらを理解しようとしている。【態度】

資料等の準備

・言葉のカード（スクリーンに提示する場合は、カードを動かせるような学習支援ソフト。複合語の４つの特徴で使用する言葉のカード。板書案では、教科書の言葉を掲載しているが、前時で子供が気になった言葉と入れ替えて作成するとよい）
和語、漢語、外来語

授業の流れ ▷▷▷

1 複合語の種類を振り返る 〈10分〉

T　黒板には、前の時間に学習した複合語①～⑥があります。ノートを見ながら、調べた言葉を確認しましょう。

・和語、漢語の区別に注意しよう。

○和語、漢語、外来語を区別することで、６つに分類できる点について、気付かせるような展開にしたい。そのために、和語、漢語、外来語をカードにすると、視覚的に認識しやすくなる。

ICT 端末の活用ポイント

黒板を見ながら、早押しクイズのように複合語の分類を ICT 端末で回答するなど、個別に考える機会を設けることができる。

2 複合語の特徴について理解する 〈10分〉

○前時の活動で子供が気付いた長い複合語などを例示して、複合語の４つの特徴について、理解できるように進める。

T　複合語は、２つ以上の言葉が結び付いてできていますが、実際に複合語を読んで特徴について考えてみましょう。

○長い複合語⑦～昼休み⑩までの複合語を子供に示し、声に出して読んでみるとどのような違いがあるか、気付きを促せるとよい。

T　教科書 p.212　2（角笛、筆箱、雨雲）をグループで解いて、答えを送ってください。

ICT 端末の活用ポイント

練習問題は、グループで考え、学習支援ソフトを使って学級全体で答えを集める方法を取り入れることで、解き方のポイントを共有できる。

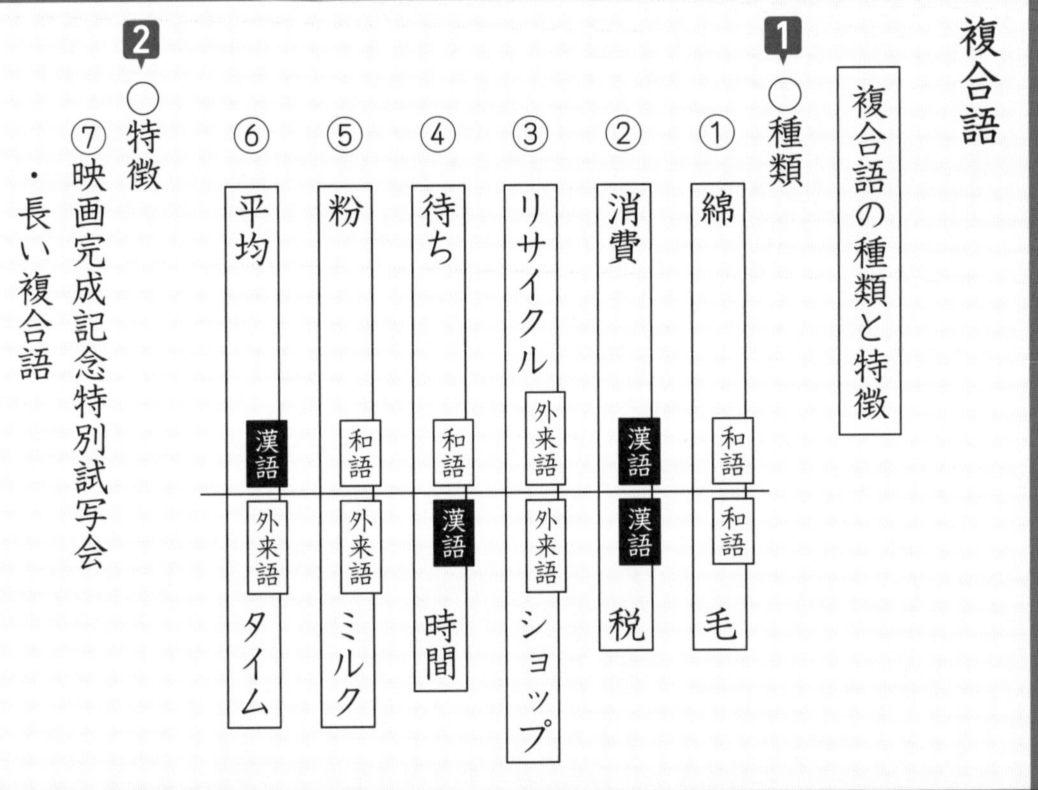

3 複合語を種類と特徴に分ける〈15分〉

○複合語を6種類に分け、さらに複合語の4つの特徴が見られる言葉に印をつけることで、複合語の種類を振り返ることができる。

T　前の時間で複合語を調べて、6種類に分けました。その中で、今学習した⑦～⑩の4つの特徴が見られる言葉はどれですか。

・教科書の p.156「特別天然記念物」は、⑦の長い複合語になります。

○前時の、複合語を6種類に分ける活動とつながりをもたせることで、単元全体で習得状況に応じた時間設定につなげることができる。

ICT 端末の活用ポイント

言葉と言葉を、それぞれ1枚ずつのカードで分けて、切り離したり、一緒にしたりするために、学習支援ソフトを使用することができる。

4 複合語の学習を振り返る〈10分〉

○「和語・漢語・外来語」で理解したことを基に、複合語の組み合わせについて考えることで、元の言葉と発音や音の高さがどのように変化したのか、気付いたことを書く。

T　複合語の種類と特徴に分けることで、何が分かったのか、考えたことを書きましょう。

・和語、漢語、外来語の3つを区別できないと今回のことを理解するのは難しいな。

・国語辞典を基に考えると、どの言葉と言葉が結び付いて複合語になっているのか、分かりました。

ICT 端末の活用ポイント

ICT 端末の変換機能を使用すると、同音異義語が表示されるので、支援の必要な子供には活用を促したい。

言葉について考えよう

言葉を使い分けよう　3時間扱い

単元の目標

知識及び技能	・言葉には、相手とのつながりをつくる働きがあることに気付くことができる。((1)ア) ・語感や言葉の使い方に対する感覚を意識して、語や語句を使うことができる。((1)オ)
思考力、判断力、表現力等	・目的や意図に応じて簡単に書いたり詳しく書いたりするなど、自分の考えが伝わるように書き表し方を工夫することができる。(B ウ)
学びに向かう力、人間性等	・言葉がもつよさを認識するとともに、進んで読書をし、国語の大切さを自覚して、思いや考えを伝え合おうとする。

評価規準

知識・技能	❶言葉には、相手とのつながりをつくる働きがあることに気付いている。(〔知識及び技能〕(1)ア) ❷語感や言葉の使い方に対する感覚を意識して、語や語句を使っている。(〔知識及び技能〕(1)オ)
思考・判断・表現	❸「書くこと」において、目的や意図に応じて簡単に書いたり詳しく書いたりするなど、自分の考えが伝わるように書き表し方を工夫している。(〔思考力、判断力、表現力等〕B ウ)
主体的に学習に取り組む態度	❹積極的に語感や言葉の使い方に対する感覚を意識し、学習課題に沿って手紙を書こうとしている。

単元の流れ

時	主な学習活動	評価
1	「お楽しみ交流会」のお知らせ（教科書 p.213）の1コマのみを学習支援ソフトで受け取る。 自分が1年生としてお知らせを読んだら、どう感じるか考えを書く。 **学習の見通しをもつ** どの言葉を直したらよいか、1つのファイルにグループで共同で書き、学級全体で共有する。 教科書 p.214-215（上段）の4つの吹き出しのような考えを学級全体でまとめる。	❶ ❷
2	教科書 p.215の①②の言葉を、役割を変えて読み合う。 どのように言いかえるとよいか、グループで伝え合う。 教科書 p.216のまとめを確認する。 次時、手紙を書くための相手と目的を考え、箇条書きでいくつか書く。	❸
3	手紙を書き、できあがった手紙の文章を送信する（文書作成ソフト）。 手紙を受け取る相手と目的を踏まえた文章か、意見を書き込む（文書作成ソフト）。 複数の仲間からもらった意見を基に、自分の文章を推敲する（文書作成ソフト）。 推敲した文章を手書きで清書する（葉書や便箋）。 清書した手紙を撮影し、画像で読み合い、感想を送信する（学習支援ソフト）。	❹

	学習を振り返る 相手と目的をはっきりさせる手紙を書き、振り返りを提出する（学習支援ソフト）。	

授業づくりのポイント

〈単元で育てたい資質・能力〉

本単元のねらいは、実際の生活の場面で言葉を意識し、使い分ける力を育むことである。そのために、どのような言葉を選べば目的や意図に応じて自分の考えが伝わるのか、言葉の書き表し方を工夫するためにどのように試行錯誤するのかを学ぶことができるようにする。

〈教材・題材の特徴〉

言葉を学習している「ロボロボ」が、１年生にお楽しみ会の開催を伝える掲示物を作成し、「１年生が困ったり、嫌な気持ちになったりする」という場面である。この場面で課題を乗り越える過程で、言葉について学ぶことができる。話し合うことでロボロボ自身が「多様」を「いろいろな」にするように、自らの気付きによって言葉の使い方に対する感覚を意識できるようになる。

〈言語活動の工夫〉

単元の導入では、教科書に示された「お楽しみ交流会」のお知らせを学習支援ソフトで受け取ることで、「自分が１年生ならどのように感じるのか」という認識を捉えやすくする。その上で、どのような言葉を使うと１年生に「お楽しみ交流会」の魅力が伝わるのか、話し合いたい。教科書の助言にできるだけ頼らずに、相手と目的に応じた言葉とはどのようなものか、子供自ら気付く姿につなげたい。

また、一つ一つの言葉や段落を入れ替えたり、同音異義語を複数の候補から選択できたりするために推敲にはICT端末を活用することが適していると考えられる。しかし、一字一字の字形を整え配置を工夫して手書きする書写学習との接続も大切にしたい。

〈ICTの効果的な活用〉

調査：紙の辞書を使い、さらに言葉の種類を知りたいと子供が考えた際、ウェブブラウザで、「◆◆の時　○○　言い換え」というように、◆◆に具体的な場と○○に伝えたい言葉を入れることで、相手と目的に応じた多様な言葉を見つけることができる。紙の辞書のように、学んでほしい言葉と順序が固定された資料に書かれた情報をウェブブラウザで検索することによって、情報の質と量を確保して多様な学びにつなげることができる。

共有：ICT端末を活用して書いた手紙の下書きを、文書作成ソフトで互いに推敲するツールとして活用することができる。漢字の知識不足や書字の苦手な子供あっても、文書作成ソフトのコメント機能を用いることで、手書きよりも適切な漢字で読みやすく指摘できる可能性がある。さらに、学習支援ソフトで共有することで、学級内で早く文章を完成した子供同士が推敲し合うことができる。学級内で手紙を書き上げた順に、互いに推敲する相手をマッチングする。

記録：多くの文書作成ソフトでは、子供がどのように文章を推敲しているのか個々のファイルを参照することで試行錯誤の過程を把握することができる。各自が誰とどのような指摘をし合い、その結果どのように互いの指摘を解釈して文章に反映したのか、あるいは指摘を受容していないのかを把握することができる。支援の必要な子供をどのように指導するのがよいか、あるいは学級全体でどの子供の事例を共有するか考える手がかりとしたい。

本時案

言葉を使い分けよう

本時の目標

・相手と目的に合わせた応じた言葉に気付き、使うことができる。

本時の主な評価

❶言葉には、相手とのつながりをつくる働きがあることに気付いている。【知・技】
❷語感や言葉の使い方に対する感覚を意識して、語や語句を使っている。【知・技】

資料等の準備

・「お楽しみ交流会」のお知らせ（教科書p.213の１コマのみを拡大して掲示できるよう紙に印刷するか、スクリーンに投影できるようにする。黒板やクリーンに直接投影し、チョークやペンで書き込むことができると、子供一人一人の考えを記入しやすくなる）

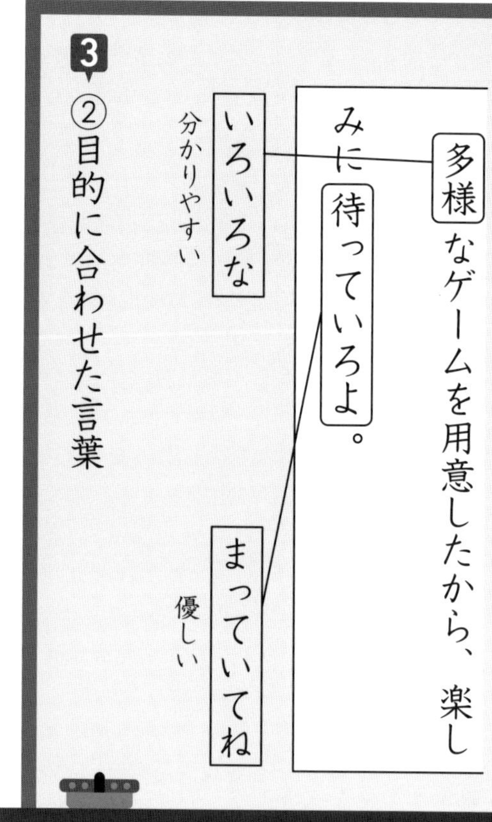

授業の流れ ▷▷▷

1 「お楽しみ交流会」のお知らせを受け取り、考えを書く 〈10分〉

○子供「お楽しみ交流会」のお知らせ（教科書p.213）の１コマのみを学習支援ソフトで受け取り、１年生としてお知らせを読んだ立場で、どのように感じるか考えを書かせる。
T　受け取ったお知らせについて、一人一人がどのように考えたのか、書きましょう。
・「出るにあたり」って、誰に対して書いているんだろう。相手は１年生だよね。
・「〜しろよ」って、挑戦状みたいで怖い。
○個人の考えをもち、その後グループ活動につなげる。

ICT 端末の活用ポイント

「１年生へのお知らせ」に対して、どのように考えたのか。学習支援ソフトを使用すると、子供がそれぞれ、最初の考えを共有しやすい。

2 グループでどの言葉を直すか考える 〈20分〉

T　まず、「お楽しみ交流会」のお知らせで、どの言葉を直すのか印をつけましょう。
・なんとなく変だけど、いくつあるのかな。
T　次に、どのように言いかえるとよいのか、言葉を考えましょう。
・どこが変か分かったけれど、言葉の言いかえは難しいな。
・言葉を言いかえると１年生に伝わるね。
T　最後に、直す言葉は、①相手に合わせた言葉と②目的に合わせた言葉の、どちらになるのか考えてみましょう。

ICT 端末の活用ポイント

グループごとに、どの言葉を変更するのか ICT 端末で印をつけ、その結果を黒板に投影すると、クラスで共有することができる。

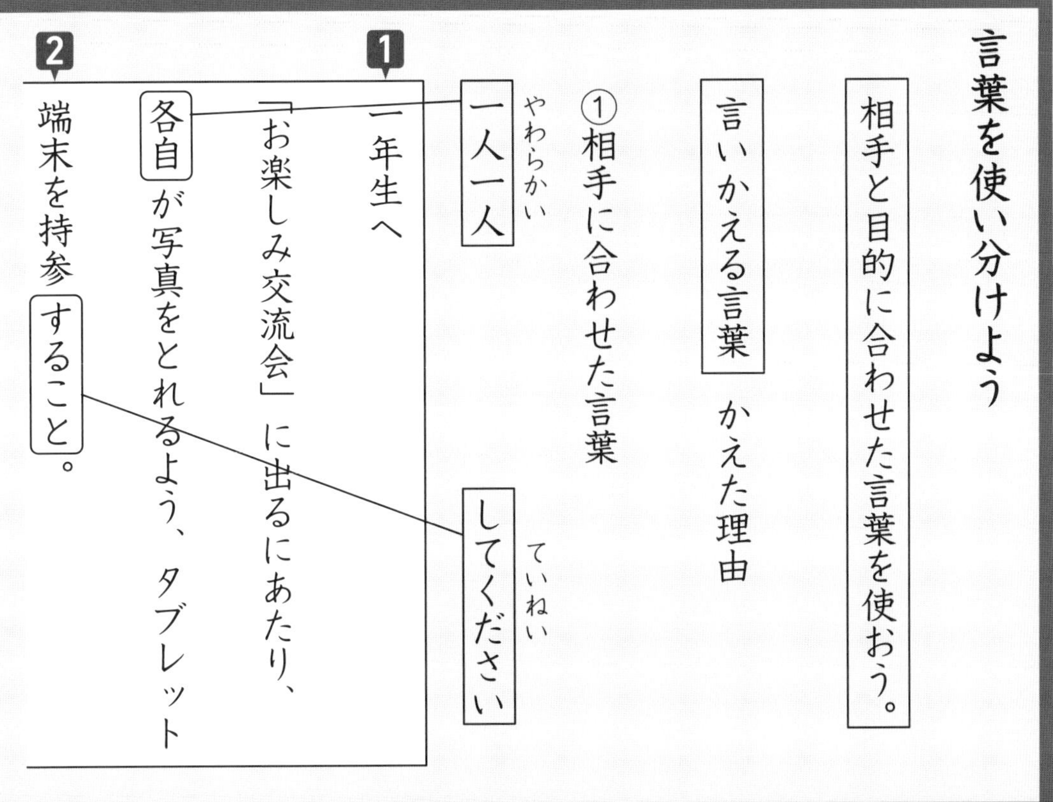

ICT 等活用アイデア

子供一人一人で考える導入

「お楽しみ交流会」のお知らせ（教科書 p.213）の 1 コマのみを学習支援ソフトで受け取るような導入を ICT 端末で実施したい。

教科書に掲載されたイラストを交えた一部分を、学習支援ソフトで送信することで興味を高めることができる。さらに、限られた情報を基に、個人からグループ、さらには学級全体で課題解決のプロセスを体験する子供一人一人の考えを、教科書の吹き出しのように、クラスや学級全体で共有する活動につなげたい。

3 考えを学級全体でまとめる 〈15分〉

○言葉を言いかえる活動を通して、それぞれの言葉がどのように伝わるのか考え、理由を記述しながら学習を進めたい。（教科書 p.214、215下段の言葉は、例文を基に自然に気付かせるとよい。）

T　クラス全体で言いかえの理由を、まとめましょう。

・言いかえた言葉は同じでも、理由が違うと説得力があるね。

・理由によって、言葉を言いかえる候補がいくつかあることに気が付きました。

ICT 端末の活用ポイント

全体のまとめを ICT 端末で共有し、教科書 p.214～のように、考えたことを吹き出しで加筆することができる。

本時案

言葉を使い分けよう

本時の目標

・目的や意図に応じて言葉を書き分けることができる。

本時の主な評価

❸目的や意図に応じて簡単に書いたり詳しく書いたりするなど、自分の考えが伝わるように書き表し方を工夫している。【思・判・表】

資料等の準備

・教科書 p.215①②の例示（拡大して掲示できるよう紙に印刷するか、スクリーンに投影できるようにする。黒板（スクリーン）に直接投影し、チョーク（ペン）で書き込むことができると、子供一人一人の考えを記入しやすくなる。）

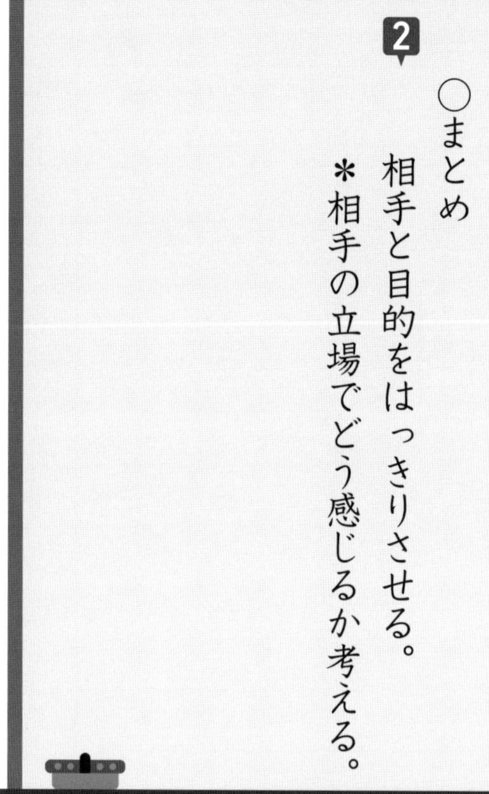

授業の流れ ▷▷▷

1 言葉を、役割を変えて読み合う 〈15分〉

○板書のように、教科書 p.215に掲載された２つの例文を、口頭で言いかえる活動を通して多様な表現について学べるよう促したい。

T　前時に、相手と目的に合わせた言い方で分かったことを基に、板書の言葉をグループで言いかえてみましょう。

・文末や尊敬語に気を付けて言葉を使い分けられるといいね。

○相手と目的を基に、どう言いかえるのか、口頭で多様な言い方を発言できるようにする。

ICT 端末の活用ポイント

学習支援ソフトで、板書の言葉を ICT 端末で共有し、書き込みながら試行錯誤する機会を設定すると、考えの道筋が見えやすくなる。

2 言葉の使い分けをまとめる 〈15分〉

○教科書 p.216のような言葉が、この段階までに子供から発信されているのであれば、その言葉を板書する。

T　言葉を使い分けるときに、大切にすることをまとめましょう。

・誰に対して伝えたいのか、何のために言うのかをはっきりさせることです。

○教科書で扱った相手や目的は、学校内が中心になっている。そのため、まとめの際には、宿泊などの校外活動や休日の活動まで、多様な場を想定して考える範囲を広げられるとよい。

ICT 端末の活用ポイント

文字だけでなく、イラストや写真を提示した場面設定を提示して、どのように言うのか考える活動につなげることができる。

言葉を使い分けよう

相手と目的に合わせた言葉にしよう。

六年生のみんなは、自分たちもいそがしいのに、わたしたちの教室に来て、委員会活動のことを教えてくれた。

教科書 p.215

1

・相手……六年生
・目的……お昼の校内放送で感謝を伝える

体育館はあっち。案内するよ。よかったら、このスリッパを使って。

教科書 p.215

・相手……学校公開に来た人
・目的……体育館の場所を案内する

3 手紙を書くための準備をする〈15分〉

○手紙を書く準備として、相手と目的の組み合わせを複数、箇条書きで書く時間を設ける。

T　これから、誰に、何のために手紙を書くのか、相手と目的を考えましょう。

・お世話になった習い事の先生に書こうかな。謙譲語の使い方を確認しておこう。
・夏休みに遊んだ親戚に書くときは、相手が習っている漢字に注意したいな。

○相手に合わせて、どのような言葉を選ぶのか、敬語や既習の語彙をあらかじめ確認することで、手紙を書く準備を整えることができる。

ICT 端末の活用ポイント

手紙を書くための目的と相手についての記述をICT 端末で共有し、その上で気を付ける点についてコメントを投稿することができる。

ICT 等活用アイデア

書く活動前のアドバイス

手紙を書くために、子供は多様な相手や目的を考えることが想定される。そのため、手紙を書く前に、その考えをICT 端末で共有したい。

相手や目的によって、言葉を使い分けることを学ぶためには、多様な状況設定で、留意点を想定する活動が効果的である。手紙を書く前に、何を注意して書くのかポイントをはっきりさせることで、よい言葉を選ぶことにつなげることが期待できる。指導の際は、子供が考えた効果的なアドバイスを積極的に学級全体で共有していきたい。

本時案

言葉を使い分けよう

本時の目標

・目的や意図に応じた手紙を書き、言葉を使い分けようとする。

本時の主な評価

❹積極的に語感や言葉の使い方に対する感覚を意識し、学習課題に沿って手紙を書こうとしている。【態度】

資料等の準備

・手紙を手書きできる用紙（便箋や葉書）
・国語辞典
・漢字辞典

授業の流れ ▷▷▷

1 手紙を書く 〈15分〉

○文書作成ソフトで手紙を書き、できあがった手紙の文章を学習支援ソフトで送信する。

T　これから、前回考えた相手と目的で、手紙を書きます。どのような言葉を使うと伝えたい相手に伝わるのか考えて書きましょう。

・漢字の変換に気を付けないと、別の内容が伝わってしまうね。

○手書きではなく、ICT 端末を使用することで、箇条書きの言葉に付け足したり、削除したりしやすくなるよさを実感させたい。

ICT 端末の活用ポイント

多くの文書作成ソフトには、読み上げ機能がある。早く書き上げた子供はイヤホン等を使用し、音声で聞いて、考えることができる。

2 相手と目的を踏まえた文章か、意見を書き込む 〈10分〉

○文書作成ソフトで作成した手紙は、学習支援ソフトですぐに共有することができる。そのため、限られた時間で読んだ手紙に意見を書き、伝えることができる。

T　グループで、時計回りに隣の人の手紙を読んで、相手と目的を踏まえた言葉になるようにアドバイスを書き込みましょう。

・じっくり読んで、言葉の使い方を伝えられるといいな。

・手紙をもらった立場で、正直によさや直したほうがよい点を書こう。

ICT 端末の活用ポイント

コメントを付け加える文書作成ソフトの機能を使用し、どの言葉を言いかえるのか書き込むことができる。

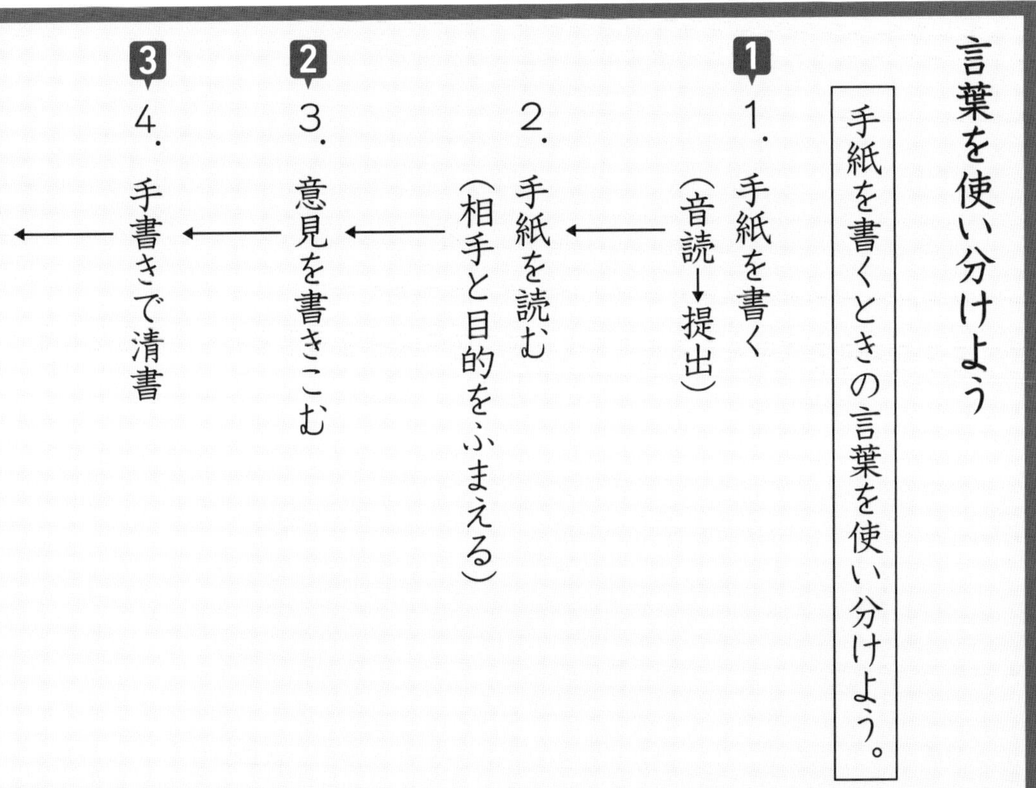

3 推敲した文章を手書きで清書する〈10分〉

○まず、文書作成ソフトで、仲間からもらった意見を基に、自分の文章を推敲する。次に、葉書や便箋に、推敲した文章を手書きで清書する。推敲と文字を手書きする活動を分けることで、ねらいを絞った活動につなげられる。

T まず、もらった意見を基に文章の言葉を言いかえて、文章を完成させましょう。完成したら、手書きで清書しましょう。

・正しい漢字を見ながら、丁寧に書けそう。

・最初から最後の文字まで、全体のバランスを考えて丁寧に手紙を書くことができるよ。

ICT 端末の活用ポイント

ICT 端末で文字を表示する際、教科書体など手書きに近いフォントを選択すると、さらに文字を書きやすくなる。

4 手紙を読み合い、感想と振り返りを記述する〈10分〉

○清書した手紙を読み合うことで、手紙を受け取った立場を体験することができる。

T 清書した手紙は、ICT 端末のカメラ機能で撮影して、学習支援ソフトで送信しましょう。感想を伝え合うとよいですね。

・バランスがとれた文字で、感謝の気持ちがさらに伝わってくるよ。

・いつもより、丁寧に字を書くことができました。

○画像で手紙を共有することで、授業終了後も読みたい手紙を読むことができる。

ICT 端末の活用ポイント

ICT 端末を使用することで、最後の振り返りまで、子供一人一人の進度で活動することができる。必要な支援を適宜していきたい。

読む人を意識して構成を考え、物語を書こう

もう一つの物語 （6時間扱い）

単元の目標

知識及び技能	・話や文章の構成や展開、話や文章の種類とその特徴について理解することができる。((1)カ)
思考力、判断力、表現力等	・筋道の通った文章となるように、文章全体の構成や展開を考えることができる。(Bイ)
学びに向かう力、人間性等	・言葉がもつよさを認識するとともに、進んで読書をし、国語の大切さを自覚して思いや考えを伝え合おうとする。

評価規準

知識・技能	❶話や文章の構成や展開、話や文章の種類とその特徴について理解している。(〔知識及び技能〕(1)カ)
思考・判断・表現	❷「書くこと」において、筋道の通った文章となるように、文章全体の構成や展開を考えている。(〔思考力、判断力、表現力等〕Bイ)
主体的に学習に取り組む態度	❸粘り強く文章全体の構成や展開を考え、学習の見通しをもって物語を書こうとしている。

単元の流れ

次	時	主な学習活動	評価
一	1	学習の見通しをもつ 学習のおおよその見通しをもち、学習課題を設定する。 読む人を意識して構成を考え、もう一つの物語を作ろう。 別の展開について考えてみたい物語を想起する。	
二	2	作例を基に、「何を」「どのように」書きかえているかをつかむ。 書きかえたい物語を選び、変える部分を考える。	❶
	3	読む人を意識して、物語の構成を考える。 ・構成メモを作成する。	
	4	表現を工夫して、物語の下書きをする。 ・読む人にどう感じてほしいかを意識して、物語の「どこに」「何を」書けばいいかを考える。	❷
	5	物語を清書する。	
三	6	読み合って、感想を伝え合う。 学習を振り返る 教科書 p.221に書かれた観点で学習を振り返り、ノートにまとめる。	❸

授業づくりのポイント

〈単元で育てたい資質・能力〉

本単元のねらいは、効果的な構成を意識して、物語を書くことである。

そのためには、読む人にどう感じてほしいかを意識し、出来事とその解決を中心に、物語全体のどこに何を書くかを考えていく。そして、構成がどんな効果を生むかを想像し、設定と出来事、解決、結末などが、うまくつながるように意識することが大切である。

〈教材・題材の特徴〉

本単元では、物語には様々な構成の仕方があることを理解し、読む人に与える効果を考えながら構成を工夫して物語を書いていく教材である。登場人物や時（いつの話か）、場所（どこの話か）、主な出来事、出来事の解決など、何を変えるかによって物語のおもしろみが変わってくる。そこで、何をどう変えるかを、読み手を意識しながら考えるところも活動の魅力である。そして、物語のおもしろみを読み手に伝えるための構成を考えることが、本単元の大事な部分となる。読む人に、どう感じてほしいかを意識して、どこに何を書くかを決められるよう、支援していきたい。

〈言語活動の工夫〉

構成の工夫では、「前書き」「設定」「主な出来事」「出来事の解決」「結末」の５つの観点が教材に示されている。基本的には、分かりやすく書きやすいのはこの順番である。だが、書くことが得意な子供には、この順番も工夫させることで、よりおもしろみのある物語を考えさせることもできる。

[具体例]
- ○例えば、文章の最初に「結末」の一部を書き、「前書き」「設定」を書き添えることで、どんな「中」になるのか、興味がわく文章にする。また、文章の最初に「主な出来事」を書いても、同様の効果が考えられる。
- ○例えば、「設定」を「主な出来事」や「出来事の解決」のあとに書くことで、なぜ物語がそのように変化したかを読み手にいろいろと想像させることもできる。

また、既習の「言葉でスケッチ」（教科書 p.194）で学んだ表現の工夫を生かすことで、人物の行動や会話、場面の様子（においや色、音など）を具体的に書いたり、例えや音のひびきで様子を表す言葉を使ったりして、読み手により分かりやすい表現を用いていきたい。

[具体例]
- ○教科書 p.194のメモを振り返ってもよい。物語の様子を詳しく書くことを再度意識させる。
- ○例えば、「白ねこは、白いおなかを見せ、ばんざいをしたような格好で、ぐうんと長くのびている。ぽかぽかとした日差しを、独りじめしようとしているようだ。」

〈ICT の効果的な活用〉

調査：検索機能を用いて、物語の全文を調べることで、取材期間や記述期間を大幅に短縮することができる。期間を短縮することで、子供の意欲が失われることなく作品を完成させられる。

記録：完成した物語の活用方法として、廊下掲示や図書室での展示など、紙媒体での鑑賞のほかにも、共有アプリでの学年、学校での共有なども可能である。普段関わっていない教員からの称賛も今後の書くことへの意欲を高めることにつながる。

本時案

もう一つの物語

本時の目標

・学習の見通しをもつことができる。

本時の主な評価

・本単元の見通しを知り、物語の書き方を理解することができている。

資料等の準備

・教科書 p.220 「塩谷さんが書いた物語」

教科書p.220

塩谷さんが書いた物語
拡大図

（主な出来事）
・けがをしたことで、結末が変わっている
・「前書き」「設定」「主な出来事」「出来事の解決」「結末」で構成

授業の流れ▷▷▷

1 物語について振り返る 〈10分〉

T　1か月で何冊くらい本を読みますか。
・2日で1冊くらいだから、15冊です。
・1週間に1冊読むから、4冊くらい。
・1、2冊くらいかな。
○平成28年度文部科学省調査
小学校平均；11.4冊
中学校平均；4.2冊　　高校平均；1.4冊
T　どんな本が印象に残っていますか。
・「ふたりはともだち」
・「サーカスのライオン」
○なぜ印象に残っているかを聞き加えるとよい。物語の盛り上がりが確認できる。
○物語に偏らず、図鑑や詩集、伝記、説明的文章なども許容する。1人も出てこなければ、授業者から触れてもよい。

2 学習の内容をつかむ 〈7分〉

T　みなさんが印象に残っている本は、物語文が多いですね。
○教科書 p.217の文を読み、本単元の取り組みについて知る。
T　物語は、作者が心を込めて創り上げた完成された作品です。「そうぞう力」を高める学習の1つとしても取り組んでみましょう。
○過去に「ごんぎつね」（4年）や「スイミー」（2年）の続きを考えたことがあるなら、それに触れるとよい。
○教科書 p.217の「問いをもとう」を読み、登場人物を変えたり、解決の仕方を変更したりしてみる。例：登場人物の名前を変える。「プラタナスの木」“アラマちゃん”を“最高（斉藤）ちゃん”に変える。

もう一つの物語

学習の見通しをもとう。

1
○一か月で何さつ読むか。
・十五さつ・四さつ・一さつ
・小学生……十一さつ
・中学生……四さつ

2
○どんな本が印象に残っているか。
「ふたりはともだち」
↓二人でお手紙を待っている場面が
なかよしだと思ったから。
「サーカスのライオン」
↓じんざが男の子を助けた場面に
愛情を感じたから。

3
○書きかえの工夫を見つけよう。
・うさぎが足をひねったところ

3 作例を読み、書きかえる工夫をつかむ 〈20分〉

○教科書 p.220の作例を読み、どのように書くかを確認する。

T　文章をどのように書いていましたか。

・うさぎが足をひねったところが違います。
・うさぎがけがしたことでかめの行動も変わっています。
・前書きや設定が書かれています。

○大きく分けて、「前書き」「設定」「主な出来事」「出来事の解決」「結末」の５つで構成されていることを押さえる。それらが、うまくつながることができるようにする。

○作例は広く知られた寓話を基としている。みんなが知っている物語を活用することで、「…」と省略できることも押さえると、知らない（有名でない）お話を選ばなくなる。

4 物語の取材活動の仕方を知る 〈８分〉

T　自分が書く「もう一つの物語」の題材となる物語を選びましょう。

○１単位時間内で物語を決められない子供がいることが想定される。物語を選ぶ期間を保障してあげたほうがよい。子供には、次の授業がいつかを明確にしたうえで、それまでに選んでおくように伝えることが望ましい。

○過去に読んだ教科書の作品や有名な寓話・童話など、どの子供も知っている物語を選ばせると、のちのちの交流が行いやすい。

ICT 端末の活用ポイント

ICT 端末の検索機能を用いて、物語を検索することで、過去に読んだ教科書の物語や寓話・童話などを選びやすくなる。また、文章が載っている場合も多く、内容も思い出しやすくなる。

本時案

もう一つの物語

本時の目標

・作品を選び、変える部分を考えることができる。

本時の主な評価

❶作品を選ぶことができ、どの部分を変えるか見当をつけることができている。【知・技】

資料等の準備

・教科書 p.220 「塩谷さんが書いた物語」

・出来事や、その解決のしかた
→結末が大きく変わる。

3
○交流のポイント
・変わったことで別の何が変わったのか。
・どんな結末になりそうか。

授業の流れ ▷▷▷

1 作例を振り返り、工夫するポイントを確認する 〈10分〉

T　この授業の目標は何でしたか。

・元々ある物語を少し変えることで、違うおもしろさを読む人に感じてもらうことです。

○前時で、子供が作例から見つけたポイントを確認する。

T　教科書の例で工夫されていたポイントは何ですか。

・「前書き」「設定」など、５つで構成されていました。

・うさぎが足を痛めたことで、かめの行動も変わっていた。

○作品の変える部分を複数にすると、物語を複雑に変更することになる。そのため、変更点は１つにすることで統一するとよい。

2 作品を選び、変える部分を考える 〈20分〉

T　自分が書いてみたい物語を選びましょう。

・「さるかに合戦」にしよう。

・「ごんぎつね」を変えてみたいな。

○教科書 p.218を確認し、変える部分を考える。

T　物語が決まったら、どの部分を変えるか決めましょう。

・登場人物を変えようかな。

・場所を変えると意味合いが変わるよね。

○変える観点（「登場人物」「時」「場所」「主な出来事」「出来事の解決」）を示すことで、子供の考えを整理することが大切である。

もう一つの物語

作品と変える部分を考えよう。

1 ○書きかえの工夫を確かめよう。

・うさぎが足をひねったところ（主な出来事）

・けがをしたことで、結末が変わっている

教科書p.220
塩谷さんが書いた物語

・「前書き」「設定」「主な出来事」「出来事の解決」「結末」で構成

2 ○変える部分を考える

・登場人物の人物像や、登場人物そのもの
→行動や会話が変わる。

・時や場所
→出来事の意味合いが変わる。

3 交流を通して、変更部分の検討をする 〈15分〉

○単元の最後にクラスの友達と共有することを目的とするため、現時点では各班で交流するなど、相手意識を持続させる手立てを打つ。

T　交流するポイントは何だと思いますか。

・それを変えたことで、別の何が変わったのかも聞いたほうがいいと思います。

・どんな結末になるかも確認したほうがいいと思います。

○友達の意見を参考に、さらに思いついたことがあるなら、それを書き加えていく。

ICT 端末の活用ポイント

交流する際に原文を知らない友達もいる可能性があるので、その際は端末で物語の文章を検索し、友達に読んでもらうことで意見をもらいやすくすることもできる。

よりよい授業へのステップアップ

作品を選ばせる工夫

作品選びには、学級の実態を踏まえて２つの方法が考えられる。

①教員が選定した４、５作品のなかから子供に選ばせる方法。このやり方は、子供の自由度が狭まる代わりに、他の子の知らない作品となることが少なく、交流もしやすい。

②子供が自由に選ぶ方法。この場合は、子供が主体的に活動することが見込める。しかし、作品が決まらない、又は、長く難しい作品を選ぶことも予想される。その際は、教員が複数の作品を用意しておくとよい。

本時案

もう一つの物語

本時の目標

・構成メモを考えることができる。

本時の主な評価

・読む人を意識して、構成メモを考えることができている。

資料等の準備

・教科書 p.219 「物語の基本的な構成」「塩谷さんの構成メモ」
・構成表（子供用）
・付箋（学級の実態によって３色使用）
「例」→原文のままの内容（黄色の付箋）
原文から変えた部分（ピンクの付箋）
変えた部分によって変わった内容（黄緑色の付箋）

3
○交流のポイント
・流れのつじつまが合っているか。
・どんな結末になりそうか。

授業の流れ ▷▷▷

1 構成メモの書き方を知る 〈15分〉

T 今日の授業の目標は何でしたか。
・構成メモを書くことです。
○前時で、子供が決めた作品と、変更点を振り返る。
○教科書 p.219を読み、構成のメモの書き方を確認する。
T 教科書ではどんな構成になっていますか。
・「中」に、「主な出来事」と「出来事の解決」があります。
・それぞれの項目で、どんなことを書くか、簡単にメモに書かれています。
○教科書 p.219の「物語の構成を考えるときは」を読み、その他にもいろいろな構成があることを確認する。

2 読み手が楽しめるよう構成を考える 〈20分〉

T 教科書の構成を参考に、構成メモを作成しましょう。
・「前書き」は教科書の例を参考にしよう。
・僕は「主な出来事」を変えるから、それまでは原文と同じでいいかな。
○付箋を用意し、付箋にメモを書くことで、メモの文量を調整するとよい。
○原作の物語によって、ある程度構成が決まっていて、そこを大きく変えると、とても複雑化する。原作の構成の中に変更点を差し込む形にすると、苦手な子供でも書き進めやすくなる。
○原文を手元に用意して構成を考えるとよい。また、ICT 端末で原文を検索して確認することもできる。

もう一つの物語

構成メモを考える。

1

○書きかえの工夫を確かめよう。

・「中」→「主な出来事」「出来事の解決」

・項目ごとにメモ

かんたんな

・「前書き」を入れている

・原文の構成を変えていない

教科書p.219
物語の基本的な構成
塩谷さんの構成メモ

2

○ふせんの色分け

・黄色 → 原文のまま

・ピンク → 原文から変える部分

・黄緑色 → ピンクによって変わった部分

3 交流を通して、構成の検討をする〈10分〉

○単元の最後にクラスの友達と共有することを目的とするため、現時点では各班で交流するなど、相手意識を持続させる手立てを打つ。

T　交流するポイントは何だと思いますか。

・変えたことで、つじつまが合わなくなっていないかを確かめることです。

・終わり方が決まっているかも大事です。

○友達の意見を参考に、さらに思いついたことがあるなら、それを書き加えていく。

ICT 端末の活用ポイント

交流する際に原文を知らない友達もいる可能性があるので、その際はICT 端末で物語の文章を検索し、友達に読んでもらうことで比較・検討しやすくすることもできる。

よりよい授業へのステップアップ

付箋を活用する工夫

付箋を活用すると、メモする文量を制限するという効果がある。また、主たる変更点の付箋の色を変えたり、原作と変わっているところの付箋を変えたりするなど、視覚的に変更した箇所を分かりやすくすると、交流の際や振り返りの際に確認しやすくできる。

原文を生かす工夫

原文の構成自体を変えて、一から考え直す子供が出てくる可能性がある。しかし、内容や設定を変えるだけにとどめることが望ましい。『もう一つの物語』であり、新しい物語にしない。

本時案

もう一つの物語 

本時の目標

・表現を工夫して、物語の下書きをすることができる。

本時の主な評価

❷物語の「どこに」「何を」書けばいいかを考えることができている。【思・判・表】
・読む人のことを想像しながら書くことができている。

資料等の準備

・教科書 p.219 「塩谷さんの構成メモ」
・教科書 p.220 「塩谷さんの書いた物語」

友達・先生と交流（相談）する
⇔
書き終わった文章を読み直す

授業の流れ ▷▷▷

 下書きの書き方を知る 〈15分〉

T 今日の授業の目標は何でしたか。
・物語を下書きすることです。
○前時で、子供が決めた構成を振り返る。
○下書きの書き方を知るために、「構成メモ」と「作例」を比較する。
T 「構成メモ」から文章にするときに、どんな工夫がされていますか。
・前書きで原文を簡単に説明しています。
・「構成」では『けがをする』だけだったのに、「作例」では『足首を強くひねってしまった』『目に、なみだがあふれた』と詳しく書いています。
○会話や情景を詳しく書くことで、よりイメージしやすい文章につなげるよう指導する。

2 下書きを書く 〈25分〉

○変更していない所は、原文のまま書くことで時間を短縮させることができる。
T 文章を書き進める手順を確認しましょう。
・迷ったり、困ったりしたら「相談コーナー」で確認します。
・書き終わったら、文章におかしなところがないか、点検します。
○書く活動は個人作業になるが、迷ったり、困ったりしたときのために、「相談コーナー」（交流コーナー）を確保しておくことで、どの子供も安心して書き進められる。
○授業者は、書くのが苦手と思われる子から机間指導する。
○情景描写が苦手な子は、教科書 p.194「言葉でスケッチ」の学習を振り返らせる。

もう一つの物語

1

もう一つの物語を下書きしよう。

教科書p.219
塩谷さんの構成メモ

・「前書き」は原文をかんたんに説明している。
・情景をよりくわしく書く。
・カメの特ちょうを生かしたお話になっている。
（人物設定も重要）

2

教科書 p.220
塩谷さんの書いた物語

《進め方》
構成メモを見ながら書き進める
⇔

3 交流を通して、文章の検討をする〈5分〉

T　まずは自分で、文章の乱れや誤字・脱字がないか点検しましょう。
・あと少しで書き終わります。
・読み直したら、主語と述語がずれているところが見つかりました。
○書く活動の早さには、個人差が生まれる。そのため、早く書き終わった子供が文章を検討する時間を確保する。
T　まだ書き終わっていない人は、続きを書きましょう。自分で見直しが終わった人は、友達のも見てあげましょう。
・習った漢字はちゃんと使っているかな。
・「前書き」と「設定」が書かれているな。
○直しは、字を消すのではなく、赤鉛筆などを使用し、直す前の文も残しておくとよい。

よりよい授業へのステップアップ

机間指導の工夫

書く活動においてどのような支援が必要か、前時までに子供の学習状況を確認しておくとよい。物語の題材探し（第２時）や構成（第３時）で学習が遅れ気味の子供には、個人作業の段階で声掛けを行うのが望ましい。

声掛けの際は、構成メモを文章にどう書くかを迷っている場合が考えられる。本単元では、「前書き」や「設定」を初めに書くので、その際に支援を行うと効果的である。

本時案

もう一つの物語

本時の目標

・文章を推敲し、よりよい文章を書くことができる。

本時の主な評価

・読む人を意識して、表現の工夫を加えて書くことができている。

資料等の準備

・教科書 p.220 「塩谷さんの書いた物語」

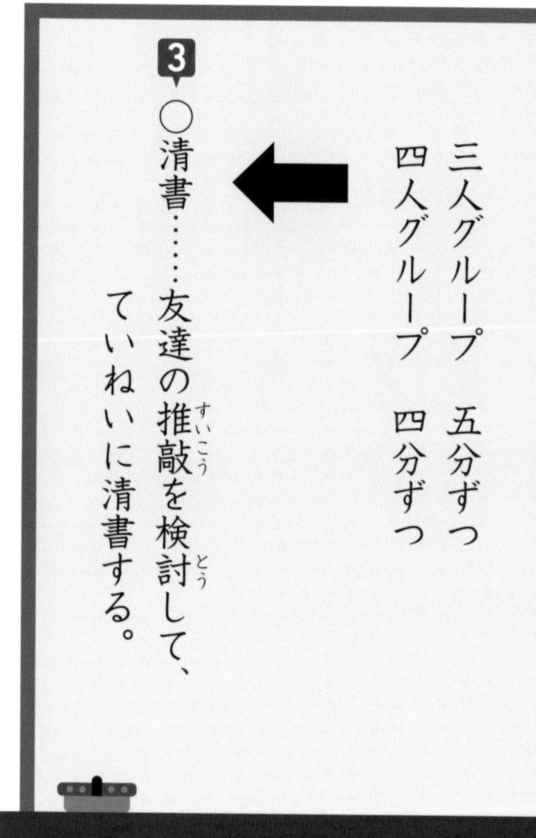

授業の流れ ▷▷▷

1 推敲の仕方を確認する 〈15分〉

T　今日の授業の目標は何でしたか。

・物語を推敲してから、清書することです。

○前時で、子供が書いた下書きを振り返る。

○下書きの推敲の仕方を確認する。

T　推敲で大事なことは何ですか。

・誤字がないか。漢字は使えているかです。

・「構成」で意識していた、物語の流れが変じゃないかです。

・情景描写を詳しく書くことも大事です。

・この授業の目的である、読む人を楽しませられるかが大事だと思います。

○情景を詳しく書けているかの推敲は難しい。作例の表現を基に確認するとよい。

2 表現の工夫も意識して推敲する 〈15分〉

○学級で一斉に推敲する場合、ほとんどの子供が書き終わっていることが前提となる。そのため、前時で書き終わっていない子供が多い場合は、下書きを書く期間を時間外も含め確保することが大事である。また、期間が確保できない場合は、教室内の下書きするスペースと交流するスペースを明確に分けることで、互いに集中して学習に取り組める。

T　各班で推敲しましょう。

・○○さんは、どういうふうに変えたかな。

○単元の最後にクラスの友達と共有することを目的とするため、各班で交流するなど、相手意識を持続させる工夫をする。

○可能な場合、作品と一緒に「構成メモ」を確認することで、より詳しく推敲できる。

もう一つの物語

推敲（すいこう）して、清書しよう。

1

《推敲のポイント》
・まちがっている字
習った字のチェック
・物語の流れ、結末
・情景をより
くわしく書く。
・読む人におもしろさ
が伝わっているか。

教科書p.220
塩谷さんの書いた物語

2

○交流時間　十五分

3 推敲をふまえて、文章を完成させる 〈15分〉

T　推敲が終わった班から清書をしましょう。
・友達が直してくれたところを踏まえて清書していこう。
・私たちのグループは人数が多いし、もう少し推敲してから清書しよう。
○清書用の用紙は、この作品をどう活用するかで考えるとよい。

ICT 端末の活用ポイント

清書の一つの方法として、端末の文章作成ソフトを活用して、物語を書くこともできる。ICT端末を利用して物語を作成すると、他クラスとも共有しやすい。ただし、打ち込む速度に手書き以上に差が生じやすい。また、誤字・脱字がないかしっかりとした確認が必要になる。

よりよい授業へのステップアップ

推敲の工夫

推敲の仕方も、学級の実態に応じていろいろな工夫ができる。①一人の作品を全員で検討する方式。学力に差があるグループづくりをしていても補い合える。また、作者がどのような意図で書いたか説明できる。しかし、時間がかかるため一作品の検討時間は短い。

②回し読む方式。作品をじっくり読んで検討できる。グループ構成の人数によっては、時間も早く回る。しかし、学力差が推敲力に影響する。

友達の直しに対し、自分が納得した所だけを直せばよいことを確認する。

本時案

もう一つの物語

本時の目標

・文章を読み合い、お互いのよいところを伝え合おうとする。

本時の主な評価

❸文章を読み合い、お互いのよいところを伝え合うことができている。【態度】

資料等の準備

・付箋　または　メッセージカード
（相手に感想を伝えられるもの）

3
《書く》
・登場人物になったつもりで書く。
・出来事とその解決がつながるように書く。
・設定と出来事、解決、結末などが、うまくつながるように書く。
◎構成を意識しながら物語を読んで（書いて）楽しもう。

授業の流れ ▷▷▷

1 共有の仕方を確認する 〈7分〉

T　今日の授業の目標は何でしたか。
・友達の物語を読み合い、いいところを見つけることです。
○前時で、子供が書いた清書を振り返る。
T　いよいよ楽しみにしていた共有ですね。友達の作品を読む際のルールを確認しましょう。
・友達の作品のよいところを探します。
・よいと思ったところを付箋に書きます。
○内容がおもしろかったところや構成の工夫などを具体的に伝えるよう指導する。
○共有の仕方も学級の実態に応じ、付箋などを使用する工夫が考えられるが、口頭伝達はなるべく避けることが望ましい。記述式の方が、評価の際によいところを見つけやすい。

2 共有して、感想を伝え合う 〈25分〉

T　それでは、共有しましょう。
・楽しみだな。
・どこを変えたのかな。
○４～５人は感想を書いてもらえるよう、時間を考慮できるとよい。
○共有相手は、学級の実態に応じて、指名でも、無作為でもよいが、ある作品が全然読まれないことのないように注意する。また、欠席した子供も、その作品を読んで感想がもらえるよう配慮する。

ICT 端末の活用ポイント

清書を ICT 端末に書いた場合は、ICT 端末を使って読むこととなるため、ICT 端末を介して感想交流をさせてもよい。

もう一つの物語

文章を読み合い、よいところを見つけよう。

1
○共有の仕方
・作品のよいところを見つける。

おもしろかったところ
構成の効果　など

2
○共有時間
二十五分
◇時△分まで

○物語のまとめ

3 物語の工夫をまとめる　〈13分〉

T　友達からもらった感想を読みましょう。
・私の工夫を褒めてくれていてうれしい。
・登場人物が変わったから、結末が変わったのに気付いてくれている。
○共有を通して、「書いてよかった」という実感を醸成したい。
T　書くときにどんな工夫をしましたか。
・登場人物になったつもりで行動を考えました。
・出来事とその解決がつながるように書きました。
・結末を意識して書きました。
○教科書 p.221の「たいせつ」を読んで、物語の効果的な構成の仕方（のこつ）をまとめる。

よりよい授業へのステップアップ

作品の活用の工夫

書く活動は、他の領域に比べて子供の意欲が低いことがある。書く労力とその活用が見合わないことが原因の１つである。学級の中での読み合いにとどまらず、幅広く活用することで、子供の書く意欲の高まりが促せると考える。

例えば、①図書室に「もう１つの物語」として掲示してもらい、他学年でも読めるようにする。②校長先生や図書館司書の先生などに読んでもらい、表彰してもらう。③ ICT 端末で書いた場合、他校の同学年と共有し合うなど、電子化を生かして遠距離の交流も考えられる。

事実と感想、意見とを区別して、説得力のある提案をしよう

「子ども未来科」で何をする

（6時間扱い）

単元の目標

知識及び技能	・話し言葉と書き言葉との違いに気付くことができる。((1)イ) ・文の中での語句の係り方や語順、文と文との接続の関係、話や文章の構成や展開、話や文章の種類とその特徴について理解することができる。((1)カ)
思考力、判断力、表現力等	・話の内容が明確になるように、事実と感想、意見とを区別するなど、話の構成を考えることができる。(A イ) ・資料を活用するなどして、自分の考えが伝わるように表現を工夫することができる。(A ウ)
学びに向かう力、人間性等	・言葉がもつよさを認識するとともに、進んで自分が選んだ課題について提案をし、思いや考えを伝え合おうとする。

評価規準

知識・技能	❶話し言葉と書き言葉との違いに気付いている。(〔知識及び技能〕(1)イ) ❷文の中での語句の係り方や語順、文と文との接続の関係、話や文章の構成や展開、話や文章の種類とその特徴について理解している。(〔知識及び技能〕(1)カ)
思考・判断・表現	❸「話すこと・聞くこと」において、話の内容が明確になるように、事実と感想、意見とを区別するなど、話の構成を考えている。(〔思考力、判断力、表現力等〕A イ) ❹「話すこと・聞くこと」において、資料を活用するなどして、自分の考えが伝わるように表現を工夫している。(〔思考力、判断力、表現力等〕A ウ)
主体的に学習に取り組む態度	❺自分が選んだ課題について粘り強く情報を集めたりスピーチの構成を考えたりすることを通して、説得力ある提案にしようとしている。

単元の流れ

次	時	主な学習活動	評価
一	1	学習のおおよその見通しをもち、学習課題を設定する。 **学習の見通しをもつ** 聞く人に納得してもらえるような、説得力のある提案をしよう 教科書の内容を確認し、学習の見通しをもつ。 考えてみたいテーマを決める。	❶
二	2 3	スピーチの大まかな構成をつかみ、テーマについての情報を集める。	❺
	4	スピーチの構成を考える。	❸
	5	お互いのスピーチを聞き、気付いたことを伝え合う。	❹
三	6	単元を通して学んだことを自分の言葉でまとめる。 **学習を振り返る**	❷

授業づくりのポイント

〈単元で育てたい資質・能力〉

本単元のねらいは、事実と感想、意見とを区別しながら話の構成を考え、説得力ある提案ができるようになることである。そのためには、「初め」「中」「終わり」「頭括型」「尾括型」「双括型」といった文章構成や型、事実と意見を区別する文末表現といった、これまで説明的文章で扱ってきた力や本単元で新たに取り上げる力を関連させながら学習していくことが必要となる。事実と感想、意見の区別や資料の活用といった力が、表面的ではなくより実践的な力として子供に培われるようにしたい。

〈教材・題材の特徴〉

本教材は「子ども未来科」という架空の教科において、どのようなことを学ぶとよいかを考えて提案をするという設定となっている。教科書には２つの QR コードが添付されており、学習課題の設定やモデルとなるスピーチの姿を視覚的に共有することができるため、積極的に活用したい。さらに、提案をする上での目的意識が「よりよい未来のためにどんなことを学ぶとよいか」となっており、社会的なテーマや課題が掲載されている。社会科や総合的な学習の時間と関連させることで、子供たちの学ぶ意欲や問題意識が持続すると考える。一方、テーマが大き過ぎるため、自分ごととして捉えられず、結果、表面的な学習となってしまうことが懸念される。一人一人の思いに合致した提案となるよう工夫したい。また、教科書には、誰に向けて提案するのかについては、記載されていない。誰に対して提案をするのかをまずは明確にして、その上で説得力をもたせるためにはどうしたらよいか、考えさせることが大切である。目的意識と相手意識が全てのスタートであることを忘れないようにしたい。

［具体例］

○「誰に、何を」提案するのかを明確にさせる。「誰に」を考える際には「先生」「クラスの友達」「学校全体」「保護者」といった例を示すとよい。「何を」を考える際には、「どのようなことを学ぶとよいか」と併せ「何を知ってもらいたいか」「こうなってほしい」といった視点から考えることで、「子ども未来科」という設定を生かしながら、社会的な問題から身近な問題までも含めて考えることができ、より自分ごととして取り組むことができるであろう。

〈言語活動の工夫〉

QR コードやウェブ上にある動画を提示し、スピーチの姿を具体的にイメージさせたい。また ICT 端末にある「アンケートによるデータ収集」や「集めたデータのグラフ化」といった機能を活用しながらスピーチの準備に取り組ませることで、より説得力ある提案へとつながるであろう。

〈ICT の効果的な活用〉

調査：ウェブブラウザを用いて、自分の提案内容に関する情報を収集する。また、関係者へインタビューした際の様子を動画撮影し、あとのスピーチに活用することも考えられる。

記録：端末の録画機能を用いてスピーチの内容を記録することで、自分のスピーチを客観的に振り返ることができ、説得力ある提案の具体的な姿をイメージしやすくなる。

共有：録画した自分のスピーチを学習支援ソフトやブラウザ上のアプリを用いてクラウドに保存することで、いつでもお互いのスピーチの様子を閲覧できる。コメント機能を可とすることで、学校以外の場所からでも子供同士のやり取りが可能となる。

本時案

「子ども未来科」で何をする　1/6

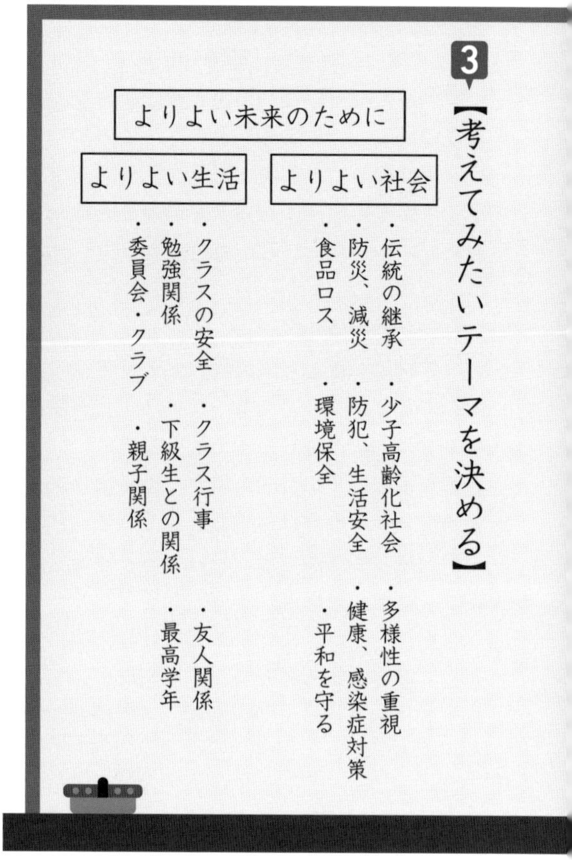

本時の目標

・学習の見通しをもち、学習課題に沿って提案のテーマを決めることができる。

本時の主な評価

❶話し言葉と書き言葉との違いに気付いている。【知・技】
・学習課題に沿って、提案のテーマを決めている。

資料等の準備

・「学習課題」を書くための短冊
・学習計画表を書くための模造紙

3 【考えてみたいテーマを決める】

よりよい未来のために

よりよい社会
・伝統の継承
・少子高齢化社会
・多様性の重視
・防災、減災
・防犯、生活安全
・健康、感染症対策
・食品ロス
・環境保全
・平和を守る

よりよい生活
・クラスの安全
・クラス行事
・友人関係
・勉強関係
・下級生との関係
・最高学年
・委員会・クラブ
・親子関係

授業の流れ ▷▷▷

1 動画を見て、気が付いたことを発表する〈10分〉

○教科書 p.222の QR コードにある動画を視聴し、気付いたことを発表する。
T　どのような構成で提案していましたか。
・意見を最初に言っていました。(頭括型)
・給食当番での出来事や仲のよい友達へのアンケート結果を伝えていました。
T　もっと説得力を増すために、どうしたらよいと思いますか。
・最初に言った意見を、最後にも言ったほうがよいと思います。(双括型)
・相手に問いかけるとよいと思います。

ICT 端末の活用ポイント

気が付いたことや改善点を学習支援ソフトやウェブ上の掲示板アプリ等に記入させることで以降の学習の中で随時確認することができる。

2 学習課題をもち、学習計画を立てる〈15分〉

T　この学習を通して、どんなことが解決されたらよいでしょうか。
・説得力のある提案ができるようになることです。
○学習課題を子供と共有し、板書する。
○６時間の学習計画を立てる。
○学習課題や学習計画は単元を通して使用するため、画用紙や模造紙に記載し、常時掲示できるようにするとよい。
○「提案」と「要求」の違いを確認する。
提案：相手にメリットのある話
要求：自分にメリットのある話
○「誰に、何を」提案するのかを明確にさせる。「誰に」を考える際には「先生」「クラスの友達」「学校全体」「保護者」といった例を示すとよい。

「子ども未来科」で何をする

1

【動画を見て気が付いたこと】

○最初に意見を伝えていた。

○給食当番の出来事や仲のよい友達へのアンケート結果を伝えていた。

△最初に言った意見を最後にも重ねて言ったほうがいい。

△ずっと話をしていた→問いかけたり資料を見せたりする。

⇦

2

聞く人になっとくしてもらえるような、説得力のある 提案 をしよう。

【学習計画】

① 考えてみたいテーマを決める。

② ③情報を集め、資料を作成する。

④ スピーチの構成を決める。

⑤ スピーチの練習をする。

⑥ 本番のスピーチをする。

⑦ 学習のまとめをする。

要求：自分にメリット

提案：相手にメリット

⇦

いかに相手の立場になって考えられるかが、提案では大切（相手意識）

3 考えてみたい提案のテーマを決める 〈20分〉

T　みなさんが考えてみたいテーマは何ですか。

○教科書 p.223にある「よりよい未来のために考えてみたいテーマ」を、「よりよい社会」「よりよい生活」という2つの項目に分けて考えさせることで、社会的な課題から身近な生活課題までも取り扱うことができる。

○教師が用意したテーマのなかから選ばせるといった流れでもよい。

○決まったテーマをノートに書く。

○提案内容や提案相手は、次時以降で決めていくことを伝える。

ICT 端末の活用ポイント

クラウド上で意見を書かせることで、発表と交流が同時にできる。また、意見の分類も容易になる。

よりよい授業へのステップアップ

子供の思いを土台としたテーマ設定

「自分の提案が通るかもしれない」という実現可能性を保証することが主体的な学びにおいて大切である。そのため、提案内容がクラスの友達から支持を得る場合には、その提案が実現されるよう配慮する必要がある。また、社会的な課題だと、学習に対して前向きになりづらい子供も一定数いることが考えられる。そのため、身近な生活課題につながるようなテーマも含めて考えさせることで、子供一人一人の思いに寄り添った学習となるだろう。

本時案

「子ども未来科」で何をする

本時の目標

・自分の選んだテーマに関する情報を集めようとする。

本時の主な評価

❺自分の選んだテーマに関する情報を多様な方法を用いて粘り強く集めている。【態度】

資料等の準備

・「スピーチメモの工夫」と「スピーチの工夫」を記入するための模造紙（２枚）
・情報収集ワークシート（実態に応じて使用）⏬ 22-01

2【情報の集め方】（p.223参考）
・本　新聞　事典　＝図書資料
・インターネット検索
3
・アンケート調査
・インタビュー
相手の都合を最優先
相手の負担は最小限
そのための最大限の準備
・自分の体験談

授業の流れ ▷▷▷

1 スピーチでの目指す姿と大まかな構成を共有する 〈15分〉

T　この学習は何のためにやっていますか。
T　今日はどんなことを学習しますか。
○毎時間の最初には、学習課題と本時のめあてを確認するようにする。
○ p.224のスピーチメモや p.225にある QR コードの山下さんのスピーチを確認し、気付いたことや工夫点を発表する。
・提案→課題→分析→根拠→提案というスピーチメモになっていました。
・食品ロスについてグラフを使って説明していました。
・聞いている人に向けて質問していました。
○出された意見を「スピーチメモの工夫」「スピーチの工夫」に分けて模造紙に整理する。

2 情報の集め方について確認する 〈10分〉

T　どうやって情報を集めますか。
・本や新聞、辞典などの図書資料や、インターネット検索などの方法があります。
・アンケートやインタビューをします。
○ p.223下段にある文言を参考に板書する。
○アンケートやインタビューは、本やインターネットと違い相手がいるため、必要な段取りについては適宜指導する。また、調査協力者には、事前に教師から連絡を入れておく。
○ NHK には情報の集め方について扱った動画がある。子供の理解に役立てたい。

ICT 端末の活用ポイント

アンケート作成アプリを活用することで、回答の回収と集計が短時間でできる。また、データのグラフ化も容易となる。

「子ども未来科」で何をする

聞く人になっとくしてもらえるような、説得力のある提案をしよう。

1 ゴールの姿をイメージした上で、テーマに関する情報を集めよう

【スピーチメモの工夫】
・資料のマークがある。
・提案→課題→分析→根きょ
→提案の文章構成

【スピーチの工夫】
・食品ロスについて調べている。
・グラフを使って説明している。
・相手の目を見て話している。
・相手に問いかけている。

3 提案に必要な情報を集める〈65分〉

T　課題や根拠といった事実を集めましょう。

○前時で子供が選んだテーマから、関連すると思われる図書資料やインターネットサイトを、事前に準備しておくとよい。

○アンケートの希望が多い場合には、重複するアンケート項目を削除し項目数を減らす、回答日時を指定するといった配慮をする。

○集めている情報が目的とそれている場合には、声をかけて軌道修正をする。

○授業時間内での情報収集が困難な子供には、家庭学習内で集めるよう、声をかける。

ICT 端末の活用ポイント

表計算アプリで作成した進捗状況確認表を用いることで、自分や友達の進捗状況を随時確認でき、見通しをもって学習に取り組める。

ICT 等活用アイデア

情報収集における ICT の効果的な活用と相手意識

動画機能やプレゼンテーションアプリ、描画作成アプリやアンケート作成アプリといった ICT の力を活用することで多種多様な情報を集められ、集めた情報を効果的に提示できるため、大いに取り入れたい。一方で、相手意識を念頭に置いて情報収集させることを忘れてはならない。相手とは、提案相手や調査協力者である。特に調査協力者に対しては、細心の注意が求められる。失礼にならない対応がとれるよう指導することは、メディアリテラシーの観点からも大切である。

本時案

「子ども未来科」で何をする 4/6

本時の目標

・事実と感想、意見とを区別しながらスピーチメモを作成することができる。

本時の主な評価

❸話の内容が明確になるように、事実と感想、意見とを区別しながらスピーチの構成を考えている。【思・判・表】

資料等の準備

・拡大した山下さんのスピーチメモ
・第２時で使用した「スピーチメモの工夫」と「スピーチの工夫」の模造紙
・スピーチメモワークシート（実態に応じて使用）22-02

教科書p.224
山下さんの作ったスピーチメモ

【構成を考えるときは】（p.224参考）
○事実と意見を区別する。
・事実＝本当にあったこと
だれでも確かめられること
・意見＝その人が考えたこと
○提案の根拠となる体験や事実を示す。

授業の流れ ▷▷▷

1 山下さんのスピーチメモの工夫を確認する 〈10分〉

T　p.224にある山下さんの工夫は何ですか。
・「初め」「中」「終わり」で双括型の構成です。
・資料を見せることが書いてあります。
○p.224の下段を見て、事実と意見を確認する。
T　事実が書かれているのはどこですか。
・「現状の課題」と「根拠」です。
T　意見が書かれているのはどこですか。
・「提案」「分析」「根拠」「まとめ」です。
○第２時で使用した「スピーチメモの工夫」に、今回出された子供の意見を追加する。

ICT端末の活用ポイント

事実と意見の区別を扱った動画「具体的に伝えるためのコツ」がNHK for schoolで公開されている。ICT端末に番組のURLを送り、家庭学習として事前に見せておくとよい。

2 スピーチの構成を考え、スピーチメモを作る 〈25分〉

T　確認したことを基にして、スピーチメモを作りましょう。
○スピーチ原稿でなく、あくまでもメモであることを伝える。必要に応じて、教師が自作したメモを提示したり、字数制限を設けたりといった工夫を取り入れる。
○作成状況を随時確認し、論理的に矛盾がある場合には声をかけて修正を促す。
○メモができた子供は、足りない情報を集めたり、資料を作成したりする時間にあてる。

ICT端末の活用ポイント

情報の集め方についてもNHKで公開されている。視聴させることで、情報収集への理解が深まることが期待できる。

「子ども未来科」で何をする

聞く人になっとくしてもらえるような、説得力のある提案をしよう。

スピーチの構成を考え、スピーチメモを完成させよう。

【スピーチメモの工夫】
・資料のマークがある。
・提案→課題→分析→根拠→提案の文章構成
・初め　中　終わり　の文章構成
・双括型の構成
提案　＝意見
課題　＝事実
分析　＝意見
根拠　＝事実・意見
まとめ＝意見
・メモが短い＝要点のみ書いてある。
・「よりよい未来」につながる提案をしている。

【スピーチの工夫】
・食品ロスについて調べている。
・グラフを使って説明している。
・相手の目を見て話している。
・相手に問いかけている。
△メモに書いてあることを読むだけ。
△自分が話して終わってしまった。
↓相手に問いかけられなかった。
↓目を見ながら話せなかった。
△意見ばかりで事実が少なかった。
△もう少し資料を大きくしたい。

3 完成したスピーチメモで即席のスピーチをする　〈10分〉

T　今できているメモを見ながら、スピーチをしてみましょう。

○ペア同士でスピーチをし合う。

○まだメモが完成していない子供も、できる範囲でスピーチを行うよう、促す。

T　やってみての感想を教えてください。

・メモに書いてあることを読むだけになってしまいました。

・問いかけることができず、自分の話で終わってしまいました。

○第２時で使用した「スピーチの工夫」に、今回出された子供の意見を追加する。

T　今挙がった反省を踏まえて、次の時間では説得力ある提案ができるよう、スピーチの練習をしていきましょう。

よりよい授業へのステップアップ

既習事項を生かしたスピーチメモづくり

教科書にある山下さんのスピーチメモは、「初め」と「終わり」に「農業を学ぶ」という自分の意見が書かれた双括型の構成となっている。また、メモのように情報を端的にまとめる力は、段落の要点をまとめる力に近い。そのメモを見ながら補足説明や具体例を交えてスピーチする姿は、字数に合わせて表現を変える要約の力といえよう。主に説明的文章で身に付けてきたこれらの力を今回の学習と関連させるよう価値付けることで、より深い学びへとつながっていくことが期待できる。

本時案

「子ども未来科」で何をする 5/6

本時の目標

・スピーチをしたりスピーチを聞いたりすることを通して、説得力のある提案にするためにはどうしたらよいか考えをもつことができる。

本時の主な評価

❹資料を活用するなどして、自分の考えが伝わるように表現を工夫している。【思・判・表】

資料等の準備

・第４時で使用した「スピーチの工夫」の模造紙

3【スピーチ練習を終えて】

・メモにないこともスピーチができた。

・「資料を出すときに、ゆっくり出すようにしたらいい」という助言をもらった。

・「もっと熱意をもって話したほうがいい」と言われた。

→本番ではもっと気持ちをこめてスピーチする。

授業の流れ ▷▷▷

1 山下さんのスピーチの工夫を確認する 〈10分〉

T　以前確認した山下さんのスピーチの工夫と、前時の最後に行ったスピーチを終えて出された感想を確認しましょう。

○第４時で使用した「スピーチの工夫」を提示し、全体で確認する。

○ p.225にある文末表現について確認する。

T　文末の表現を変えるだけで、事実の文になったり意見の文になったりします。今日は、この文末表現にも気を付けながら練習しましょう。

○必要に応じて、第２時で見た山下さんのスピーチ動画を再度視聴することも考えられる。

2 グループに分かれてスピーチの練習をする 〈25分〉

T　グループに分かれて、スピーチの練習をしましょう。

○空き教室が利用できるのなら、クラスを二手に分けて実施するとよい。

○３人グループをつくる。似たテーマや同じ提案相手同士でグループを編成することで、より具体的で実践的な助言が期待できる。

○１人のスピーチが終わるごとに残りの友達は助言を伝えるようにする。

ICT 端末の活用ポイント

端末で動画撮影をし、その動画を見返しながら助言を伝え合うようにする。教師が評価をする際にも活用できる。

「子ども未来科」で何をする

聞く人になっとくしてもらえるような、説得力のある提案をしよう。

1 説得力のある提案にするためにはどうしたらいいかを考えながらスピーチをしよう

2

【スピーチの工夫】
・食品ロスについて調べている。
・グラフを使って説明している。
・相手の目を見て話している。
・相手に問いかけている。
△メモに書いてあることを読むだけ。
△自分が話して終わってしまった。
→相手に問いかけられなかった。
→目を見ながら話せなかった。
△意見ばかりで事実が少なかった。
△もう少し資料を大きくしたい。
・文末表現を意識する
（p.225下段）

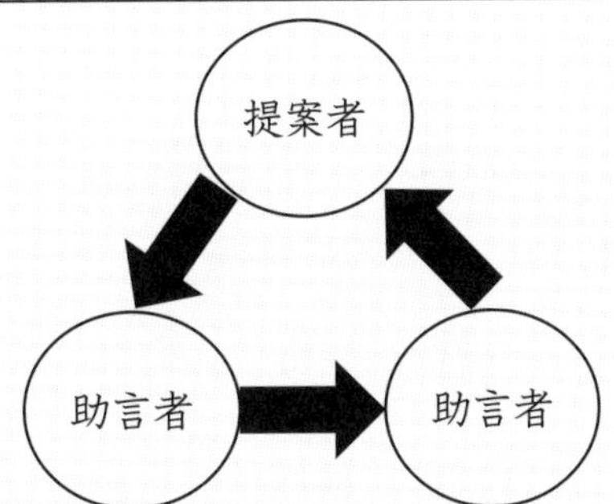

・提案の様子を動画撮影する
・提案終了後、動画を見ながら意見を伝え合う
・終わったら次の人に交代する

3 クラス全体で共有する 〈10分〉

T　今日の練習の成果と課題を発表します。
・メモにないこともスピーチができました。
・「資料を出すときに、ゆっくり出すようにしたらいい」という助言をもらいました。
・「もっと熱意をもって話したほうがいい」と言われたので、本番ではもっと気持ちをこめてスピーチしたいです。
○数名の子供のスピーチを教師が動画撮影し、全体で共有することで、説得力ある提案の姿をより具体的に認識できる。
T　今日の反省を生かして、説得力のある提案をしていきましょう。

ICT 端末の活用ポイント

学習支援ソフトを用いてクラウド上に意見を書かせることで、発表と交流を同時にできる。

ICT 等活用アイデア

自分の姿を客観的に見ることができる動画機能

スピーチは、日記や作文と違い、目に見えず、残らない。そのため、自身のスピーチの様子を視覚化することが必要である。その手立てとして、ICT端末の動画機能を活用することが有効である。撮影した姿を基にしながら交流することで、より具体的で実践的な意見交換が期待でき、自分の課題がより明確になる。音読の宿題を出す際にも、自分のスピーチを動画撮影し、その動画データを学習支援ソフトで教師宛てに投稿させるといった方法も考えられる。

本時案

「子ども未来科」で何をする

本時の目標

・活動を振り返り、説得力ある提案にするために必要なことは何か自分の言葉でまとめることができる。

本時の主な評価

❷文の中での語句の係り方や語順、文と文との接続の関係、話や文章の構成や展開、話や文章の種類とその特徴について理解している。【知・技】

資料等の準備

・第4時で使用した「スピーチメモの工夫」の模造紙
・第5時で使用した「スピーチの工夫」の模造紙

【今後何かを提案するとき意識すること】
・文末の言葉を意識する。（事実と意見）
・具体的なデータを示す。
・意見だけでなく、事実を示すことで説得力が増す。
・自分だけが話すのではなく、相手も参加できるような話し方をしていきたい。

授業の流れ ▷▷▷

1 グループに分かれてスピーチをする〈15分〉

T　これまで学習してきたことを確認しましょう。

○模造紙に記録してある「スピーチメモの工夫」「スピーチの工夫」や、前時の振り返りを提示しながら、提案をする際に意識することを確認する。

T　グループに分かれて、提案をしましょう。

○第5時とは異なる3人グループをつくる。提案が終わったら、聞いていた子供は感想を伝えるようにする。

○空き教室が利用できるのなら、クラスを二手に分けて実施するとよい。

2 代表者によるスピーチを視聴する〈15分〉

○提案相手を「クラス」にしている子供を代表者として、全体の前でスピーチを行わせる。

T　今の○○さんの提案を聞いて、「納得できた」と思った人は教えてください。

○挙手の数（全体の8割以上など）に応じて、提案を採択するかどうかを決める。クラスの実態によっては、匿名性を保障するため記入式にする。

○クラス内で完結することが難しい相手（保護者など）を提案先にしている子供については、授業外の時間で提案相手に向けて提案を行うように促す。

「子ども未来科」で何をする

聞く人になっとくしてもらえるような、説得力のある提案をしよう。

これまでの学習を生かしてスピーチをし、身に付いた力を確かめよう

【スピーチメモの工夫】
・資料のマークがある
・提案→課題→分析→根きょ
→提案の文章構成
・初め　中　終わり　の文章構成
・双括型の構成
提案　＝意見
課題　＝事実
分析　＝意見
根拠　＝事実・意見
まとめ＝意見
・メモが短い＝要点のみ書いてある
・「よりよい未来」につながる提案をしている

【スピーチの工夫】
・食品ロスについて調べている
・グラフを使って説明している
・相手の目を見て話している
・相手に問いかけている
△メモに書いてあることを読むだけ
△自分が話して終わってしまった
→相手に問いかけられなかった
→目を見ながら話せなかった
△意見ばかりで事実が少なかった
△もう少し資料を大きくしたい
・文末表現を意識する（p.225下段）

3 「説得力ある提案」についての自分の考えをまとめる　〈15分〉

T　今後何かを提案するときには、どんなことに意識していきますか。

・具体的なデータを示すことで、説得力が増すことが分かったので、意見だけでなく事実となるデータも一緒に見せたいです。

・問いかけたり考えてもらったり、聞いている相手も参加できる提案がしたいです。

○意図的指名による発言も織り交ぜながら発表を行うことで、学びが深まる。

T　今回学んだことを日々の生活につなげていきましょう。

ICT 端末の活用ポイント

子供の記述をテキストマイニングソフトにかけることで、多く出てくる言葉を抽出し、学んだことの全体傾向をつかむことができる。

よりよい授業へのステップアップ

授業での学びを他教科や実生活に生かす

今回の学習で身に付けた力が日常生活で発揮される場面を意図的につくりたい。例えば、係や当番がクラスに向けて提案する場面や、学級会の議題を提案する場面などが挙げられる。ほかにも本単元で学習した「目的意識・相手意識」「事実と意見の区別・文末表現」「資料作成」といった力は、理科や社会科、総合といった他教科でのスライド作成や発表に生かすことができる。国語科で学んだ力を他教科や実生活で発揮できるよう、学びを価値付けていくことが求められる。

資料

1 第2、3時資料　ワークシート 22-01

「子ども未来科」で何をする　情報収集ワークシート

第2・3時　配布用

名前（　　　　　　　　　　　　）

選んだテーマ	
テーマに関する課題	本単元はノートで情報収集や考えの形成を行うことを想定している。本ワークシートをノートにまとめる際の参考として提示するのか、全ての子供に配布するのか、支援が必要な子供にのみに配布するのかはクラスの実態に応じて判断してもらいたい。
課題の分析	
根きょ	
提案内容	
提案相手	

2 第4時資料　スピーチメモ 22-02

「子ども未来科」で何をする　スピーチメモ

名前（　　　　　　　　　　）

初め	提案内容	
中	現状の課題	
	課題の分析	
	根きょ	
終わり	まとめ 提案内容	

第4時　配布用

A4やB5だと、サイズ的に書けるスペースが多くなり、メモではなくスピーチ原稿になる懸念がある。そのため、あえてA5やB6といった小さいサイズで印刷するという方法も考えられる。実態に応じて判断してもらいたい。

登場人物の心情の変化に着目して読み、物語のみりょくを伝え合おう

大造じいさんとガン　6時間扱い

単元の目標

知識及び技能	・比喩や反復などの表現の工夫に気付くことができる。((1)ク) ・文章を音読したり朗読したりすることができる。((1)ケ)
思考力、判断力、表現力等	・文章を読んでまとめた意見や感想を共有し、自分の考えを広げることができる。(C カ) ・人物像や物語などの全体像を具体的に想像したり、表現の効果を考えたりすることができる。(C エ)
学びに向かう力、人間性等	・言葉がもつよさを認識するとともに、進んで読書をし、国語の大切さを自覚して思いや考えを伝え合おうとする。

評価規準

知識・技能	❶比喩や反復などの表現の工夫に気付いている。(〔知識及び技能〕(1)ク) ❷文章を音読したり朗読したりしている。(〔知識及び技能〕(1)ケ)
思考・判断・表現	❸「読むこと」において、文章を読んでまとめた意見や感想を共有し、自分の考えを広げている。(〔思考力、判断力、表現力等〕C カ) ❹「読むこと」において、人物像や物語などの全体像を具体的に想像したり、表現の効果を考えたりしている。(〔思考力、判断力、表現力等〕C エ)
主体的に学習に取り組む態度	❺積極的に意見や感想を共有し、学習の見通しをもって物語の魅力を伝え合ったり、主人公の考え方について考えたりしようとしている。

単元の流れ

次	時	主な学習活動	評価
一	1	学習の見通しをもつ 題名読みをし、物語の内容を想像する。 教材文の範読を聞き、物語の設定（時、場、登場人物、大体の内容）を確認する。 「自分が感じた作品の魅力をまとめて紹介し合う」というゴールイメージを共有しつつ、印象に残ったことや疑問に思ったこと、学習してみたいことなどから学習課題を設定し、学習計画を立てる。	
二	2	大造じいさんの残雪に対する心情と、その変化に着目して物語の内容を捉える。	❷
	3	「山場」という言葉を知る。 「山場」に焦点化し、大造じいさんの心情の変化、大造じいさんと残雪との関係性の変化を読み取る。	❹
	4	情景描写に着目し、表現があることの効果や読者に与える印象について話し合う。	❶
三	5	学習を振り返る 登場人物の心情や考え方の変化、文章表現や物語の設定など、自分が魅力的だと感じているものについて、自分の考えをまとめる。	❺

	6	作品の魅力について考えをまとめたものを紹介し合って考えを比べ、感じ方、考え方の違いを楽しむ。	❸

授業づくりのポイント

〈単元で育てたい資質・能力〉

本単元は、大造じいさんの人物像や残雪への見方の変化について、心情や場面の様子を表す表現等複数の叙述に着目して読み取り、具体的に想像する力を育むことをねらいとしている。子供たちは、直接的な表現や行動、会話などから心情を読み取れることを既に学習している。この作品では豊かな情景描写によっても登場人物の心情が表現されているため、その表現の効果について考えさせたい。また、学習のゴールを「自分が感じた作品の魅力をまとめて紹介し合う」とすることで、自分の考えと友達の考えとを多角的に比較したり、考えを広げたりすることにもつなげたい。

〈教材・題材の特徴〉

本教材は、前書きと本文の４つの場面で構成されている。狩人である大造じいさんは、ガンの頭領である残雪の存在ゆえに様々な作戦を立てざるを得なくなり、いまいましさを感じている。しかし、クライマックスでの残雪とハヤブサとの戦い後、残雪への見方を大きく変える。そのことが、豊かな情景描写や、残雪に対する呼称、大造じいさんの言動などから読み取れる。また、戦いの様子は短い文章で畳みかけるように書かれており、戦いの激しさが伝わる。物語全体を大きく捉えて、表現と表現とを同じ視点でつなぐ読み方をすることで、大造じいさんの心情のみならず、表現の豊かさにも気付くことができる魅力的な教材である。

〈言語活動の工夫〉

本教材は、大造じいさんと残雪の知恵比べやハヤブサと残雪の戦い、残雪の仲間を守る行動や豊かな情景描写など、子供たちが魅力的だと感じるものが多い作品である。そこで、自分がこの作品で魅力的だと思う事柄や表現を選び、星を付けて紹介する活動を行う。そうすることで、どのような事柄をどの程度魅力的だと感じているのかが一目瞭然となり、感じ方の相違を比べやすくなると同時に、考えを広げやすくもなる。

［具体例］
○精査・解釈後、子供たちに物語の魅力として感じている事柄を問い、魅力をいくつかに整理する。その上で、魅力だと感じた事柄と魅力度、その理由についてまとめる活動を行う。

〈ICT の効果的な活用〉

表現：子供たちが魅力をまとめる際、魅力度は、飲食店のよさを星の数で表現しているサイトや本をまねして、星を付けて表現する。多くの魅力を感じた子供には内容と表現、そうでない子供には、格好よい、好きだと感じた表現１つについて記述させて、表現の豊かさに確実に目を向けさせる。魅力紹介の際は、プレゼンテーションソフト等で複数の書式を提示して子供が自由に選べるようにし、「おもしろそう！」「できる！」「やりたい！」と思いを引き出したい。

本時案

大造じいさんとガン

本時の目標

・全文を読み、物語の設定などの大体を読み取るとともに、優れた表現に着目して読み、物語の魅力を紹介し合うという学習の見通しをもつことができる。

本時の主な評価

・物語が前書きと４つの場面から構成されていることを理解し、物語の魅力をまとめて紹介し合うという学習の見通しを立てている。

資料等の準備

・国語辞典

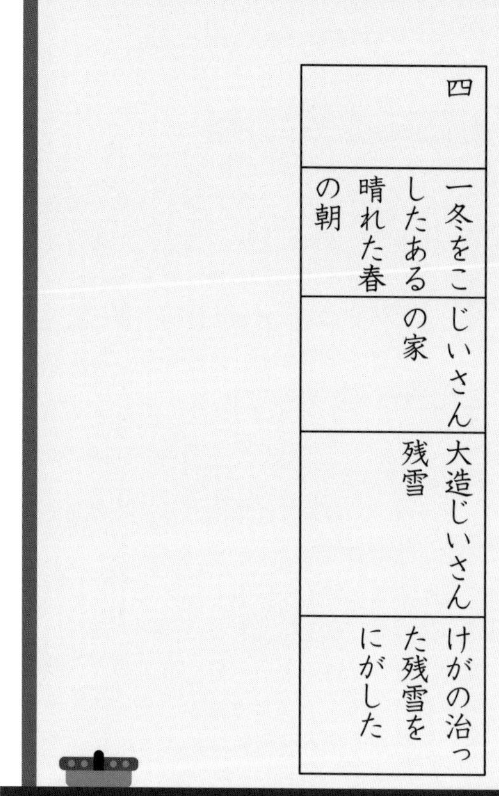

授業の流れ ▷▷▷

1 物語の全文を読む 〈15分〉

T 「大造じいさんとガン」という題名から、どんな話を想像しますか。
・大造じいさんがガンになる話。
・名前が昔っぽいから昔の話。
・ガンって鳥だと思うけどなあ。
・大造じいさんと鳥が対決する話。
T では、お話を読みます。心に残った表現にサイドラインを引きながら聞きましょう。
○付属の朗読 CD やデジタル教科書の朗読でもよい。
○前書きを読んだあと、「かりゅうど」「ろばた」などの言葉の意味を確認する。また、大造じいさんが36、７歳頃の話であることを確認する。

2 大まかな設定を確認し、学習課題や計画を立てる〈20分〉

T これは、何年間にわたる話ですか。
・今年、その翌年、今年もまた、一冬をこす。
・だから、３年半の戦いだね。
T 時、場所、登場人物が変わると場面が変わります。場面を確認しましょう。
・秋の沼地、冬を越すのはじいさんのおりだ。
・３年目に残雪がけがをするのは、ハヤブサのせい。登場人物が増えたここが山場だね。
T この作品で、どんなことを学習するとよいと思いますか。どのように学習しますか。
・大造じいさんの心情の変化。
・「たずねびと」で学習した情景描写がある。
・情景描写とか、いいと思う表現を探したい。
・大造じいさんの心情を読んでから、気に入った表現を紹介し合うのはどうかな。

1 大造じいさんとガン

2 話の設定を確認し、学習計画を立てよう。

→時、場、人物

○登場人物：大造じいさん、残雪、ハヤブサ

場面	時	場所	人物	出来事
前書き	三十五、六年前	ろばた	大造じいさん	昔語り
一	今年も	ぬま地	大造じいさん 残雪	うなぎのつりばりでとる作戦
二	その翌年も	ぬま地	大造じいさん 残雪	タニシをばらまいてえ付けする作戦
三	今年もまた	ぬま地	大造じいさん 残雪 ハヤブサ	おとりのガン作戦

3 感想を書く 〈10分〉

T　学習の流れもだいたい決まったので、読んでみた感想を書きましょう。詳しく学習したい場面や、みんなで話し合うといろいろな意見が出ておもしろいと思う場面については、「なぜ（人物）は○○したのだろう」「（人物）が○○したのは◇◇だからだろうか」という課題の形で書きましょう。

・残雪が仲間を守ろうとする姿がよかった。
・けがをした残雪を撃たないで、正々堂々と戦おうとするじいさんが格好いい。
・なぜ、大造じいさんは残雪を撃たなかったのだろうか。
・なぜ、大造じいさんは残雪を助けたのだろう。
・大造じいさんの残雪への見方が変わったのは、ハヤブサとの戦いがきっかけだろうか。

よりよい授業へのステップアップ

感想を書くのは、場面設定の確認後

本作品は前書きと４つの場面から構成されている。今ではあまり使われない言葉も多数あり、一読では理解が難しい子供も少なくない。そこで、範読後に、大まかな場面設定を全体で確認する。時と場、人物が変わると場面が変わることを確認して出来事を板書で整理する。難しい言葉もここで確認することで、学習課題にはならないが子供たちが抱えている疑問を解消することができる。その上で感想や疑問を書かせることで、学習が焦点化しやすくなり、物語の理解度も深まる。

本時案

大造じいさんとガン

本時の目標

・登場人物の人物像や心情を表す表現を基に、大造じいさんの残雪への見方の変化を読み取ることができる。

本時の主な評価

❷文章を音読したり朗読したりしている。【知・技】

・「読むこと」において、人物像や物語などの全体像を具体的に想像したり、表現の効果を考えたりしている。

資料等の準備

・前時の感想や疑問を一覧にしたもの
・「大造じいさんとガン」の挿絵

四

「おうい、ガンの英雄よ。…」

ガンの英雄
えらぶつ、ライバル
対等な相手

4 最初は「たかが鳥」だと見下していたのに、最後は対等に戦う相手だと認めている。

授業の流れ ▷▷▷

1 本時の学習課題を把握する 〈10分〉

T　前の時間に、みなさんが書いた感想と疑問を一覧にしたので、確認してみましょう。
・大造じいさんの残雪への思いが多いな。これから学習したらいいと思う。
・大造じいさんの人物像も多いよ。
・なぜ残雪を撃たなかったのか、疑問に思っている人が圧倒的に多いな。
・撃たなかった理由の前に、思いの変化だな。
T　残雪を撃たなかった理由を考えるために、まずは、大造じいさんの残雪への思いの変化を読み取っていきましょう。

ICT 端末の活用ポイント

前時の子供の感想は、ホワイトボードアプリや文章作成アプリ等で入力させておくと、簡単に共有することができる。

2 各年の中心人物の対人物への思いを読み取る 〈15分〉

T　毎年残雪と対峙している大造じいさんが、残雪をどのように思っていたのかは、どのような叙述から読み取れますか。
・気持ちを表す言葉や会話文。
・行動からも読み取れる。
・「たずねびと」で学んだ情景描写もだね。
T　叙述に着目して思いを読み取りましょう。
・残雪が利口だから、いまいましいんだな。
・たかが鳥だと馬鹿にしている。
・「たいした知恵だ」と思わず感嘆している。
・小屋まで建てて、どうしても倒したい。
・「ひとあわふかせる」って何だろう。
・いかにも頭領らしい堂々たる態度だったから、強く心を打たれて、ただの鳥に対しているように思えなかったんだ。

大造じいさんとガン

1 大造じいさんの残雪への見方はどのように変わったのだろうか。

○心情を読み取れるところ
気持ちを表す言葉、会話文、行動、表情、情景描写

場	叙述	大造じいさんの心情
一	人間を寄せつけない いまいましい たかが鳥 「ううむ。」思わず感嘆の声を	かしこい 腹を立てている 見下している 感嘆
二	見通しのきく所をえさ場に 目にもの見せてくれる してやられた 「ううん。」	かしこい、安全第一 今年こそつかまえる くやしい ぼう然
三	「戦闘開始だ。」 「あの残雪めに…」 救わねばならぬ仲間のすがた 頭領らしい堂々たる態度 頭領としてのいげん 強く心を打たれて	戦いの相手 ひとあわふかせたい 仲間思い 鳥とは思えない いげんがある ただの鳥ではない

3 読み取った思いを全体で共有する 〈15分〉

T　読み取ったことを共有して、大造じいさんの残雪への思いの変化をまとめましょう。

・残雪が来るようになって、ガンが獲れなくなったから「いまいましい」。
・１年目は「たかが鳥」だと馬鹿にしていたのに、釣り針の作戦を攻略されたことで、「たいした知恵だ」と感嘆している。
・２年目は「してやられた」と思っていた。
・３年目は、今年こそ「一泡吹かせたい」と思っていた。だから「戦闘開始」。
・残りの力でいかにも頭領らしい態度をとったから、強く心を打たれた。
・最後は、堂々と戦いたいって思っている。だから「えらぶつ」って言っている。

○変容の分かるキーワードを確実に押さえる。

4 対人物への思いの変容を確認し、振り返りをする 〈５分〉

T　今日の学習についてまとめましょう。

・大造じいさんの残雪への見方は、最初と最後で変わっている。最初は「いまいましい」って思っていたのに、最後は「えらぶつ」って言って、180度見方が変わった。
・残雪のことを「たかが鳥」だと馬鹿にしていたのに、ハヤブサとの戦いの傷を治してあげて、「また堂々と戦おう」と言って放している。残雪を捕まえてしまえばガンを捕まえられるのに、どうして助けたんだろう。
・「たかが」とか「思わず」とか、ちょっとした言葉だけど、大造じいさんの思いが読み取れる言葉があることが分かった。
・「いまいましい」は、とっても腹を立てることだと知った。

本時案

大造じいさんとガン

本時の目標

・登場人物の人物像や心情を表す表現を基に、大造じいさんが残雪を撃たなかった理由を読み取ることができる。

本時の主な評価

❹「読むこと」において、人物像や物語などの全体像を具体的に想像したり、表現の効果を考えたりしている。【思・判・表】

資料等の準備

・「大造じいさんとガン」の挿絵
・前時の板書の画像等

たかあない
堂々と戦おう
いつまでも、いつまでも

正々堂々と勝負だ
また戦おう

4 大造じいさんは、ひきょうな戦い方をしたくなかったから。

授業の流れ ▷▷▷

1 本時の学習課題を把握する 〈5分〉

T　前の時間は、大造じいさんの残雪への見方の変化について、学習しました。
・「いまいましい」から「対等な相手」に変わっていた。
・「たかが鳥」から「ガンの英雄」になった。
・見方が変わったのは分かるけれど、なぜ残雪を撃たなかったの。撃てばよかったのに。
・前の時間も、なぜ残雪を撃たなかったのか、疑問に思っている人がいっぱいいたしね。
・見方の変化をやったから、残雪を撃たなかった理由も考えられるよ。
・山場の学習だね。
T　では、大造じいさんがなぜ残雪を撃たなかったのだろうと言っている人がたくさんいるので、今日は、その理由を探ってみましょう。

2 中心人物が対人物を撃たなかった理由を読み取る 〈20分〉

T　物語には、中心人物である大造じいさんの気持ちが大きく変化している場面があります。その場面を「山場」といいます。そこでは、対人物との関係が変わります。
・大造じいさんが残雪を撃つのをやめたところってことだよね。
T　大造じいさんが撃つのをやめたことが分かる叙述や、なぜ撃つのをやめたのか、その理由を探ってみましょう。
・「救わねばならぬ仲間のすがた」のところからだな。
・じいさんを正面からにらみつけたのが、いかにも頭領らしかったからかな。
・頭領としての威厳を傷つけない姿に心を打たれたからだな。
・もうただの鳥だと思えなかったからだな。

大造じいさんとガン

1 大造じいさんは、なぜ残雪をうたなかったのだろう。

2

場	叙述	大造じいさんの心情
三	「戦闘開始だ。」 「ひとあわふかせてやるぞ。」	うつ気満々
	ぐっとじゅうをかたに当てて 残雪をねらいました。	うつ気満々
	再びじゅうを下ろして	うつのをやめた？ うつチャンス よゆうでうてるのに うたない？ うてない？
	残りの力をふりしぼって、 長い首を持ち上げる 正面からにらみつける 頭領らしい、堂々たる態度 じたばたさわがない 頭領としてのいげんをきず つけまいと努力しているよう ただの鳥に対しているような 気がしない	頭領としてりっぱ いげんがある やっぱり他のガンとは ちがう 敬意
四	ガンの英雄　えらぶつ ひきょうなやり方でやっつけ	認めているライバル 対等に戦いたい

3

3 読み取った思いを全体で共有する〈15分〉

T　読み取ったことを共有して、大造じいさんが撃つのをやめたことが分かる叙述や、なぜ撃つのをやめたのか、理由を考えていきましょう。

・「残雪の目には、人間もハヤブサもありません」ってあって、おとりのガンも仲間だと思って助けたから、撃たなかったんだよ。

・大造じいさんが近づいたらハヤブサは逃げたのに、残雪は逃げなかったからだよ。

・逃げなかったし、最後の力を振り絞って頭領としての威厳を保ったからじゃないかな。

・頭領らしい堂々たる態度で、大造じいさんと向かい合ったから、撃てなかったんだよ。

○狩人である大造じいさんが撃たない、とはどういうことかを考えさせる。

4 中心人物の思いの変容を確認し、振り返りをする〈10分〉

T　学習をまとめましょう。残雪を「いまいましい」と思っていた大造じいさんが、残雪を撃たなかったのはなぜですか。

・撃たなかったんじゃなくて、撃てなかったんだよ。あまりに残雪の行動が立派で。

・ハヤブサとの戦いでけがをしている残雪を撃つのはひきょうだって思ったから、元気にして、来年ちゃんと戦おうって思って撃たなかったんだよ。

・残雪を撃たないで元気にして、また堂々と戦えるから、晴れ晴れしていたと分かった。

○４場面の「ひきょうなやり方」が何を指しているのかを確認し、「堂々と戦おう」と呼びかける大造じいさんの思いと合わせて考えさせる。

本時案

大造じいさんとガン

本時の目標

・情景描写などの筆者の意図的な表現技法に気付くとともに、それらが読み手にどのような効果を与えているかについて、考えをもつことができる。

本時の主な評価

❶比喩や反復などの表現の工夫に気付いている。【知・技】

3
○表現の効果
・登場人物の心情が強調される
・様子や景色が想像しやすくなる
・作品を豊かに読めるようになる

4
情景描写があることで、登場人物の心情が生き生きと伝わったり、想像しやすくなったりする。

授業の流れ ▷▷▷

1 筆者の表現の工夫について知る 〈5分〉

T　前回までは、大造じいさんの残雪への見方の変化を読んできました。どんな表現に着目してきましたか。

・行動や会話文。
・気持ちを表す表現。
・あ、今日は、前に「たずねびと」でやった情景描写をやるんだね。

T　以前も学習した情景描写が、この作品にもあることに気付いている人たちがいます。

・「スモモの花が、雪のように清らかに、はらはらと散りました。」がすごくきれいだよ。
・「東の空が真っ赤に燃えて」が大造じいさんのやる気が分かるよ。

T　今日は、情景描写などが作品に与えている効果について考えてみましょう。

2 情景描写等の表現の工夫を見つける 〈15分〉

T　情景描写は、登場人物の心情を読み取ることができる表現です。情景描写など、作品の中で筆者が工夫をしている表現を見つけて、どのような心情が読み取れるのかを考えましょう。

・「秋の日が、美しくかがやいていました。」は、大造じいさんが今日こそガンを仕留められると思ってうきうきしているのが分かる。
・「あかつきの光が、小屋の中にすがすがしく流れこんできました。」もやる気が分かる。
・「東の空が真っ赤に燃えて、朝が来ました。」からは、撃ちたい気持ちが伝わる。
・「らんまんとさいたスモモの花が、その羽にふれて、雪のように清らかに、はらはらと散りました。」も晴れ晴れした感じが伝わる。

大造じいさんとガン

1

情景描写などの表現について、その効果を考えよう。

→登場人物の心情や性格が読み取れる表現

2

「秋の日が、美しくかがやいていました。」
ガンを仕留めるぞ。うきうきしている。
負けると思っていない。

「あかつきの光が、小屋の中にすがすがしく流れこんできました。」
さあつかまえるぞ。心にくもりがない。
負ける気がしない。

「東の空が真っ赤に燃えて、朝が来ました。」
いざ、決戦だ。心が燃えている。やる気満々。
きん張感

「らんまんとさいたスモモの花が、その羽にふれて、雪のように清らかに、はらはらと散りました。」
すがすがしい感じ。晴れ晴れしている。
また堂々と戦えるのがうれしい、楽しみ。

3 表現の工夫の効果について考える 〈10分〉

T　情景描写をたくさん見つけられましたね。この表現があるのとないのとでは、どのような違いがありますか。表現の効果を考えてみましょう。

○情景描写がある場合とない場合を比較させ、その効果を考えさせる。

○情景描写がどのような場面や心情表現と一緒に書かれているか、注目させる。

○実態に応じて、ペアやグループで話し合ってもよい。

ICT 端末の活用ポイント

次時の、魅力をまとめる活動の際、表現の工夫は魅力の必須事項となるので、あらかじめ ICT 端末に入力させるのもよい。

4 見つけた表現と効果について共有する 〈15分〉

T　情景描写には、どのような効果があると考えましたか。

・「あかつきの光」や「東の空が真っ赤に燃えて、朝が来た」という表現から、これから始まる感じがする。戦闘開始って感じ。緊張感も増してくる気がする。

・「雪のように」「スモモの花」は白いから、はかないけどすがすがしい感じがする。青空との対比できれいな感じが強調される。

・情景描写には、色が多いと思う。色を書かれると、頭の中で場面をイメージしやすくなるよさがある。

○どの情景描写が好きか、読んでいてしっくりくるか、その理由等も聞いておくと、次時につなげやすくなる。

本時案

大造じいさんとガン

本時の目標

・物語の魅力となっていると感じる事柄や表現について、自分の考えをまとめることができる。

本時の主な評価

・「読むこと」において、人物像や物語などの全体像を具体的に想像したり、表現の効果を考えたりしている。
❺積極的に意見や感想を共有し、学習の見通しをもって物語の魅力を伝え合ったり、主人公の考え方について考えたりしようとしている。【態度】

資料等の準備

・「読みログ」の書式、その拡大図
・前時までの板書の画像

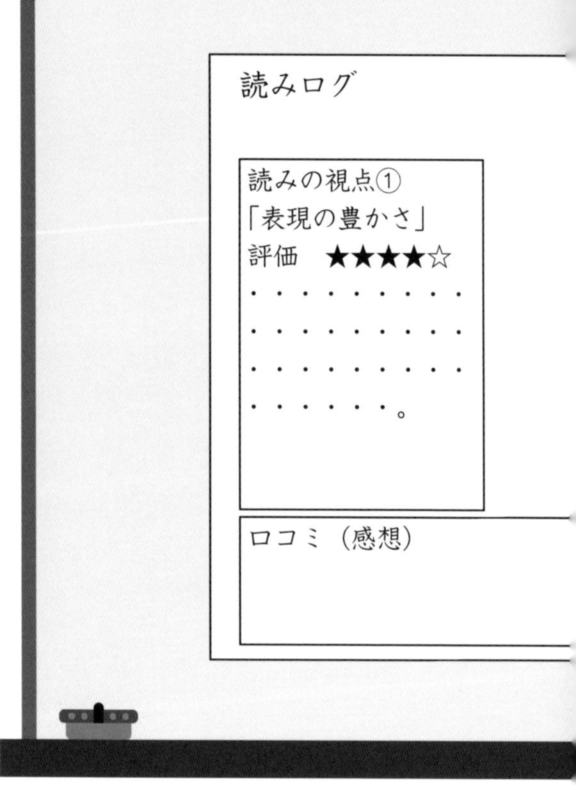

授業の流れ ▷▷▷

1 前時までの学習を振り返り、本時の課題を知る 〈5分〉

T　ここまで、大造じいさんの残雪への見方の変化やその理由、表現の工夫について学んできました。実は、この作品は、全ての教科書会社の5年生の教科書に載っています。どんなところが魅力的なのでしょう。
・大造じいさんと残雪の戦いがおもしろい。
・大造じいさんが正々堂々と戦おうとするところが潔くていい。
・残雪が仲間思いでいいんだよ。
・ハヤブサとの戦いが格好いい。
・情景描写とか、表現がきれい。
T　今日は、みなさんが感じている魅力について、飲食店などを星付きで紹介しているサイトのようにまとめていきましょう。
○入力書式は、事前に子供に送付しておく。

2 物語の魅力についてまとめる 〈35分〉

T　この作品で、自分が魅力だと感じたことを選んで、ICT 端末の「読みログ」にまとめましょう。書式も、自分が伝えたい魅力の数に合うものを選びましょう。
・情景描写がおもしろいって思ったから、それについて書こうかな。
・大造じいさんの潔さがいいと思うんだよね。だから、人物像についてだな。
・残雪とハヤブサとの戦いのシーンが印象的なんだけど、どうしてだろう。もう一度読んで考えてみよう。
○入力書式は、複数パターン用意しておき、自由に選べるようにしておく。教師作成の見本も送付しておくとよい。苦手な子供には、表現の工夫のみまとめさせる。

大造じいさんとガン

1

物語のみりょくを、「読みログ」にまとめよう。

↓表現の工夫
登場人物の心情、考え方の変化
場面設定、話の展開

2 3

名前
総合評価　☆☆☆☆☆

読みの視点③ 「　　」 評価　☆☆☆☆☆	読みの視点② 「　　」 評価　☆☆☆☆☆

3 学習を振り返る 〈5分〉

T　この作品で、自分が魅力だと感じたことをまとめられましたね。明日は、みなさんが作った「読みログ」を読み合って、作品の魅力についてさらに考えてみましょう。

・表現の工夫について書いたから、同じように表現の工夫について書いている人の「読みログ」を読んでみたいな。

・大造じいさんについて書いている人はいるかな。

・戦いのシーンが魅力だと思って書いたんだけれど、他の人に伝わるかな。

○選んだ書式の枠が全て埋まっていなくても、自分の感じた魅力が1つでも書けていればよいことを伝える。自宅で書きたい子供には、書いてよいことを伝える。

ICT 等活用アイデア

「読みログ」で作品の魅力を伝える

物語の魅力をまとめる学習は、本単元で学習したことを振り返り、表現することで学びを自覚する活動である。自分が何を魅力と感じているのかが分かるよう、「読みログ」にまとめる。魅力を書く枠が2つのものと3つのものを用意し、子供の実態に応じて選べるようにしておく。1つしか書けないという子供には、自分がいいなと思った表現の工夫について書くよう、促す。ICT 端末を活用することで、自宅でもまとめの仕上げができ、次時の共有もしやすくなる。

本時案

大造じいさんとガン

本時の目標

・作品の魅力について考えをまとめたものを紹介し合って考えを比べ、感じ方、考え方の違いを楽しむことができる。

本時の主な評価

❸「読むこと」において、文章を読んでまとめた意見や感想を共有し、自分の考えを広げている。【思・判・表】

資料等の準備

・ICT 端末の「読みログ」

3 作品のみりょくはたくさんあり、感じ方も
さまざまある。

授業の流れ ▷▷▷

1 本時の学習課題を知る 〈5 分〉

T　前時は、「読みログ」に自分が感じた魅力をまとめる活動を行いました。今日は、それぞれがまとめた「読みログ」を読み合うことで、作品のよさについて改めて考えてみましょう。

・友達は、どんなふうに作品の魅力をまとめたのかな。
・自分と同じ感じ方の人はいるかな。
・自分と考えが違う人の「読みログ」を読んでみたいな。

○提出されている「読みログ」を基に、あらかじめグループをつくっておき、多様な考えに触れられるようにしておく。

2 「読みログ」を読み合い、感想を交流する 〈30分〉

T　では、「読みログ」を友達と読み合い、感想を伝えましょう。共通点や相違点を探しながら読み合えるようにしましょう。

○一人一人の感じている魅力が違うため、共通点や相違点を考えながら読み合うことで、自分の考えを広げることができる。

・気に入った情景描写について、なぜよいのか、どこがよいのかについて考えたよ。色に着目して書いているところがよかったよ。
・残雪とハヤブサとの場面が好きなのに、何が魅力なのか分からなくて書けなかったけれど、短い言葉をつないでいて、戦いが緊迫した様子が伝わるからだと分かったよ。
・「いまいましい」「あの残雪め」に大造じいさんの捕まえたい思いが出ているんだね。

大造じいさんとガン

1

「読みログ」を読み合い、作品のみりょくの感じ方について語り合おう。

○みりょく
↓表現の工夫
登場人物の心情、考え方の変化
場面設定、話の展開

2

○作品のみりょく
・情景描写が多いこと
・色が使われていて、イメージがしやすいこと
・大造じいさんの人物像がよいこと
・大造じいさんが残雪を見送っている場面で終わることで、この後の展開を自由に想像できること
・残雪が人間みたいで共感できること
・戦いの場面がリアルなこと

3 読み合って感じたことをまとめる 〈10分〉

T 「読みログ」を読んでみて、自分と同じような感じ方の人と、全く違う事柄を魅力と感じている人がいることが分かったと思います。いろいろな人の「読みログ」を読んでみて、思ったことや感じたことをまとめてみましょう。

○自分の感じ方との共通点や相違点について書くように促す。

○「読みログ」を印刷して教室に掲示したり、ICT 機器で相互に見られる設定にしたりすることで学習後にも読み合えるようにし、学習時間外にも作品の魅力についての学習が深められるようにする。

よりよい授業へのステップアップ

「読みログ」を読み合う活動での学びを深める

本時は、自分が感じたことと友達が感じたことの共通点や相違点を比較・検討し、学びを深める活動である。低学年から行ってきた音読劇やペープサート、暗唱、朗読等の活動とは異なり、「作品そのものの魅力は何か」を考えて伝えることで、読みを深める活動となる。自分の感じ方と異なることを魅力として書いているものを否定的に捉えるのではなく、そのような感じ方もあるのだと多角的・多面的に魅力を捉えられるように促していく。

新聞記者になって、出来事を報道する文章を書きましょう

漢字の広場⑥ （1時間扱い）

単元の目標

知識及び技能	・第5学年及び第6学年の各学年においては、学年別漢字配当表の当該学年までに配当されている漢字を読むこと。また、当該学年の前の学年までに配当されている漢字を書き、文や文章の中で使うとともに、当該学年に配当されている漢字を漸次書き、文や文章の中で使うことができる。((1)エ)
思考力、判断力、表現力等	・文章全体の構成や書き表し方などに着目して、文や文章を整えること。(B オ)
学びに向かう力、人間性等	・進んで第4学年までに配当されている漢字を書き、これまでの学習を生かして文を書こうとしている。

評価規準

知識・技能	❶前学年や該当学年で配当されている漢字を文や文章の中で使っている。(〔知識及び技能〕(1)エ)
思考・判断・表現	❷「書くこと」において、書き表し方などに着目して、文を整えている。(〔思考力、判断力、表現力等〕B オ)
主体的に学習に取り組む態度	❸今までの学習を生かして、書き表し方に着目して進んで文を整えようとしている。

単元の流れ

時	主な学習活動	評価
1	・第4学年までに配当されている漢字を書く。 ・新聞記者になって出来事を報道する文章を書く。	❶ ❷ ❸

授業づくりのポイント

〈単元で育てたい資質・能力〉

本単元のねらいは、4年生までの漢字を確実に身に付けるとともに、5年生で習った漢字を正しく書く力を育むことである。

そのためには、文を書く中で既習の漢字を意識して使っていくことで、定着を図っていくようにする。

また、書くことばかりではなく作成した文を読むことで、音読みや訓読みができることも確認していく必要がある。

[具体例]

○「いつ」「どこで」「誰（何）が」「何をした」など、必要な事柄を考え、文を作成し、その文に合った漢字を使用していくことで、正しい漢字の使い方が身に付いていくようになる。

○例えば、教科書に表されている「大臣」と「公害」という言葉を組み合わせて文を考える。そして、「きょうのごぜん、こっかいでそうり大臣が公害についてかたった。」という文を創作する。その文を書く際に、4年生までに習った漢字を使って記述することが肝要となるので、「今日の午前、国会で総理大臣が公害について語った。」と書かれることが期待できる。

○書いた文章を友達同士で読み合うことで、漢字の読みについても確認することができるようになる。

〈言語活動の工夫〉

自分の使ってみたい語彙を2つ以上選び、それらを使い出来事を報道する文章として整える。教科書には該当学年で習った漢字を使った語句が33個掲載されていて、それらをどのように組み合わせて報道原稿にしていくのかを考えることで、意欲的に取り組めるようにする。

また、報道する文章を読むキャスターになり友達が作成した文章を読み合うことで、前学年や該当学年で配当されている漢字の読み方も確認することができ、子供同士で正しい表現ができているかをチェックすることが期待できる。

[具体例]

○2つ以上の語句を組み合わせ、「いつ」「どこで」「誰（何）が」「何をした」という必要な事柄を考え、文を作成した場合、前の学年までに配当されている漢字が出てくることが期待できる。前の学年までに配当されている漢字も正しく書くことで、漢字の定着を図っていく。

○33個の中から2つの語句を選ぶと500通り以上の組み合わせが考えられるので、いろいろな報道する文章ができることが予想される。それらを交流の際にキャスターとして読み合うことで、正しい読みができているかを判別することができる。

〈ICT の効果的な活用〉

調査：検索を用いて、「学年別漢字配当表」などの既習漢字を確認することで、教科書に出ていない第4学年までの既習の漢字を確認できる。

本時案

漢字の広場⑥

1/1

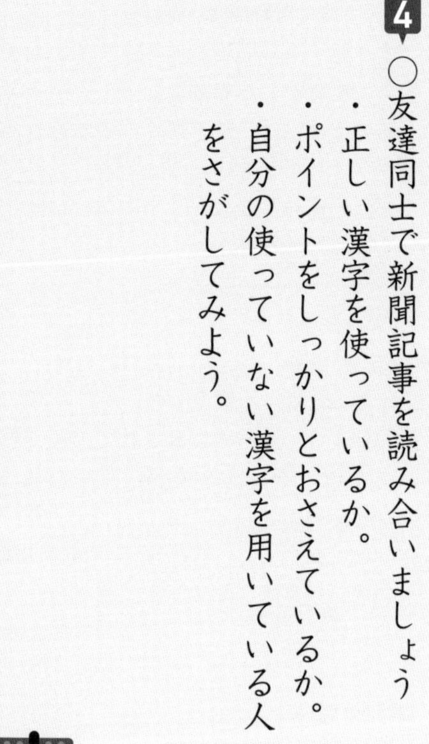

本時の目標

・５年生までの漢字を用いて、出来事を報道する文章を書くことができる。

本時の主な評価

❶前学年や該当学年で配当されている漢字を文や文章の中で使っている。【知・技】
❷書き表し方などに着目して、文を整えている。【思・判・表】
❸今までの学習を生かして、書き表し方に着目して文を整えようとしている。【態度】

資料等の準備

・教科書 p.249の拡大図
（カラーで拡大していると分かりやすい）

授業の流れ ▷▷▷

 学習の課題を理解する 〈５分〉

○新聞の学習を振り返る。
T　新聞の文章はどう書かれていましたか。
・リード文があって、詳細な内容が書かれていました。
・詳細な内容には、いつ・どこで・誰が（何が）が書かれていました。
T　今日はみんなが新聞記者になったつもりで、記事を書いてみましょう。
○めあてを確認する。
○（新聞記者なので、既習の）漢字を使って記事（文章）を書くことを理解させる。
T　教科書 p.249を開きましょう。
T　たくさん漢字が書かれていますね。これらを使って文章を書きましょう。

2 文章の書き方を知る 〈10分〉

○例を読み、教科書に書かれた語句が使われていることを確認する。
○子供から語句を挙げさせるなどして、教師の例文（足りないもの）を提示する。
T　新聞記者としてこの文章は適切かな。
・「いつ」がないよ。記事には書かれていたよ。
・「どこで」もないです。
○ポイントを提示して、「いつ」「どこで」「誰（何）が」「何をした」を書くことを意識させる。
○教科書の例文とポイントを照らし合わせることで、子供に記者としての書き方を理解させる。

漢字の広場⑥

1 漢字を用いて出来事を報道する文章を書こう。

2 ○今日の午前、国会で総理大臣が公害について語った。

△大臣が選挙への参加を求める演説を行った。

〈ポイント〉
「いつ」
「どこで」
「だれ（何）が」
「何をした」

今日の午前
国会で
総理大臣が
公害について語った。

3 教科書p.249

3 漢字を用いて、出来事を報道する文を考える 〈15分〉

T　それでは、ポイントを意識して書いてみましょう。
・「いつ」にしようかな。
・「老人」という漢字を使いたいな。
○意欲的に２文・３文とたくさんの文を考える子供がいてよい。ただし、１文がだらだらと長くなるのは、新聞記者になりきれていないので、注意する必要がある。

ICT 端末の活用ポイント

漢字が分からない場合や既習の漢字かどうか分からない場合に、インターネットの検索機能を使うことで、漢字が苦手な子供でも正しい漢字を使うことができる。

4 友達同士で新聞記事を読み合う 〈15分〉

○文が思いつかない子供がいた場合、書けている子供の了承を得て、その作品を紹介することで、似たような文を書けるよう促すなど、支援する。
T　友達が書いた新聞記事を読み合いましょう。
・友達はどんな漢字を使ったのかな。
・「いつ」「どこで」が書かれているな。
○学級の実態に応じて、「友達の記事を読んで、教科書 p.249の全部の漢字を集めよう。」といった、ゲーム性をもたせることも考えられる。
○教師も「読み合い」に参加することで、子供が間違った字を書いていないか、交流しながら確認をするとよい。

五年生をふり返って　（1時間扱い）

単元の目標

知識及び技能	・言葉には、相手とのつながりをつくる働きがあることに気付くことができる。((1)ア)
思考力、判断力、表現力等	・目的や意図に応じて、感じたことや考えたことなどから書くことを選び、集めた材料を分類したり関係付けたりして、伝えたいことを明確にすることができる。(B ア)
学びに向かう力、人間性等	・言葉がもつよさを認識するとともに、進んで読書をし、国語の大切さを自覚して、思いや考えを伝え合おうとする。

評価規準

知識・技能	❶言葉には、相手とのつながりをつくる働きがあることに気付いている。(〔知識及び技能〕(1)ア)
思考・判断・表現	❷「書くこと」において、目的や意図に応じて、感じたことや考えたことなどから書くことを選び、集めた材料を分類したり関係付けたりして、伝えたいことを明確にしている。(〔思考力、判断力、表現力等〕B ア)
主体的に学習に取り組む態度	❸積極的にこれまでの学習を振り返り、学習課題に沿って、言葉の力についての考えを書こうとしている。

単元の流れ

時	主な学習活動	評価
1	ノートやワークシート、作品などを見返して、５年生の国語科の学習で印象に残っていることを出し合う。 教科書 p.12からの「五年生で学ぶこと」と p.252からの「『たいせつ』のまとめ」を使って、１年間の学習と身に付いた言葉の力について振り返る。 「自分自身に付いた言葉の力」と「その力の生かし方」について、自分の考えをまとめて書く。 書いたことを基に、自分への賞状を作り、友達と読み合う。	❶ ❷ ❸

授業づくりのポイント

〈単元で育てたい資質・能力〉

本単元のねらいは、5年生の一年間の国語科の学習を振り返ることを通して、自分が身に付けてきた言葉の力を確かめ、それを次に生かそうとする意欲をもてるようにすることである。

国語科の学習では、ともすると言語活動を行うことが主な目的となってしまい、どのような力を身に付けたのか、何ができるようになったのかを子供自身が自覚できないまま学習を終えてしまうといったことが起こりやすい。そうならないように、毎時間の授業の中で言葉の力に関わるめあてと振り返りをしっかりと意識させていくことを大切していきたい。そのような授業を積み重ねてきた一年間のゴールとなる単元である。子供自身にしっかりと一年間の国語科の学習を振り返らせ、自分が身に付けた言葉の力を自覚し、自信をもって今後の生活や学習に生かせるようにしていきたい。

〈教材・題材の特徴〉

教科書には、p.12から「五年生で学ぶこと」として、領域ごとに5年生の一年間で学習することがまとめられている。目次やこれらのページは、年度当初に国語科の学習をスタートさせる際、一年間の学びの見通しをもたせるために活用しているが、ここでもう一度見直し、一年間の学習を振り返る。

また、p.252からは「『たいせつ』のまとめ」として、各単元の最後に示されていた『たいせつ』の内容が全てまとめられている。目次や「五年生で学ぶこと」と、この「『たいせつ』のまとめ」を合わせて見ることで、子供たちは自分自身が身に付けてきた言葉の力を意識することができるだろう。学習で使用したノートやワークシート、作品なども一緒に見返すことができると、より成長を実感することができると考える。

〈言語活動の工夫〉

「自分自身に付いた言葉の力」と「その力の生かし方」について文章でまとめたのち、その内容を基に、自分自身への賞状を作る。自分自身に特に付いた考えた言葉の力について、自分の言葉で賞の名前を考え表現することで、自分自身が身に付けた言葉の力をより強く実感し、自信をもつことができるだろう。その自信をこれからの言語生活や国語科の学習への意欲につなげられるようにしていきたい。

[具体例]

○「2つの立場から意見を述べ合う」力が付いた→「広い視野で物事を見たで賞」
○「表現を工夫して、感動を伝える」力が付いた→「言葉や表現にこだわったで賞」
○「文章にある資料の効果を考える」力が付いた→「資料と文章をつなげたで賞」
○「自分の考えを明確にする」力が付いた→「自分の経験と比べて読んだで賞」
○「伝記を読み、自分の生き方を考える」力が付いた→「偉人と自分をつなげたで賞」など

〈ICT の効果的な活用〉

共有：学習支援ソフトを活用して、作成した賞状を互いに自由に閲覧することができるようにすることで、短時間で多くの友達の賞状を見ることができる。その際、友達へのコメントを入れられる設定にしておき、互いの努力やよさを認め合うようなコメントを入れさせることで、より大きな自信につなげることができるだろう。

本時案

五年生をふり返って

本時の目標

・一年間の学習を振り返ることにより、自分が身に付けた言葉の力を確かめ、今後に生かそうとすることができる。

本時の主な評価

❶言葉には、相手とのつながりをつくる働きがあることに気付いている。【知・技】
❷自分が身に付けた言葉の力と今後への生かし方について、分類したり関係付けたりして、まとめている。【思・判・表】
❸積極的にこれまでの学習を振り返り、学習課題に沿って、言葉の力についての考えを書こうとしている。【態度】

資料等の準備

・教科書 p.250の「五年生で学ぶこと」を拡大したもの

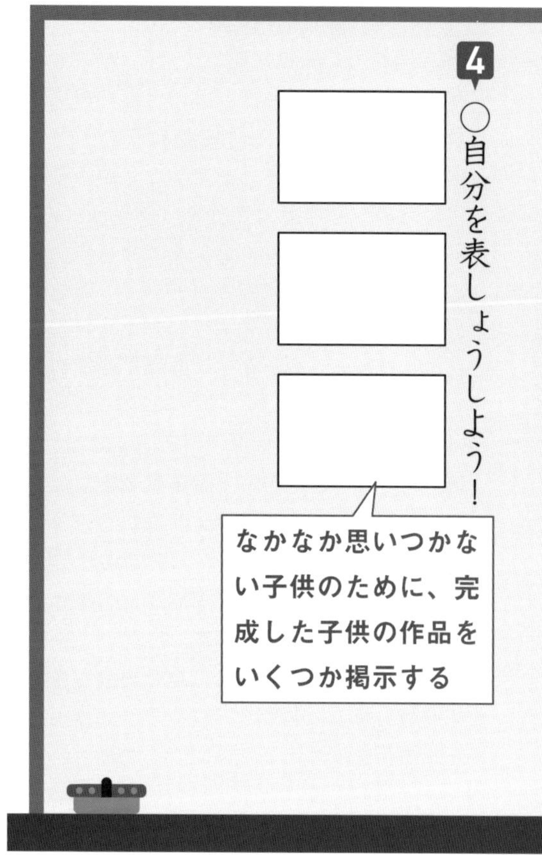

授業の流れ ▷▷▷

1　1年間の学習を振り返る〈5分〉

○ノートやワークシート、作品などを見返して、5年生の国語科の学習で印象に残っていることを出し合う。

T　これからブックトークをします。テーマは何かを考えながら聞いてください。

・「大造じいさんとガン」で魅力を伝え合ったのが印象的です。私は情景描写の美しさについてまとめたけれど、登場人物の人物像や物語の展開を選んだ人もいて、いろいろな観点があったのがおもしろかったです。
・「文章に説得力をもたせるには」で、説得力のある構成を考えて意見文を書くのに苦労しました。
・表現を工夫して作ったこの俳句がお気に入りです。

2　身に付いた言葉の力について振り返る〈10分〉

○教科書 p.12からの「五年生で学ぶこと」と、p.252からの「『たいせつ』のまとめ」を使って、一年間の学習と身に付いた言葉の力について振り返る。

T　印象的な学習がたくさんありましたね。それらの学習で、みなさんはどんな言葉の力を身に付けることができたでしょう。

・物語の魅力を伝え合うことで、物語をより深く味わえるようになりました。自分で読書するときにも、いろいろな点に着目するようになりました。
・意見文を書くときには、主張と根拠を明らかにすることが大切だと分かりました。
・俳句を作るときなどには、使う言葉をじっくりと選ぶようになりました。

五年生をふり返って

一年間で身に付けた言葉の力を確かめ、自分を表しょうしよう！

1

○五年生で学んだこと

教科書p.12「五年生で学ぶこと」を拡大したもの

どんな学習をしたのか思い出せるようにする

2

○身についた言葉の力・今後へのいかし方

3

・物語のみりょくを考える→物語をより深く味わえる

・情景描写→自分が表現するときにも言葉を選ぶ

・説明文「主張」「根きょ」→自分の考えを話すときにも活用

3 言葉の力と生かし方について、考えをまとめる 〈15分〉

○「自分自身に付いた言葉の力」と「その力の生かし方」について、自分の考えをまとめて書く。

T　この一年間で身に付けた言葉の力を今後どのように生かしていくかを考え、まとめましょう。

・「大造じいさんとガン」で情景描写について学習したことが、俳句の表現の工夫にもつながりました。今後も自分の考えを表現するときに、言葉を吟味して使えるようにしたいです。

・説得力のある意見文には、主張と根拠を明らかにすることが大切だと学びました。これは、書くときだけでなく自分の意見を話すときにも応用できると思います。

4 自分への賞状を作り、友達と読み合う 〈15分〉

T　今まとめたことを基に、自分への賞状を作りましょう。身に付けた力がよく分かるような賞の名前を付けられるといいですね。

・私は「表現を工夫して、感動を伝える」力が付いたから、「言葉や表現にこだわったで賞」にしようかな。

T　作った賞状を友達と読み合って、お互いにどんな言葉の力が付いたのかを伝え合いましょう。

ICT 端末の活用ポイント

学習支援ソフトを活用し、賞状を互いに閲覧したり、友達と互いを認め合うコメントを入れたりすることができるようにすることで、より大きな自信につなげることができる。

監修者・編著者・執筆者紹介

＊所属は令和６年６月現在。

[監修者]

中村　和弘（なかむら　かずひろ）　東京学芸大学 教授

[編著者]

井上　陽童（いのうえ　ようどう）　実践女子大学 専任講師

小木　和美（おぎ　かずみ）　東京都 大田区立高畑小学校 主任教諭

[執筆者]　＊執筆順。

中村　和弘	（前出）	●まえがき　●「主体的・対話的で深い学び」を目指す授業づくりのポイント　●「言葉による見方・考え方」を働かせる授業づくりのポイント　●学習評価のポイント　●板書づくりのポイント　● ICT 活用のポイント
井上　陽童	（前出）	●第５学年の指導内容と身に付けたい国語力
小木　和美	（前出）	●第５学年の指導内容と身に付けたい国語力
佐々木恵里	東京都 武蔵野市立井之頭小学校 主任教諭	●漢字の広場③　●和語・漢語・外来語　●やなせたかし―アンパンマンの勇気　●漢字の広場⑤
須田美和子	東京都 港区立高輪台小学校 指導教諭	●方言と共通語　●想像力のスイッチを入れよう　●五年生をふり返って
本村　文香	東京都 新宿区立愛日小学校 主任教諭	●秋の夕　●浦島太郎「御伽草子」より　●古典の世界（二）　●冬の朝　●大造じいさんとガン
渡邉　克吉	山梨県 富士河口湖町立船津小学校 教諭	●よりよい学校生活のために　●好きな詩のよさを伝えよう
橋本　祐樹	東京都 世田谷区立等々力小学校 主任教諭	●固有種が教えてくれること／自然環境を守るために
浅井　哲司	香川大学 講師	●カンジー博士の暗号解読　●複合語　●言葉を使い分けよう
小林　孝行	東京都 立川市立第八小学校 主任教諭	●漢字の広場④　●「子ども未来科」で何をする
清水　良	東京学芸大学附属世田谷小学校 教諭	●あなたは、どう考える　●熟語の読み方
松江　宣彦	東京都 中野区立平和の森小学校 主任教諭	●言葉でスケッチ　●もう一つの物語　●漢字の広場⑥

『板書で見る全単元の授業のすべて 国語 小学校5年下〜令和6年版教科書対応〜』付録資料について

本書の付録資料は、東洋館出版社オンラインショップ内にある「付録コンテンツページ」からダウンロードすることができます。

【付録コンテンツページ】

URL https://toyokan-publishing.jp/download/

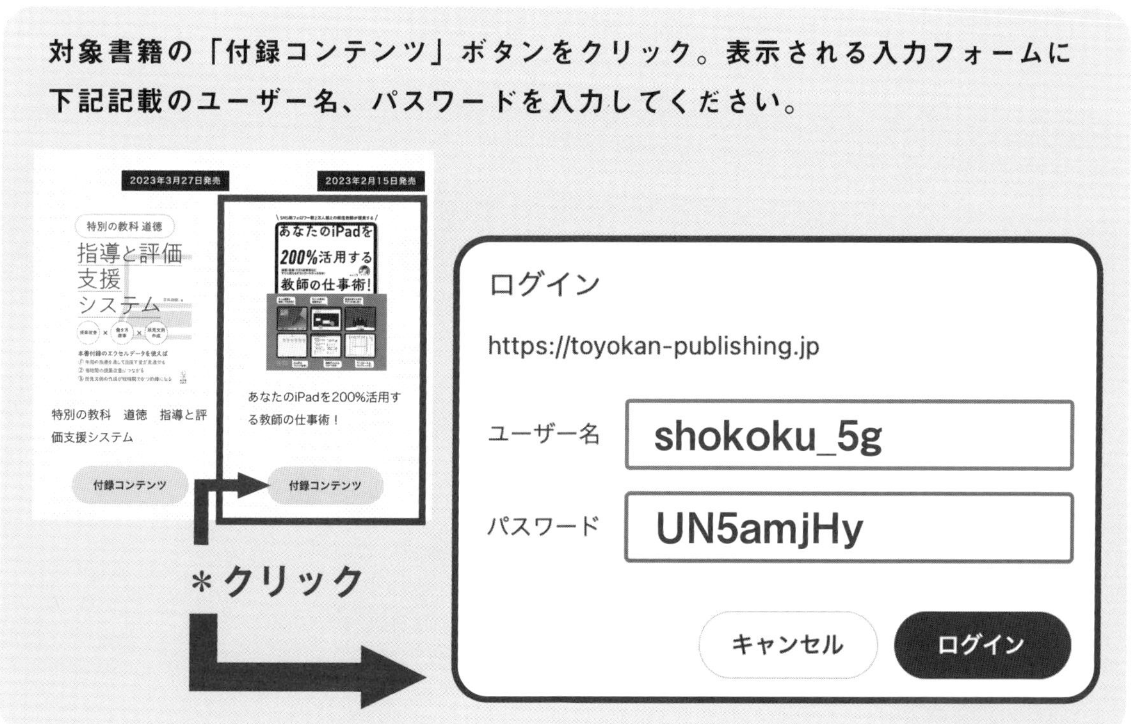

【使用上の注意点および著作権について】

・リンク先にはパソコンからアクセスしてください。スマートフォンではファイルが開けないおそれがあります。
・PDFファイルを開くためには、Adobe Readerなどのビューアーがインストールされている必要があります。
・収録されているファイルは、著作権法によって守られています。
・著作権法での例外規定を除き、無断で複製することは法律で禁じられています。
・収録されているファイルは、営利目的であるか否かにかかわらず、第三者への譲渡、貸与、販売、頒布、インターネット上での公開等を禁じます。
・ただし、購入者が学校での授業において、必要枚数を生徒に配付する場合は、この限りではありません。ご使用の際、クレジットの表示や個別の使用許諾申請、使用料のお支払い等の必要はありません。

【免責事項・お問い合わせについて】

・ファイル使用で生じた損害、障害、被害、その他いかなる事態についても弊社は一切の責任を負いかねます。
・お問い合わせは、次のメールアドレスでのみ受け付けます。tyk@toyokan.co.jp
・パソコンやアプリケーションソフトの操作方法については、各製造元にお問い合わせください。

カスタマーレビュー募集

本書をお読みになった感想を下記サイトにお寄せ下さい。レビューいただいた方には特典がございます。

https://toyokan.co.jp/products/5404

板書で見る全単元の授業のすべて
国語 小学校５年下
～令和６年版教科書対応～

2024(令和６)年８月20日　初版第１刷発行

監 修 者：中村　和弘
編 著 者：井上　陽童・小木　和美
発 行 者：錦織　圭之介
発 行 所：株式会社東洋館出版社
〒101-0054　東京都千代田区神田錦町２丁目９番１号
コンフォール安田ビル２階
代　表 TEL：03-6778-4343　FAX：03-5281-8091
営業部 TEL：03-6778-7278　FAX：03-5281-8092
振　替 00180-7-96823
ＵＲＬ https://www.toyokan.co.jp

印刷・製本：藤原印刷株式会社

装丁デザイン：小口翔平＋村上佑佳（tobufune）
本文デザイン：藤原印刷株式会社

ISBN978-4-491-05404-9　　Printed in Japan